NADA más VERTE

Nada más verte.

Originally published in the English language by
HarperCollins Publishers Ltd. under the title *You Had Me At Hello.*

© Mhairi McFarlane, 2012

© de la traducción: Eva Pérez Muñoz e Irene Prat Soto

© de esta edición: Libros de Seda, S.L.
Paseo de Gracia 118, principal
08008 Barcelona
www.librosdeseda.com
www.facebook.com/librosdeseda
@librosdeseda
info@librosdeseda.com

Diseño de cubierta y maquetación: Germán Algarra

Primera edición: abril de 2014

Depósito legal: B. 2.282-2014
ISBN: 978-84-15854-30-2

Impreso en España – Printed in Spain

Mhairi McFarlane

NADA más VERTE

LIBROS de
seda

Gracias a mi extraordinaria agente Ali Gunn y al encantador Doug Kean, por ayudarme a hacer lo correcto. Un enorme gracias también a Jo Rees, cuya espléndida crítica produjo magníficos resultados sin destruir mi autoestima, algo por lo que le estaré eternamente agradecida.

No me queda más que elogiar a mi maravillosa editora, Helen Bolton, que ha demostrado su amor por esta novela llevándola de manera magistral y a todo el equipo de Avon y HarperCollins por ser tan profesionales y amables.

Un gracias enorme para mi excepcional familia, por todo el apoyo y ánimo que me han dado. No hubiera podido hacer esto sin vosotros, como seguro sabéis.

Una mención especial a Clive Norman por su generosa y pronta ayuda, y a mi amigo Sean y a mi hermano Ewan por hacer que siguiera adelante cada vez que me daba uno de mis arrebatos de «no puedo con esto». Gracias también a mis grandes amigos/lectores/consejeros que soportaron todo el proceso de «he escrito un libro»: Tara, Katie, Helen, Kristy, Julia, al muy inspirador Árbol de las tres «C» (¡gracias por el nombre, Nat!) y a mi hermana Laura.

Y para todas esas personas ingeniosas que sé que han tenido los teléfonos levantados (muchas veces por obligación), en especial a Jerry, Rob, David, Tim, espero no tener ninguna querella.

Sobre todo gracias a Alex que, como Bon Jovi, ha tenido fe.

Y gracias a ti que has comprado este libro. Espero arrancarte al menos una sonrisa, ya que mi intención siempre fue que resultara, cuanto menos, un poco divertido.

Para Jenny,
a la que conocí en la universidad.

PRÓLOGO

—¡Oh, demonios, vaya una suerte la mía!

—¿Qué pasa? —pregunté mientras ahuyentaba de un manotazo a una avispa especialmente osada de mi lata de Coca Cola.

Ben se estaba tapando la cara con la mano de una forma que solo servía para llamar más la atención sobre su persona.

—El profesor McDonald. Ya sabes, ese que es a los profesores lo mismo que la *Egg McMuffin* a las hamburguesas. Le debo una redacción sobre Keats desde hace una semana. ¿Me ha visto?

Eché un rápido vistazo. Al otro lado del césped veteado por la luz del atardecer, el susodicho profesor se había detenido y estaba señalando a Ben con el dedo de la misma forma que el tío Sam en los carteles de reclutamiento; hasta me dio la sensación de que pronunciaba un silencioso «tú» con los labios.

—Hmm... Creo que sí.

—¿Crees que sí o rotundamente sí?

—Como si un misil acabara de descubrir tus coordenadas exactas y fuera directo hacia ti para derrumbarte.

—De acuerdo. Piensa... piensa... —masculló Ben mirando hacia las hojas del árbol bajo el que estábamos sentados.

—¿Acaso vas a subirte allí arriba? Porque el profesor McDonald es de los que parece no cejar en su empeño hasta que lo ve todo reducido a cenizas.

Los ojos de Ben se posaron ahora en lo que quedaba de nuestro almuerzo y en las mochilas que habíamos dejado sobre el césped, como si allí pudiera encontrar la solución a su problema, si bien yo no creía que esconderse detrás de una *Karrimor*, aunque estuviera garantizada de por vida, fuera a servirle de gran ayuda. Entonces sus ojos se clavaron en mi mano derecha.

—¿Me dejas tu anillo?

—Claro. Pero que sepas que no es mágico. —Me lo quité y se lo di.

—¿Te puedes poner de pie?

—¿Qué?

—Que te pongas de pie.

Hice lo que me pedía y sacudí los restos de hierba que se me habían pegado a los *jeans*. A continuación Ben se arrodilló frente a mí, sosteniendo en alto la pieza de plata que había conseguido por cuatro libras en el mercadillo de estudiantes. Al verlo empecé a reírme.

—¡Eres un idiota!

El profesor McDonald vino hacia nosotros.

—¡Ben Morgan!

—Lo siento, señor, ahora mismo estoy metido en un asunto muy importante —se disculpó. Después se dirigió a mí de nuevo—. Sé que solo tenemos veinte años y puede que esta proposición haya venido forzada por... presiones externas, pero independientemente de eso, eres de veras increíble. Estoy convencido de que nunca conoceré a otra mujer como tú. Y este sentimiento se incrementa día a día...

El profesor McDonald se cruzó de brazos. Sin embargo, por increíble que pareciera, estaba sonriendo. Parecía mentira, pero el desparpajo de Ben había vuelto a triunfar.

—¿Estás seguro de que ese sentimiento no tendrá algo que ver con el maíz dulce y los perritos calientes con salchichas enlatadas que Kev y tú preparasteis la otra noche? —pregunté.

—¡No, por Dios! Me has subyugado. Mi cabeza, mi corazón, mi estómago, mi...

—Cuidado, muchacho, yo de usted no continuaría con el inventario de su anatomía —le aconsejó el profesor—. El peso de la historia descansa sobre sus hombros. Piense en su legado. Eso ha de servirle de inspiración.

—Gracias, señor.

—Tú no necesitas una esposa, lo que necesitas es tomarte algo que te cure la diarrea —dije yo.

—Te necesito. ¿Qué me dices? Cásate conmigo. Hagamos una ceremonia sencilla, así podrás mudarte a mi habitación. Tengo un colchón hinchable y una toalla desteñida que podrás doblar para usarla como almohada. Además, Kev está perfeccionando una nueva receta de patatas bravas con salsa de tomate Heinz.

—Qué oferta más tentadora, Ben. Lo siento, pero no.

Ben se dio la vuelta hacia el profesor McDonald.

—Creo que voy a necesitar una baja por depresión.

Capítulo 1

Llego a casa un poco tarde. En la puerta resoplo por la lluvia tan especial que cae en Manchester; una que parece ir tanto en dirección vertical como horizontal. Meto tanta agua en casa que me da la sensación de ser un alga a la que las olas han arrastrado a través de las escaleras.

Siempre he creído que mi casa es un lugar agradable sin grandes pretensiones. Solo con un pequeño recorrido de dos minutos uno puede darse cuenta de que aquí vive una pareja de «profesionales» en la treintena y sin hijos: fotos enmarcadas de los héroes musicales de Rhys, una decoración en la que se mezcla lo antiguo con lo moderno —menos de esto último y más de lo primero—, y la pintura azul oscuro de los rodapiés que hace que mi madre siempre suelte con desdén: «esto tiene un aire a centro comunitario».

A pesar de que la casa huele a cena —una picante y caliente— se respira en el ambiente una cierta frialdad, por lo que sé que Rhys no está de buen humor antes de verle siquiera. Mientras me dirijo a la cocina, la tensión de sus hombros y la forma como se inclina sobre lo que sea que está preparando confirman mi sospecha.

—Buenas noches, cariño —saludo, sacando mi pelo mojado del abrigo y quitándome la bufanda. Estoy tiritando, pero tengo todo un fin de semana por delante. Las cosas parecen sobrellevarse mejor cuando es viernes.

Rhys me suelta una especie de gruñido que no sé si es un «hola», pero no lo pongo en duda no vaya a ser que luego me acuse de ser la que empieza con las hostilidades.

—¿Tienes la pegatina de circulación? —pregunta.

—¡Maldita sea! ¡Se me ha olvidado!

Rhys se da la vuelta, cuchillo en mano. «Fue un crimen pasional, su señoría. El hombre llevaba muy mal el asunto del papeleo.»

—¡Te lo recordé ayer mismo! Ahora ya llevamos un día de retraso.

—Lo siento, mañana lo hago sin falta.

—Claro, como no eres tú la que tiene que conducir de forma ilegal...

Tampoco soy yo a la que se le olvidó ir el fin de semana pasado, según el recordatorio del calendario, escrito de su mismo puño y letra. Pero no menciono ese dato, para que no diga que me gusta discutir.

—Sabes que tienen tolerancia cero en este aspecto y que se los llevan al desguace aunque estén aparcados. Luego no me eches la culpa si lo reducen a tamaño Noddy[1] y tienes que ir en autobús.

De pronto me imagino llevando un gorrito azul de duende con un cascabel en la punta.

—Lo haré mañana por la mañana. No te preocupes.

Él vuelve a darse la vuelta y continúa cortando un pimiento que quizá lleve mi cara impresa en él, o puede que no. En ese momento me acuerdo de que tengo un pequeño soborno y corro a recuperar la botella de tinto que llevo en una bolsa de la tienda de vinos Threshers que no deja de chorrear.

—Venga, hagamos un brindis, orejotas —digo, habiendo servido previamente un par de copas.

—¿Orejotas?

—Era una broma por tu anterior alusión a Noddy. Da igual. ¿Cómo te ha ido el día?

—Como siempre.

Rhys trabaja como diseñador gráfico en una agencia de marketing. Un empleo que odia. Aunque odia aún más hablar de ello. Sin embar-

---

1 Hace referencia a una serie de dibujos animados cuyo personaje principal es el duende Noddy. (N. de la T.)

go, le encanta que le cuente las anécdotas más sórdidas de mi profesión; trabajo como reportera para un periódico local, cubriendo los procesos penales del Tribunal de la Corona de Manchester.

—Hoy, un hombre al que le acababan de comunicar la sentencia que le condena a cadena perpetua sin posibilidad de libertad condicional ha respondido con la impagable frase de: «Pues vaya un error de mierda».

—¡Ja! ¿Y lo era?

—¿Un error? No. Ha matado a un montón de personas.

—¿Puedes poner mierda en el *Manchester Evening News*?

—Solo si se pone con asteriscos. Tuve que describir todas las lindezas que la familia del acusado dijo usando el eufemismo de «gritos y llantos emocionales que provenían desde la sala». La única palabra dirigida al juez que no fue un insulto fue «maldito viejo».

Rhys se ríe entre dientes y se va con su vaso hacia la sala de estar. Le sigo.

—Hoy he estado investigando un poco sobre el tema de la música —comento, sentándome—. Mi madre me ha estado dando la tabarra, contándome que el sobrino de Margaret Drummond, la cocinera del club, contrató a un *DJ* que iba todo el rato con una gorra de béisbol y que hacía gestos lascivos y soltaba palabrotas antes de que las damas de honor y los pajes se fueran a dormir.

—Suena bien. ¿Puede conseguir su número? Aunque estaría bien que fuera sin la gorra.

—Quizá no quedaría mal tener un cantante en directo. Un compañero de trabajo contrató a un imitador de Elvis, «el Elvis de Macclesfield». Tiene buena pinta.

Rhys adopta un semblante serio.

—No quiero a ningún viejo gordo, pasado de moda y engominado, cantando *Love Me Tender*. Vamos a casarnos en el ayuntamiento de Manchester, no en una capilla de matrimonios exprés de Las Vegas.

Intento que su comentario no me afecte, aunque no es nada fácil. «Perdóname por tratar de darle un toque divertido».

—Está bien, de acuerdo, pensé que podríamos echarnos unas risas, ya sabes, que todo el mundo se lo pasara bien. ¿Qué te apetecería entonces?

Se encoje de hombros.

—No sé.

Su mal humor y mirada mordaz me dicen que es muy posible que me esté perdiendo algo.

—A menos que... ¿quieres tocar tú?

Él finge pensárselo.

—Sí, supongo que sí. Se lo preguntaré a los muchachos.

Rhys y su banda. Llámalos *sub-Oasis* y te matará. Aunque es cierto que visten mucho con parkas y tienen sus buenas cuotas de peleas. Ambos sabemos, pero nunca decimos en voz alta, que Rhys esperaba que su grupo anterior, el que formó en Sheffield, saltara a la fama, mientras que este es una especie de pasatiempo de los treinta. Siempre he aceptado compartir la afición que mi novio tiene por la música, pero lo que no esperaba era tener que soportarla el día de mi boda.

—Podríais encargaros de la primera media hora, y después puede seguir el *DJ* hasta el final.

Rhys hace una mueca.

—No voy a tener al grupo ensayando unos días antes para luego tocar solo media hora.

—Está bien, podéis quedaros un poco más, pero se trata de nuestra boda, no de un concierto.

Siento cómo se van formando los nubarrones y hasta incluso un trueno encima de su cabeza. Conozco su temperamento y como terminan este tipo de discusiones como la palma de mi mano.

—Pues entonces tampoco quiero un *DJ* —termina diciendo él.

—¿Por qué no?

—Porque es una horterada.

—¿Quieres encargarte de toda la música?

—Podemos hacer nuestra propia recopilación en un iPod o en Spotify, da igual, y luego mezclarla.

—De acuerdo. —Sé que debería dejarlo ya e intentarlo de nuevo cuando esté de mejor humor, pero no puedo evitarlo—. Pero ¿tendremos a los Beatles, Abba y cosas de esas para los mayores? No se van a enterar mucho si solo les ponemos todo ese rollo de «jódete, no voy a hacer lo que me digas» a todo volumen.

—¿*Dancing Queen*? Ni pensarlo. Aunque tu primo Alan quiera bailarla de forma amanerada y ponerse a mover las manos a la altura de los pezones como si fuera un pato a punto de ponerse a volar; eso siempre me ha parecido una provocación gratuita, la verdad.

—¿Por qué tienes que comportarte como si todo esto te resultara una molestia?

—Creía que querías que nos casáramos según nuestros términos, a nuestra manera. Estábamos de acuerdo en eso.

—Sí, según «los nuestros», no «los tuyos» —replico—. Quiero tener la oportunidad de hablar con nuestros amigos y familiares. De lo que se trata es que sea una fiesta para todo el mundo.

Clavo la vista en mi anillo de compromiso y me pregunto por qué decidimos casarnos. Fue hace unos meses, cuando estábamos en un restaurante griego, celebrando que por fin Rhys había conseguido una prima decente en su trabajo. Estábamos un poco achispados por el *ouzo* que habíamos bebido y la boda surgió como una de las grandes cosas en la que podríamos gastarnos el dinero. La idea de celebrar una buena juerga nos pareció estupenda y estuvimos de acuerdo en que ya iba siendo hora de dar el paso. No hubo ninguna proposición, solo Rhys llenándome el vaso, guiñándome un ojo y diciendo: «¿Por qué narices no lo hacemos?».

En ese momento y en aquel comedor húmedo y caluroso, estuve tan segura, que me pareció una decisión de lo más acertada. Estábamos viendo un espectáculo de danza del vientre en el que una bailarina sacaba a varios jubilados para que giraran alrededor de ella, lo que hizo que nos muriéramos de risa. Amaba a Rhys, y supongo que mi respuesta afirmativa encerraba un «¿con que otro podría casarme si no?».

Sí, estábamos pasando una mala racha, una época de apatía, pero era como las manchas de humedad que hay en un rincón del baño, que si las quieres quitar te cuestan una suma exorbitante de dinero, pero puedes vivir con ellas mientras no les hagas ni caso.

Aunque habíamos esperado demasiado, nunca dudé de que terminaríamos formalizando lo nuestro. Puede que Rhys siguiera llevando el pelo despeinado y el eterno uniforme de estudiante, consistente en alguna camiseta de un grupo musical, *jeans* rotos y zapatillas *All Star*. Sin embargo, a pesar de toda esa fachada, sabía que era de esos a los que les gusta tener el papel firmado antes de que lleguen los hijos. En cuanto volvimos a casa llamamos a nuestros padres para compartir con ellos nuestra alegría, aunque creo que en parte también lo hicimos porque al contar la noticia sería más difícil que nos arrepintiéramos una vez se nos hubiese pasado el efecto del alcohol. De modo que no hubo declaraciones de amor bajo la luz de la luna ni sonatas, aunque como Rhys diría, así es la vida.

Ahora me imagino ese día, el que se supone que tiene que ser el más feliz de nuestras vidas, lleno de compromisos y de una irritación contenida, y a Rhys comportándose de forma hostil y pasando la mayor parte del tiempo con sus compañeros del grupo, igual que cuando lo conocí, cuando lo único que quería mi inmaduro corazón era estar con su banda.

—¿Desde cuándo el grupo se ha convertido en un tercero de esta relación? ¿Vas a estar todo el día ensayando mientras yo me quedo en casa con un niño llorando en los brazos?

Rhys aparta el vaso de sus labios.

—¿A qué viene esto? ¿Qué quieres? ¿Que me convierta alguien distinto, que deje de hacer algo que me encanta para llegar a ser lo suficientemente bueno para ti?

—Yo no he dicho eso. Solo que no creo que el que tú toques sea compatible con que pasemos tiempo juntos el día de nuestra boda.

—¡Ajá! Qué más da si después tendremos toda una vida por delante para estar juntos.

Lo ha dicho como si nuestro matrimonio fuera una condena a cadena perpetua, con acoso sexual en las duchas incluido, levantarse a las seis de la mañana para correr por el patio y los mensajes cifrados a las personas que están fuera.

Tomo una profunda bocanada de aire y siento una intensa y pesada opresión bajo mi caja torácica, una punzada de dolor que intento mitigar bebiendo un sorbo de vino, algo que siempre me ha funcionado en el pasado.

—No estoy segura de que esta boda sea una buena idea.

Ya está. Este molesto pensamiento ha conseguido traspasar mi subconsciente hasta el consciente, y de ahí ha ido directo a la boca. Lo que me sorprende es que no quiero reprimirlo.

Rhys se encoge de hombros.

—Te propuse que hiciéramos una pequeña escapada y nos casáramos en el extranjero, pero tú quisiste que fuera aquí.

—No, me refiero a que no creo que casarnos «ahora» sea una buena idea.

—Bueno, pues la gente se va a extrañar bastante si la cancelamos de pronto.

—Pero eso no es razón suficiente para seguir adelante.

«Dame una buena razón», pienso. Quizá le esté mandando un mensaje a la desesperada con mi última frase. Me doy cuenta de que en mi interior se ha encendido una bombilla, que ahora lo veo todo claro, pero Rhys no parece entender la urgencia de la situación. He dicho el tipo de cosas que no solemos decir. Y negarse a escucharlo no es respuesta suficiente.

Él se limita a soltar un suspiro estrafalario; uno que viene cargado del indiscutible cansancio que según parece le supone el vivir conmigo.

—Da igual. Llevas intentando discutir desde que llegaste a casa.

—¡Pues claro que no!

—Y ahora te enfadas porque quieres obligarme a aceptar a un *DJ* cualquiera que pinchará bazofia para que tú y los imbéciles de tus ami-

21

gos os divirtáis cuando estéis borrachos. Bien. Contrátalo. Haz lo que te dé la gana, no pienso seguir discutiendo.

—¿Imbéciles?

Rhys toma un sorbo de vino y se pone de pie.

—Será mejor que siga con la cena.

—¿No crees que el hecho de que no nos pongamos de acuerdo con esto podría ser una señal de algo?

Él vuelve a sentarse de nuevo.

—¡Por Dios, Rachel!, no intentes convertir esto en un drama. He tenido una semana muy dura y no me quedan fuerzas para soportar otro de tus berrinches.

—Yo también estoy cansada, pero no por trabajar cinco días a la semana, sino por el esfuerzo que me supone fingir. Estamos a punto de gastar miles de libras para ponernos delante de todos aquellos que mejor nos conocen y representar un papel, y con solo pensarlo me estoy poniendo nerviosa.

Que Rhys no entienda lo que está pasando es lógico. Al fin y al cabo él se está comportando como suele. En realidad todo esto es lo mismo de siempre. Soy yo la que siento que hay algo dentro de mí que se ha roto. Una pieza de mi maquinaria se ha gastado, al igual que sucede con cualquier aparato de los que usamos a diario, que funciona perfectamente hasta que un día deja de hacerlo.

—Y sí, creo que no es buena idea que nos casemos —continúo—. De hecho, ni siquiera estoy segura de que debamos seguir juntos. No somos felices.

Mi confesión lo deja un tanto aturdido, aunque segundos después vuelve a mirarme desafiándome abiertamente.

—¿No eres feliz?

—No, no lo soy. ¿Y tú?

Rhys cierra los ojos, suspira y se pellizca el puente de la nariz.

—No, en este momento no me lo estoy pasando muy bien que digamos.

—¿Y en general? —insisto.

—¿Se puede saber qué es la felicidad, a los efectos de esta discusión? ¿Corretear por los prados tan contento con un cielo lleno de nubes que parecen algodón, mientras recoges margaritas? Pues entonces no, no lo soy. Te quiero, y creía que tú también me querías lo suficiente como para hacer un esfuerzo. Ahora veo que no.

—Hay un término medio entre las margaritas y las discusiones constantes.

—Madura de una vez, Rachel.

La típica reacción de Rhys ante cualquiera de mis dudas siempre ha sido un brusco «madura», «supéralo» o «todo el mundo sabe lo que se puede encontrar en una relación y tus expectativas son poco realistas». Solía gustarme la seguridad con la que lo decía. Ahora ya no estoy tan segura.

—No es suficiente —sentencio.

—¿Qué estás diciendo? ¿Qué quieres mudarte?

—Sí.

—No te creo.

Después de todo este tiempo, tampoco yo. Ha sido como una aceleración ultrasónica, como pasar de cero a mil en segundos y siento como si estuviera bajando desde el punto más alto de una montaña rusa. Puede que esta haya sido la razón por la que tardamos tanto en querer casarnos, porque sabíamos que esta decisión haría que problemas que veíamos muy difusos, empezaran a adquirir nitidez.

—Mañana mismo me pondré a buscar algo de alquiler.

—¿Esto es todo lo que valen trece años juntos? —pregunta—. ¿Si no hago lo que tú quieres en la boda, te vas sin más?

—Sabes que no es por la boda.

—Me hace gracia cómo todos estos problemas te preocupan ahora, justo cuando no consigues que las cosas se hagan a tu manera. No recuerdo que tuvieras este tipo de... «introspección» cuando te compré el anillo.

Rhys se acaba de anotar un punto. ¿He iniciado esta discusión para encontrar una razón? ¿Tiene esa razón el peso suficiente? Mi determinación empieza a debilitarse. Quizá, cuando me despierte mañana, piense que todo esto ha sido un error. Puede que esta claridad tan apocalíptica que de pronto me consume deje de empaparme como la lluvia que todavía sigue cayendo fuera. Tal vez podríamos salir a comer a algún sitio mañana, escribir las canciones que más nos gustan en una servilleta de papel y recuperar la ilusión por nuestra boda...

—Está bien... si queremos que esto funcione tenemos que hacer algunos cambios. No podemos seguir echándonos en cara las cosas; deberíamos ir a ver a algún consejero o algo por el estilo.

Con poco que me ofrezca en este aspecto, me quedaré. Así de patética es mi resolución.

Rhys frunce el ceño.

—No pienso sentarme delante de ningún sabiondo mientras le cuentas lo mal que me porto contigo. Ni tampoco voy a postergar la boda. O lo hacemos ahora o nos olvidamos de casarnos.

—¿Te estoy hablando de nuestro futuro, si es que lo tenemos, y lo único que te importa es lo que la gente pueda llegar a pensar si cancelamos la boda?

—No eres la única que puede dar un ultimátum.

—¿Te crees que estamos jugando?

—Si no estás segura después de esto, nunca lo estarás. Así que no hay más que hablar.

—Si eso es lo que quieres —digo con voz temblorosa,

—No, es lo que «tú» quieres —replica enfadado—. Como siempre. Después de todo lo que he sacrificado por ti...

Que diga eso me pone furiosa; es la clase de ira que hace que te levantes un metro sobre el suelo como si tuvieras un lanzacohetes en los talones.

—¡No has hecho nada por mí! ¡Tú solito decidiste mudarte a Manchester! Actúas como si tuviera una deuda contigo, una que nunca podré pagarte, ¡y eso es una estupidez! ¡El grupo en el que tocabas antes iba a separarse de todos modos! ¡No me culpes por algo que no lograste!

—¡Eres una egoísta y una malcriada! —brama él, poniéndose de pie, porque gritar estando sentado nunca es tan efectivo—. Quieres lo que quieres, y nunca piensas en lo que el resto del mundo tiene que hacer para conseguírtelo. Y con esta boda estás haciendo lo mismo. Eres una egoísta de la peor clase, porque te crees que no lo eres. En cuanto al grupo, ¿cómo coño te atreves a decir que sabías cómo iba a terminar? Si pudiera volver a atrás y actuar de forma diferente...

—¡Venga, dime qué harías! —grito.

Aquí estamos los dos, de pie, respirando de manera que se nos puede oír muy bien, enfrentados como si estuviéramos en una pelea a tres, lanzándonos dardos con las palabras, una pelea en la que ninguno de los dos encuentra ventaja en atacar primero.

—Está bien. De acuerdo —termina diciendo Rhys—. Me voy a casa este fin de semana. No quiero quedarme aquí y seguir con todo esto. Empieza a buscar otro sitio en el que vivir.

Me dejo caer en el sofá y me siento con las manos sobre el regazo, mientras le escucho subir las escaleras y meter algo de ropa en una mochila. Las lágrimas corren por mis mejillas, bajándome por el escote de la camisa, que apenas estaba empezando a secarse. Ahora oigo a Rhys en la cocina y me percato de que está apagando la placa sobre la que estaba una cazuela con *chili*. De alguna manera, ese gesto, que a primera vista no parece tener mayor importancia, me sienta peor que cualquier cosa que pueda decir. Me cubro la cara con las manos.

Pasados unos minutos, me sobresalto al escuchar su voz justo a mi lado.

—¿Hay alguien más?

Levanto la vista, con los ojos anegados en llanto el llanto.

—¿Qué?

—Ya me has oído. ¿Que si hay alguien más?

—Por supuesto que no.

Rhys duda un instante.

—No sé por qué lloras. Esto es lo que querías —dice.

A continuación se marcha, dando un portazo tan fuerte que suena como un disparo.

Capítulo 2

Todavía en estado de *shock* por mi repentina soltería, mis mejores amigos, Caroline, Mindy e Ivor, acuden en mi ayuda y me hacen la pregunta compasiva por excelencia: «¿Quieres que salgamos por ahí todos juntos y nos emborrachemos hasta perder el sentido?».

Por lo que a ellos concierne, Rhys muy bien podía haber estado desaparecido en combate. Él siempre había visto a mis amigos como eso, «mis» amigos. Es más, nunca perdía ocasión de comentar que Mindy e Ivor parecían un par de presentadores de la serie infantil *Play School*. Mindy es india, y su nombre real es Parminder. Ella dice que «Mindy» es su alias en el mundo de los blancos. «Así puedo pasar completamente desapercibida entre vosotros, salvo por mi piel morena.»

En cuanto a Ivor, su padre sufría cierta fijación con las leyendas nórdicas. Tenía algo que ver con un albatros que salía en una antigua serie de dibujos animados. Nuestro amigo tuvo que aguantar a los jugadores de rugby de nuestra residencia universitaria que le llamaban «La Máquina», porque decían que hacía un ruido estilo *pessshhhty-coom pessshhhty-com* en los momentos más íntimos. Esos mismos jugadores que competían por ver quién se bebía la orina o flemas de los demás, le llevaron escaleras arriba para que conociera la planta de alumnas, y así es como nos convertimos en un grupo mixto de cuatro. Nuestra relación platónica, junto con su cabeza prácticamente rapada, sus gafas de pasta negras y su amor por las zapatillas japonesas a la última moda, hizo que muchos llegaran a la errónea conclusión de que Ivor era gay. Al final ha terminado convirtiéndose en programador de videojuegos, y como casi no hay mujeres que se dediquen a esa profesión, tiene la impresión de que puede estar perdiéndose grandes oportunidades.

—Es algo en contra de toda lógica —se queja siempre—. ¿Por qué tiene que ser gay un hombre que está rodeado de mujeres? Con Hugh Hefner nadie tiene dudas. Puede que lo que deba hacer sea ir vestido siempre en pijama y con zapatillas de estar por casa.

En cualquier caso, hoy no me apetece salir a ningún bar ni aguantar compañía extraña, así que opto por lo de tomar unas copas en casa, algo mucho más letal que la primera opción.

La casa de Caroline en Chorlton es siempre la elección más segura ya que, a diferencia del resto de nosotros, está casada y ha tenido una suerte enorme —me refiero a la casa, no al marido, y no es que quiera menospreciar a Graeme, que está en uno de sus frecuentes fines de semana de golf con sus amigos. Caroline es la contable —muy bien pagada, por cierto— de una cadena de supermercados y una adulta en toda regla, aunque siempre lo ha sido. En la universidad solía llevar chalecos de plumas y era miembro del club de remo. Cuando les decía a los demás lo asombroso que me parecía que fuera capaz de madrugar tanto para ir a hacer ejercicio después de una noche de borrachera, Ivor me contestaba medio dormido: «Es típico de la gente bien. A esos los genes normandos les obligan a salir y conquistar cualquier cosa que se les ponga por delante».

No debía de andar mal encaminado en cuanto a su ascendencia. Caroline es alta, rubia y tiene lo que creo que se llama perfil aquilino. Ella dice que se parece a un oso hormiguero; si acaso, un oso hormiguero con un toque a lo Grace Kelly.

Me ha tocado hacer rodajas de lima y escarchar con sal los bordes de las copas sobre la pulcra y brillante encimera de su cocina, mientras ella echa hielo, tequila y Cointreau en el bol de un robot de cocina KitchenAid. Entre tanto, Mindy nos ofrece sus famosos pensamientos Tao desde su privilegiada posición en el sofá.

28

—La diferencia entre los treinta y los treinta uno es la misma que entre un funeral y el duelo.

Caroline empieza a remover la mezcla del margarita.

—¿Cumplir treinta es como un funeral?

—El funeral de tu juventud. Hay montones de bebidas, simpatía, atención, flores, y ves a todo el mundo que conoces.

—Por un segundo nos preocupó que la comparación fuera de mal gusto —comenta Ivor, colocándose las gafas sobre el puente de la nariz. Está sentado en el suelo, con las piernas y un brazo extendidos y apuntando con un mando a un objeto con forma romboidal que parece ser un estéreo—. ¿De verdad tienes a los Eagles ahí, Caroline, o se trata de algún chiste malo de los tuyos?

—Los treinta y uno son como el período de luto —continúa Mindy—, porque es mucho más duro cumplirlos, pero nadie espera que vuelvas a quejarte.

—Pues mira por dónde, nosotros sí que esperamos tus quejas, Mind —digo, pasándole con mucho cuidado una copa baja que más bien parece un plato con tallo de lo poco profunda que es.

—Las revistas de moda hacen que me sienta tan vieja e irrelevante, es como si lo único que tuviera que molestarme en comprar fueran unas TENA Lady para las pérdidas de orina. ¿Esto se come? —pregunta, moviendo la rodaja de lima que hay a un lado de la copa para quedársela mirando después.

A grandes rasgos, Mindy es una combinación desconcertante de capacidad extrema y estupidez total. Se matriculó en empresariales, aunque no dejaba de insistir en que no servía para eso y que no iba a seguir con el negocio familiar, una empresa dedicada a la venta de material textil en Rusholme. Entonces se licenció y decidió encargarse del negocio durante el verano. En ese tiempo creó un sistema de ventas por Internet, cuadriplicó los beneficios y aceptó a regañadientes que sí podía tener un talento natural para el negocio y una carrera a la que dedicarse. Sin embargo, hace poco, durante unas vacaciones en

California, cuando el guía anunció que «en días despejados, se pueden ver las ballenas sin necesidad de usar prismáticos», Mindy exclamó: «¡Oh, Dios mío, ¿hasta la bahía de Cardigan[2]?

—¿La lima? Pues... no... normalmente no —respondo.

—Ah. Pensaba que le habías puesto algo.

Recojo otra copa y se la llevo a Ivor. A continuación Caroline y yo nos hacemos con las nuestras y nos sentamos.

—Brindemos por la ruptura de mi compromiso y el futuro sin amor que me espera —contemplo.

—Mejor solo por tu futuro —me reprende Caroline.

Alzamos las copas, bebemos... y me estremezco un poco. La mezcla lleva demasiado tequila, lo que hace que se me entumezcan los labios y me arda el estómago.

«Soltera.» Hace tiempo que no me refiero a mí misma por esa palabra y todavía se me hace muy extraño. Además, ahora estoy en una especie de compás de espera: tengo que andar con pies de plomo en mi propia casa, duermo en la habitación de invitados, trato de evitar a mi ex novio y al cabreo que tiene, y también estoy furiosa. Pero en eso Rhys tiene razón: esto es lo que yo quería, y tengo menos razones que él para estar enfadada.

—¿Cómo lo estáis llevando? Me refiero a lo de seguir viviendo juntos —pregunta Caroline con cuidado, como si pudiera leerme el pensamiento.

—Todavía no hemos llegado a la fase de poner un alambre a la altura del cuello en la entrada de cada puerta, pero intentamos mantenernos alejados lo más posible del camino del otro. Tengo que intensificar la búsqueda de un sitio donde vivir porque todas las tardes me busco una excusa para salir de allí.

---

2 En inglés ballenas es *whales*, muy parecido en escritura y pronunciación a *Wales*, Gales en español. Mindy entiende que el guía se refiere a Gales, no a las ballenas, de ahí que pregunte si se puede ver hasta la bahía de Cardigan, situada precisamente en dicho territorio. (N. de la T.)

—¿Y cómo lo lleva tu madre? —Mindy se muerde el labio.

Mi amiga iba a ser una de las dos damas de honor en mi boda y, junto con mi progenitora, era a la que más ilusión le hacía el acontecimiento.

—No muy bien —comento, haciendo uso de mi habilidad para describir las cosas de forma comedida.

En realidad está fatal. Las llamadas telefónicas han ido viniendo por fases. Hemos pasado por el «termina de una vez con esta broma de mal gusto», el «solo estás teniendo un pequeño ataque de pánico, como le pasa a todas las novias», el consejo de «tómate un par de semanas, a ver si sigues pensando igual», el enfado, la negación, el intento de hacerme cambiar de opinión, hasta llegar al —eso espero— una especie de aceptación. Mi padre vino a verme y me preguntó que si era porque estaba preocupada por el dinero, ellos lo costearían todo. Ahí fue cuando me puse a llorar.

—Espero que no te moleste lo que voy a preguntarte, pero como nunca dijiste nada... —empieza Mindy—. ¿Qué fue lo que provocó la riña que hizo que tú y Rhys rompierais?

—Pues... el Elvis de Macclesfield.

Se produce un silencio embarazoso. Como el acta de defunción de mi épica y duradera relación se ha firmado hace solo una semana, nadie sabe qué decir o qué no. Es lo mismo que cuando se produce alguna tragedia de gran magnitud. ¿Cuándo se pueden empezar a mandar correos electrónicos bromeando sobre el asunto?

—¿Te has tirado al Elvis de Macclesfield? —pregunta Ivor—. ¿Qué se siente cuando te la está clavando el mismísimo Rey?

—¡Ivor! —gime Mindy.

Me río.

—¡Ohhh! —exclama de pronto Caroline en esa forma tan suya.

—¿Te has sentado sobre algo? —quiere saber Mindy.

—Se me ha olvidado por completo. ¿A qué no sabéis a quién he visto esta misma semana?

Me pongo a pensar en qué famoso puede estar en lo alto de mi lista. No se me ocurre nadie, a menos que sea alguien sobre el que haya escrito, y me paso el día detrás de gente que solo es famosa por los peores motivos. Dudo mucho que un violador en busca y captura pueda provocar tal deleite en mi amiga.

—¿Alguien de la serie *Coronation Street* o algún jugador del Manchester? —aventura Mindy. Tiene razón, en esta ciudad solo hay dos tipos de famosos posibles.

—No —responde Caroline—. Y es una adivinanza para Rachel.

Me encojo de hombros, mordiendo un trozo de hielo.

—Hmm... ¿Jude Law?

—No.

—¿Tony Blair?

—Tampoco.

—¿Mi padre?

—¿Por qué tendría que ver a tu padre?

—Podría haber venido desde Sheffield y estar teniendo una aventura clandestina a espaldas de mi madre.

—¿Y crees que os lo contaría haciendo una pregunta en plan de guasa como ahora?

—Está bien, me rindo.

Caroline se echa hacia atrás con un brillo triunfante en los ojos.

—A Ben «El Inglés».

Siento frío y calor al mismo tiempo, como si acabara de pillar la gripe. Y a estos escalofríos le sigue una ligera náusea. Sí, la comparación es perfecta.

Ivor se vuelve para mirar a Caroline.

—¿A Ben «El Inglés»? ¿Qué clase de apodo es ese? ¿A cuenta de qué?

—¿Tiene algo que ver con el Big Ben? —pregunta Mindy.

—Ben «El Inglés» —repite Caroline—. Rachel sabe a qué me refiero.

Me siento como Alec Guinness en *La Guerra de las Galaxias* cuando Luke Skywalker se despierta en la cueva y le pregunta por Obi Wan

Kenobi. «Es un nombre que no he oído desde hace mucho, mucho tiempo...»

—¿Dónde lo viste?

—En la Biblioteca Central.

—¿Por qué no le contáis al viejo Ivor «dos piernas» de quién estáis hablando? —pregunta nuestro amigo.

—Yo podría ser Mindy «La Hindi»

Ivor la mira como si fuera a decirle algo, pero acaba por cambiar de opinión.

—Era un amigo de la universidad, ¿te acuerdas? —le explico mientras me cubro la boca con la copa no vaya a ser que por la cara que pongo vea más de lo que quiero—. De mi curso. De ahí lo de Ben «El Inglés».

—Y si era tu amigo, ¿por qué está Caroline tan... emocionada? —pregunta Mindy.

—Porque a ella siempre le gustó —respondo. Al menos en esto he dicho la verdad, toda la verdad y nada más que la verdad.

—Ah. —Mindy me observa detenidamente—. Entonces a ti seguro que no te gustaba, porque Caroline y tú no podéis tener gustos más opuestos en cuanto a hombres.

La besaría en este mismo instante.

—Cierto —asiento categóricamente.

—Todavía está estupendo —comenta Caroline. Mi estómago empieza a retorcerse como si se tratara de un crustáceo vivo a punto de entrar en la olla de la cocina de un restaurante—. Iba vestido con corbata y un traje muy elegante.

—¿Con traje has dicho? Qué hombre más fascinante —salta Ivor—. Qué carácter. Estoy deseando conocerle. Oh. Espera... no... no lo estoy.

—¿Alguna vez salisteis juntos? —le pregunta Mindy a Caroline—. Estoy intentando ponerle cara...

—Dios, no. No era lo suficientemente glamorosa para él. No creo que ninguna de nosotras lo fuera, ¿verdad, Rachel? Era un poco mujeriego, pero de una forma que le hacía aún más atractivo.

—Pues sí —admito con un chillido.

—¡Un momento! ¡Sí que recuerdo a Ben! ¿No era ese que parecía un niño bien, que iba siempre muy elegante y que se mostraba muy seguro de sí mismo? —dice Mindy—. Creíamos que era rico, pero al final resultó que era todo apariencia. —Mira a Ivor, que muerde por completo el anzuelo.

—Vaya, parece que oigo campanas. Qué estilo tan pretencioso... —Ivor se sube el cuello de la camisa—... «¿hay mucho guapo aquí dentro o soy solo yo?».

—¡No era así! —río nerviosa.

—¿Perdiste todo contacto con él? —pregunta Caroline—. ¿No sois amigos por Facebook o algo parecido?

«No, nuestro contacto se rompió como las bandas de las líneas de meta cuando llega el ganador.»

—No. Quiero decir, sí. No le veo desde la universidad.

«Y las setecientas ochenta y una veces que he intentado saber algo de él a través de Google no he obtenido ningún resultado.»

—Le he visto algunas veces, pocas, en la biblioteca, y aunque me sonaba su cara no me he dado cuenta de quién era hasta ahora. Debe de estar viviendo en Manchester. ¿Quieres que le diga hola de tu parte o le pase tu número de teléfono si le vuelvo a ver?

—¡No! —espeto con una nota de pánico en la voz. Como siento que tengo que dar alguna explicación, añado—: Puede parecer que ando detrás de él.

—Si antes erais amigos, ¿por qué iba a pensar lo otro? —pregunta Caroline, no exenta de razón.

—Vuelvo a estar sin novio después de mucho tiempo. No sé, podría malinterpretarse. Y no estoy buscando... No quiero parecer la amiga soltera que quiere que pasen su número de teléfono a cualquier hombre que vaya por ahí.

—Bueno, ¡no es como si fuera a poner tu tarjeta de visita en una cabina pública! —se queja Caroline.

—Lo sé, lo sé, lo siento. —Le doy una palmadita en el brazo—. Es que he perdido mucha práctica en esto.

De nuevo otra pausa. Aunque esta vez veo una sonrisa de comprensión en los labios de mis amigos.

—Cuando estés preparada, puedo concertarte varias citas con algunos buenorros. —Ahora es Mindy la que me da una palmadita.

—Guau —dice Ivor.

—¿Qué?

—Que viendo los hombres con los que ha salido, estoy intentando imaginarme a aquellos de los que pasaste, pero mi cerebro no deja de enviarme el mensaje de «el servidor entiende su búsqueda pero se niega a llevarla a cabo».

—Oh, teniendo en cuenta a tus prostitutas rancias, me hace mucha gracia que seas tú el que diga algo así.

—No, el que era gracioso era el imbécil de Bruno, ¿te acuerdas?

—Sí, y también tenía un culo precioso.

—Muy bien —interrumpe Caroline—. ¿Te hemos animado? ¿Te sientes mejor?

—Sí. Como unas castañuelas.

—¿Quieres que te prepare otro granizado explosivo?

Levanto mi copa.

—Un montón más, por favor.

Capítulo 3

Conocí a Ben al final de nuestra primera semana en la Universidad de Manchester. En un principio, pensé que iba a segundo o tercero, porque estaba con el grupo de alumnos mayores que habían instalado unas mesas en el bar de mi residencia universitaria para repartir las tarjetas de identificación entre los estudiantes. De hecho, él había empezado siendo un mero cliente del bar como yo. Más tarde me enteré de que en uno de sus típicos alardes de locuacidad y generosidad, se había ofrecido a ayudarles cuando dijeron que andaban cortos de voluntarios.

En ese momento ni siquiera debería haber estado levantada, pero la resaca de la noche anterior me había despertado, gritando desesperada que mi cerebro necesitaba una dosis de zumo de frutas Ribena. Eran las nueve de la mañana y el campus estaba tan desierto como si fuera de madrugada. Mientras apuraba la botella y caminaba de regreso de la tienda, dejando que los rayos del sol otoñal me bañaran, vi una pequeña fila que salía de las puertas dobles del bar. Siendo inglesa, y además una novata algo nerviosa, decidí que lo mejor que podía hacer era unirme a ella.

Cuando me llegó el turno y vi que me tocaba el lugar donde estaba Ben di un paso al frente.

Su expresión, de ligera sorpresa aunque no del todo contrariada, pareció decir a las claras: «Vaya, ¿y quién eres tú?».

Aquello también me sorprendió, y no solo porque no pareciera reticente. Por regla general —que no era el caso— solía salir a la calle lo suficientemente arreglada, pero en pocas ocasiones había ido por ahí con las pintas que llevaba de ese día. Era como si alguien hubiera puesto música, me hubiera alborotado el pelo y hubiera gritado «acción».

Ben no era mi tipo. Un poco delgado, demasiado obvio, con esos ojos castaños de cordero y esa mandíbula cuadrada y, como Rhys diría, «con esa apariencia de *yuppie*». —Llevaba tanto tiempo en mi vida, que su forma de ver las cosas poco a poco había acabado por convertirse en la mía—. Y por lo que podía ver de cintura para arriba iba vestido con ropa de deporte, lo que implicaba que practicaba alguno. Con dieciocho años, era de las que creía que los hombres atractivos tocaban la guitarra, no jugaban al fútbol, vestían de forma desaliñada, eran taciturnos, tenían barba de tres días y —algo que añadí gracias al trabajo de campo— suficiente pelo en el pecho como para que un jerbo se perdiera dentro. Aún así, tenía una actitud lo bastante abierta para darme cuenta de que Ben podía encajar perfectamente en el tipo de otras personas, lo que hizo que su atención me pareciera de lo más halagüeña y que las nubes bajas de mi resaca empezaran a ascender.

—Hola —me dijo Ben.

—Hola.

Hubo una pequeña pausa mientras ambos recordábamos por qué estábamos ahí.

—¿Nombre?

—Rachel Woodford.

—Woodford... W... —Empezó a buscar entre las cajas que contenían los carnés—. Aquí está.

Sacó un cartón rectangular con el nombre de nuestra residencia y una foto tamaño carné. Me había olvidado de que había enviado unas cuantas, nada favorecedoras, que me hice en un fotomatón de un centro comercial, uno de esos días malos, pero que muy malos, que estaba con el síndrome premenstrual. Tenía una cara tan mala que parecía que me acabara de levantar de mi propia autopsia. Debería haber sabido que esas fotos terminarían dándome caza.

—No te rías por la foto —dije a toda prisa y de forma potencialmente contraproducente.

Ben la miró con detenimiento.

—Hoy las he visto peores.

Metió mi tarjeta en la máquina, sacó la versión plastificada y volvió a examinarla.

—Sé que es penosa —comenté, extendiendo la mano—. Parece como si hubiera intentando tragarme una fruta del dragón sin pelar.

—No tengo ni idea de lo que es una fruta del dragón, aparte de una fruta, me imagino.

—Tiene espinas.

—Ah, de acuerdo. Sí, entonces supongo que dolería un poco.

Perfecto. Aquello había ido de fábula. «Seducción. Paso uno: Hacer que el estudiante atractivo te imagine en el inodoro con cara de estar apretando a ver si sale.»

Aquello iba a ir directo a mi ranking de mayores éxitos. «La quintaesencia de Rachel», «La flor y nata de Rachel» o «Simplemente, Rachel». Cuando me veo en una situación comprometida, la función lingüística de mi cerebro me ofrece la misma variedad que una máquina tragaperras. Tira de la palanca y espera a que salga cualquier combinación de palabras.

Ben me ofreció una sonrisa que terminó convirtiéndose en una sonora carcajada, y yo se la devolví, aunque él continuó manteniendo el carné fuera de mi alcance.

—¿Filología inglesa?

—Sí.

—Yo también, y no tengo ni idea de dónde tengo que inscribirme mañana.

Así que decidimos que él se pasaría al día siguiente por mi habitación para que recorriéramos juntos el edificio de letras. Ben buscó un bolígrafo y yo escribí el número de mi habitación en lo primero que encontré, un posavasos manchado de cerveza. Di gracias a Dios para mis adentros por no haberme pintado la noche anterior cada uña de un color diferente, lo que a la luz del día hubiera parecido una bobada. Caligrafié «Rachel» con letras cuidadosamente unidas, como si estuviera escribiendo mi nombre en la etiqueta de mi abrigo el primer día de escuela primaria.

—En cuanto a la foto —comentó mientras se hacía con el posavasos—. Estás bien, pero la próxima vez deberías subir un poco más el asiento. Así te da un aire a lo Danny DeVito.

Me detuve un instante a estudiar la foto y me di cuenta de que quedaba mucho espacio en blanco sobre mi cabeza despeinada.

A pesar de que me sonrojé muchísimo, no pude evitar reírme.

—Tienes que girarlo así —me explicó Ben, como si estuviera delante de un asiento de fotomatón imaginario.

Me puse todavía más roja y me reí con más fuerza.

—Me llamo Ben. Te veo mañana.

Entonces, igual que si fuese un policía de tráfico, me despidió con una mano e indicó con la otra al siguiente de la fila que era su turno.

Me aparté de la fila y me pregunté si la estudiante tan educada que había al lado de mi habitación sería demasiado fina como para que fuéramos a tomar juntas un reconstituyente y grasiento desayuno. En un impulso final, me volví hacia Ben, y me di cuenta de que se estaba fijando en mí mientras me iba.

Capítulo 4

En algunos lugares de trabajo todo el mundo tiene en sus escritorios fotos de su familia, un portalápices con algún que otro bolígrafo que lleva uno de esos duendes con el pelo de color chillón y una taza con su nombre. De vez en cuando lloran sobre el hombro de sus compañeros y les cuentan sus secretos, de modo que cualquier cuestión personal se sabe a la mañana siguiente antes de la segunda ronda de café. Palabras como «fibroma», «analgésico» o «le he pillado intentando ponerse uno de mis vestidos» pasan a formar parte de ese espíritu de total transparencia en lo que a intimidades se refiere.

El mío, sin embargo, no es uno de esos lugares. Los juzgados de Manchester están llenos de gente que no para de moverse de un lado a otro, de roces de togas y de susurros intercambiándose información crítica. El ambiente es decididamente masculino —no fomenta confidencias que no tengan nada que ver con el asunto que se esté tratando en ese momento. Por eso he disimulado la evidencia física de mi agitado estado emocional bajo una capa extra de maquillaje. Ahora voy camino de la batalla con los hombros erguidos y felicitándome a mí misma por ese fino y brillante manto de elegante competencia con el que he tratado de cubrirme.

Me dirijo hacia una de las famosas máquinas de café de los juzgados, conocidas por servir cafés con sabor a estiércol en vasos de plástico tan finos que se te queman las yemas de los dedos.

—Se nota que te has pegado un fin de semana a lo grande, ¿eh, Woodford? Se te ve agotada —oigo que me dicen.

Ahhhh, Gretton. Debería haber previsto que él se encargaría de explotar mi burbuja.

Pete Gretton es un trabajador por cuenta propia, un «corresponsal» para las agencias de información, que no tiene ningún tipo de lealtad. El tipo se encarga de echar un vistazo a las listas de procedimientos en busca de los casos más desagradables o ridículos y luego vende el mínimo común denominador al mejor postor. Casi siempre lo tengo revoloteando a mi alrededor, arruinándome cualquier oportunidad de conseguir una exclusiva. Las miserias y peores fechorías son su pan de cada día. Bueno, en realidad lo son de casi todos los asalariados de este edificio, pero la mayoría tenemos la decencia de no deleitarnos con ellas. Para Gretton, sin embargo, no ha existido nunca un homicidio múltiple, por muy atroz que sea, que no le gustara.

Me doy la vuelta y le lanzo una mirada cansada de lo más apropiado.

—Buenos días a ti también, Pete —saludo de forma escueta.

Tiene un tono de piel muy blanquecino, como si le asustara estar bajo la luz del sol. En cierta forma siempre me ha recordado a un pez de escamas rosadas que mi padre y yo encontramos una vez en un lodazal a los pies del estanque que teníamos en un extremo del jardín. Gretton parece haber evolucionado para salir del medio acuático y adaptarse al entorno de los juzgados, subsistiendo a base de cafés, cigarrillos y empanadas envueltas en papel transparente, sin necesidad de la vitamina D de los rayos del sol.

—Solo estaba bromeando, cariño. Sigues siendo la mujer más guapa de todo el edificio.

Después de una conversación con Gretton, una siempre termina con el invariable deseo de darse una ducha de agua hirviendo frotándose con un cepillo de cerdas duras.

—¿Qué te ha pasado? —continúa él—. ¿Demasiado vino? ¿O es que tu pareja no te ha dejado dormir? —Esta última pregunta viene acompañada de un guiño que me revuelve el estómago.

Tomo un buen trago de café con su fresco aroma a granja y estiércol.

—Mi novio y yo lo dejamos hace un mes.

Sus pequeños y redondos ojos llenos de legañas me miran como si estuvieran esperando el fin del chiste.

—Oh, querida... lo siento —me dice cuando se da cuenta de que no voy a añadir nada más.

—Gracias.

No sé si Gretton tiene una vida privada en el sentido convencional del término, o si se dedica a hacer de sacacorchos en el trasero de algún hombre a partir de las cinco y media de la tarde. Es un tipo de conversación que está absolutamente descartada entre nosotros. El conocimiento que tenemos sobre la vida personal del otro se limita a: a) yo tengo novio, y a partir de ahora hay que usar el verbo en pasado y b) él es de Carlisle. Y así es como ambos queremos que se queden las cosas.

Se acerca arrastrando los pies.

—¿Has oído algo sobre la heroína de contrabando en el aeropuerto que lleva hoy la sala 9? ¿Dicen que la escondían en bolsas de colostomía?

Niego con la cabeza.

—En este caso la frase de «es buena mierda» le viene al pelo.

Mi frase le hace soltar una especie de gruñido. La ruptura de mi compromiso ya ha quedado relegada al olvido.

—Me ha tocado el honor de cubrir el asesinato de la 1 —le anuncio seria—. Mira, si quieres encárgate tú de la droga, yo me ocupo del asesinato y luego comparamos notas.

Pete me mira con suspicacia, preguntándose a qué taimada intención podría obedecer este «diplomático beneficio mutuo».

—De acuerdo.

Aunque a veces me pueda sentir desanimada por los casos tan funestos que se tratan, lo cierto es que disfruto mucho con mi trabajo. Me gusta estar en un sitio en el que los roles y las reglas están tan bien definidos. Por muchas áreas grises que aporten las pruebas, los procedimientos son blancos y negros. He aprendido a entender la jerga jurídica, a predecir los momentos en los que habrá más calma y en los que se pasará a la acción, a interpretar los susurros masónicos que se intercambian los letrados. He entablado buena relación con algunos abogados, me he convertido en una experta en leer los rostros de los jurados y en abandonar la sala antes de que cualquiera de las personas que están entre el público me sigan para decirme de manera airada que no quieren que su historia salga en el maldito periódico.

Me termino lo que queda de mi apestoso café, tiro el vaso a la basura y me dirijo hacia la sala 1. Entonces oigo una tímida voz femenina a mis espaldas.

—¿Disculpe? ¿Es usted Rachel Woodford?

Me doy la vuelta para encontrarme con una muchachita de pelo crespo y color pajizo y con una nariz algo puntiaguda que me mira con cara de ansiedad. Si llevara uniforme podría pasar por una colegiala de doce años.

—Soy la nueva reportera en prácticas que te han asignado —explica.

—Ah, sí. —Me estrujo el cerebro intentando recordar su nombre. A mi cabeza viene una conversación sobre ella que mantuve con redacción y que parece que se hubiera producido en el Pleistoceno.

—Zoe Clarke —indica.

—Zoe, claro. Lo siento, esta mañana mi cabeza no anda muy bien que digamos. Hoy me toca cubrir el caso de asesinato, ¿quieres venir?

—¡Sí, gracias! —Me ofrece una sonrisa deslumbrante, como si acabara de regalarle un fin de semana en Marbella.

—Pues bien, entremos y veamos que se traen entre manos los de las pelucas. —A continuación señalo a Gretton y digo—: Y ten cuidado con ese tipo sudado que se acerca de forma amistosa para robarte la historia.

Zoe se ríe. Ya aprenderá.

Capítulo 5

A la hora del almuerzo abro mi portátil en la sala de prensa —un nombre demasiado elegante para una «mazmorra» sin ventanas y con las paredes manchadas de nicotina situada en el centro del edificio de los juzgados y que cuenta con una mesa de madera chapada como escritorio, unas cuantas sillas y un archivador abollado— y reviso mi correo electrónico. En ese momento me llega un mensaje de Mindy.

«¿Puedes hablar?

Escribo un «sí» y le doy al botón de enviar.

A Mindy no le gusta escribir correos cuando puede hablar; primero, porque le encanta conversar, y segundo, porque escribe igual que habla. Por ejemplo, en los mensajes que nos enviaba a Caroline y a mí siempre solía ponernos «vualá», lo que pensamos que debía ser alguna palabra hindú, hasta que un día descubrimos que lo que quería decir era *voilà*.

El teléfono empieza a sonar.

—Hola, Mindy —la saludo. A continuación me levanto y salgo de la sala de prensa.

—¿Has encontrado ya piso?

—No —suspiro—. He estado mirando en Rightmove y rezando porque se produjera el estallido de una de esas burbujas inmobiliarias de que tanto hablan las noticias y los precios bajaran como por arte de magia.

—Buscas en el centro de la ciudad, ¿verdad? ¿No te importaría alquilar?

Rhys ha comprado mi parte de la casa que compartíamos. En un principio decidí usar el dinero para hacerme con un apartamento en el centro y disfrutar de las ventajas que puede ofrecerte la vida de soltera cosmopolita, pero los precios me trajeron de vuelta a la realidad. Mindy cree que debería alquilar por un período de seis meses para hacerme una idea de cómo va el tema. Caroline piensa que eso es tirar el dinero. E Ivor me ha dicho que puedo quedarme con su habitación de invitados y así tendrá la excusa perfecta para darle la patada a Katya, su extraña y ruidosa inquilina. Pero como dice Mindy, eso podría hacerlo de todos modos si «se enterara de una vez de dónde tiene los cojones».

—Síííí —digo con mucho cuidado. Mi amiga tiene la habilidad de tomar una premisa razonable y convertirla en algo desquiciante.

—Pues deja de buscar. Una de las compradoras con las que trabajo es asquerosamente rica y se va a Bombay durante seis meses. Vive en Northern Quarter. Es un piso de un edificio que antes era una fábrica de algodón o algo así, y por lo visto es a-lu-ci-nan-te. Quiere que mientras esté fuera, su casa se quede en manos de alguien responsable, y le he dicho que tú eres la persona más responsable del mundo. Me ha respondido que en ese caso está dispuesta a llegar a un acuerdo contigo.

—Hmm...

Mindy habla de un alquiler que considero bastante elevado. No es que lo que me ofrece me parezca imposible, pero me pregunto qué tipo de lugar será exactamente. No puede tratarse de lo que me imagino. Y aunque no desconfíe de mi amiga, es que Mindy a veces raya la locura. Es imposible que todo sea tan perfecto, tiene que haber gato encerrado, no sé, algún perro caprichoso que se llame Coronel Megadafi, de esos que solo comen *sushi* del bueno y al que haya que sacar como mínimo cuatro veces al día para que haga sus cositas.

—¿Quieres que vayamos a ver el apartamento juntas después del trabajo? —continúa mi amiga—. Su avión sale el viernes y tiene un primo que está interesado. Dice que le da un poco al perico y que no confía en él. Tú tienes preferencia, pero tenemos que darnos prisa.

—¿Perico?

—Sí, ya sabes, cocaína, el polvo de los imbéciles.

—Ah, sí. —Reflexiono un momento sobre el asunto. Estaba buscando algo que me durara más de seis meses. Por lo menos seis meses con opción a renovar. Sin embargo, esta oferta me ofrece la oportunidad de vivir mi sueño mientras encuentro algo más acorde con mis posibilidades reales—. De acuerdo.

—¡Espléndido! ¿Nos vemos en Afflecks sobre las cinco y media?

—Nos vemos.

Mientras regreso de nuevo a la sala de prensa, me doy cuenta de por qué estoy tardando tanto en mudarme, a pesar de lo incómodo que resulta seguir viviendo con tu ex pareja. Cuando me vaya de casa, la decisión de romper con Rhys dejará el ámbito de las palabras para convertirse en un hecho. Y el repartirnos los cuatro trastos que tenemos y llegar por las noches a una casa con demasiadas habitaciones vacías y la sola compañía de un futuro que también se presenta vacío hará que nuestra ruptura sea algo real. Una parte de mí, la más chillona y cobarde, quiere gritar: «¡Espera! ¡No lo hagas! ¡No querías romper con él! ¡Termina con esto!», así que empiezo a marearme.

Pero entonces recuerdo el texto que me dejó Rhys días atrás, en el que parecía igual de disgustado que cabreado: «Espero que estés buscando un sitio al que marcharte, porque no veo el momento en que dejemos de vivir así».

Abro mi cuaderno de notas y me planteo si tomar o no otro café con sabor a caca de vaca.

En ese momento, Zoe entra en la sala, transmitiendo sus nervios por doquier.

—Puedes salir y traerte algo de comer cuando quieras. Y si te apetece, deja aquí tus cosas —le digo.

—Gracias. —Deja el abrigo y su bolso sobre el suelo y coloca su cuaderno en la mesa con sumo cuidado.

—A menos que quieras que salgamos a comer a algún sitio —continuo, sin saber muy bien de dónde me sale tanta magnanimidad. Puede que se trate de un intento de expiar la culpa que siento por lo que le he hecho a Rhys. Nunca habrá suficientes entradas en la columna de las buenas obras de mi *Gran Libro de la Vida* que puedan compensarla.

—¡Eso sería genial!

—Dame cinco minutos y te enseñaré por qué el Castle se ha ganado el honor de ser considerado «el *pub* que está más cerca de los juzgados».

Zoe asiente con la cabeza y se sienta para transcribir a mano sus notas en el cuaderno. Mientras tecleo en el ordenador me fijo disimuladamente en ella. Lo sabía, tiene una letra tan perfecta que se podría fotocopiar como ejemplo para un libro de caligrafía.

Ahora es Gretton el que entra con paso decidido en la sala y nos mira primero a la una y luego a la otra.

—¿Es que hoy es el día de «tráete a tu hija al trabajo»?

Zoe alza la mirada, asustada.

—Bienvenida a la familia —le digo a mi compañera en prácticas—. Piensa en Gretton como en el tío con el que podrías pasar el rato jugando a los caballitos.

Capítulo 6

Me disculpo con Zoe por no beber nada que tenga alcohol cuando llegamos al bar. En momentos como este me siento como si estuviera echando por tierra la profesión. En todos los periódicos siempre hay alguna leyenda sobre algún héroe mítico que era capaz de beber lo suficiente como para hundir un barco y conseguir entregar su artículo a tiempo para después levantarse al día siguiente y volver a hacer lo mismo. Son míticos precisamente por eso, porque con ese ritmo de vida no pasaban de los cincuenta.

—La mayoría de las veces se vuelve un poco soporífero. Con el calor que hace en los juzgados y el tono tan monótono con el que se habla en los juicios, si le diera a la botella terminaría roncando —comento.

—Oh, está bien. Además, a mí el alcohol me afecta enseguida. También tomaré una Coca Cola Light.

Examinamos los menús plastificados que hay en la barra y se nos va el alma al suelo. Está claro que la carta del Castle ha sido elaborada por algún gracioso que no sabe mucho de cocina y menos de tener gracia. Además, se lee fatal. Y para colmo, el taciturno camarero no está por colaborar.

—Tengo astigmatismo —dice, como si yo tuviera que saberlo.

—Oh —replico nerviosa, intentando decantarme por la única opción medianamente aceptable—. Pues entonces pónganos dos «almuerzos del labrador».

—¿Quieren el labrador desnudo, regordete o con un buen pepino? «Maldita sea.»

49

—Regordete —farfullo frustrada—. Y desnudo para ella.

—¿Lo quieren caliente, con queso fundido? —Suspira como si los problemas del mundo fueran culpa de la gente que, como nosotras, quiere el queso fundido.

Ambas asentimos, pero dado que no terminamos de ponernos de acuerdo con él, rechazamos su oferta de servirlo con un chorrito de la salsa especial del chef.

A continuación nos ponemos a hablar, lidiando con el registro de octava de Mariah Carey de fondo junto con varias televisiones encendidas, mientras el camarero nos sirve los dos platos, previamente calentados en el microondas, plantándolos delante de nuestras narices sin la menor delicadeza.

—Aquí tienes lo que he escrito —dice Zoe en cuanto termina con su comida. Se sacude las migas de las manos y saca el cuaderno con espiral de su bolso, pasando las páginas hasta llegar a la correcta—. Lo he escrito a mano.

El tener que hacer de mentora mientras estoy comiendo me produce una punzada de irritación, pero me la trago junto con un trozo de queso correoso. Echo un vistazo a su escrito esperando toparme con, si no un siniestro total, sí alguna que otra abolladura como poco. Pero resulta que es bueno. Para ser la primera vez que lo hace, escribe con fluidez y seguridad.

—Está muy bien —hago un gesto de asentimiento y a Zoe se le ilumina la cara—. Lo has enfocado desde el punto de vista correcto, que el padre y el tío no niegan que fueran a ver al novio.

—¿Y si esta tarde sucede algo mejor? ¿Eres de las que piensa que la primera impresión es la que vale?

—Puede que suceda, aunque lo dudo. Las cosas van muy despacio. No creo que esta tarde testifique el novio. —Le devuelvo el cuaderno.

—¿Cuánto tiempo llevas aquí?

—Demasiado. Estudié aquí la carrera e hice un curso de periodismo en Sheffield, después entré como becaria en el *Evening News*.

—¿Te gusta trabajar en los juzgados?

—En realidad, sí. Siempre se me ha dado mejor narrar las historias que encontrarlas, así que esto me viene al pelo. Y los casos suelen ser bastante interesantes. —Me callo durante un instante porque me preocupa sonar como una especie de morbosa que se pasa el día leyendo las notas que hay en los ramos de flores que se dejan en las cunetas de las carreteras—. También es cierto que a veces resulta un poco desagradable.

—¿Y qué tal es? —sigue preguntando Zoe—. El nuevo jefe de redacción da un poco de miedo.

—Oh, sí. —Con el lomo del cuchillo, aparto un trozo de col pegajosa que debía de estar en el plato cuando lo calentaron—. Lidiar con Ken es como luchar contra un cocodrilo. Todos tenemos cicatrices que lo demuestran. ¿Te ha hecho ya la pregunta de los octillizos?

—Zoe niega con la cabeza—. Imagínate a una mujer que ha tenido ocho o nueve hijos en un solo parto, o los que sea, da igual, y te concede su primera entrevista en la misma cama del hospital. ¿Cuál es la única pregunta que no puedes dejar de hacerle?

—Esto... ¿dolió mucho?

—¿Ha pensado en tener más? Seguramente que en ese momento la única respuesta que obtengas sea que te tire la bandeja de la comida a la cabeza, pero así es él. Eres periodista y siempre tienes que pensar como un periodista. Busca la exclusiva.

—Cierto —Zoe frunce el ceño—. Lo recordaré.

Siento esa irremediable necesidad de querer salvar al novato de los errores que tú mismo cometiste cuando eras nuevo y de los que sabes que cometerá, pero aún así quieres evitarle.

—Ten confianza en ti misma, no cometas estupideces, y si metes la pata y sale a la luz, sé la primera en admitirlo. Seguro que Ken se pondrá hecho una furia, pero confiará en ti la próxima vez que le digas que no es culpa tuya. Si hay algo que detesta, es que le mientan.

—Bien.

—No te preocupes —le aseguro—. Al principio puede resultar un poco abrumador, pero al final empezarás a darte cuenta que todo lo que puede pasarle a una persona se puede resumir en media docena de tipos de historias y sabrás cuál elegir en cada caso. Lo que lógicamente conseguirás cuando adquieras el cinismo suficiente.

—¿Qué fue lo que te impulsó a convertirte en periodista? —me pregunta.

—¡Ajá! Lois Lane.

—¿En serio?

—Sí. A las morenas nos gustan las morenas. Además es valiente, sabe plantarle cara a su jefe, tiene su propio ático y ese vaporoso *négligé* azul. Y sale con Superman. Mi madre solía ponerme películas de Christopher Reeve cuando no podía ir al colegio porque estaba enferma, y yo las veía una y otra vez. La escena del helicóptero, en la que él la rescata en plena caída y ella le dice «¿Que va a sujetarme? ¡Y quién le sujeta a usted!» es magnífica.

—Es curioso cómo muchas veces tomamos decisiones cruciales en nuestras vidas basándonos en las cosas más extrañas —comenta Zoe sorbiendo de la pajita de su Coca Cola hasta que ya no queda y haciendo el típico ruido de borboteo—. Fíjate en ti, por ejemplo, si tu madre te hubiera puesto Batman quizá no estaríamos aquí sentadas ahora mismo.

—Hmm... —murmuro vagamente y cambio de tema.

Capítulo 7

Veo a Mindy, y a su abrigo color púrpura y zapatos rojos, a un kilómetro de distancia. Comparado con mi atuendo blanco y negro súper realista, ella parece recién salida de una película de Bollywood de esas en las que todo son colorines.

Mi amiga lo llama su tendencia india —es incapaz de resistirse a las joyas de tonos llamativos y a las cosas brillantes. Pero lo que siempre lleva más brillante es su pelo. Desde que la conozco, usa ese champú de coco que compra en la tienda 99p y que deja su negrísima melena tan reluciente que parece que sobre ella flota un halo de luz que lo ilumina todo a su alrededor. Con semejante publicidad, se me ocurrió usarlo una vez y terminé como si me hubiera puesto una peluca hecha de paja.

En cuanto me ve, balancea una llave que lleva sujeta de un lazo como si fuera un hipnotizador con un reloj de bolsillo.

—¡Por fin! —exclama.

Mindy no bromeaba cuando me decía que el apartamento estaba en un sitio céntrico. Cinco minutos después de encontrarnos, estamos frente a un edificio de ladrillo estilo victoriano que ha dejado de ser un templo al trabajo duro para convertirse en un elegante santuario al dinero y a la holgazanería.

—Está en la cuarta planta —comenta Mindy, mirando hacia arriba—. Espero que tenga ascensor.

Lo hay, pero está fuera de servicio, así que nos toca subir a pie varios tramos de escaleras con nuestros tacones repicando a coro.

—No tiene plaza de garaje —me recuerda mi amiga—. ¿Al final se queda Rhys con vuestro automóvil?

—Sí. —Teniendo en cuenta cómo han ido las negociaciones, me alegro de que no hayamos tenido hijos ni mascotas.

Empiezo a recordar las horas que nos hemos pasado sentados, intentando separar dos vidas que hasta ese momento eran una sola. «Quédatelo, ¡quédatelo todo!» le grito yo, mientras Rhys me espeta: «¿Tan poco significa para ti?». Si pudiera, pagaría por borrarlas de un plumazo de mi mente.

Mindy introduce la llave en la cerradura del anónimo apartamento 21 y abre la puerta.

—¡Madre del amor hermoso! —exclama casi reverencialmente—. Me dijo que estaba bien, pero no me imaginaba que podía estar tan bien.

Entramos en medio de una estancia profunda y oscura con paredes de ladrillo. Un amplio suelo de madera clara se extiende bajo nuestros pies. Repartidos por todas partes, se ven puntos de luz tenue, uno aquí y otro allá, que emiten lámparas de papel con tallo que parecen la crisálida de algún alienígena de la que estuviera a punto de salir Lady Gaga. El enorme sofá con forma de «L» colocado en el salón parece una tundra nevada llena de cojines en tonos marfil y beis. Tacho mentalmente la posibilidad de comer cualquier cosa que lleve salsa de soja, vino tinto o chocolate, lo que hace que se hayan ido al garete los ingredientes principales de la mayoría de las cenas de los viernes.

Mindy y yo continuamos con la visita al apartamento sin poder cerrar la boca por lo espectacular que nos parece todo y señalando como zombis el lavabo de cristal del baño, la gigantesca cama con una colcha de seda plateada o el frigorífico rosa de marca Smeg. Esta es la típica casa en la que podría vivir cualquier personaje de esas series de televisión en las que todo el mundo es guapísimo, tiene un trabajo sin sustancia pero en el que se gana un dineral y cuenta con el tiempo libre suficiente como para almorzar relajadamente o tener una sesión de sexo salvaje.

—No creo que me guste mucho dejar esto aquí —comento, señalando una alfombra que hay delante del sofá. Tiene pinta de ser la piel de algo que se debería de ver majestuoso en un lugar como el Serengeti, no debajo de una mesa de café. Las gruesas manchas de pelo de color marrón rojizo hacen que me sienta mal—. Si tiene hasta cola. ¡Brrr!

—Hablaré con ella a ver si se puede quitar —acuerda Mindy.

—Dile que soy alérgica al... ¿visón?

«Seguro que es falso», me digo a mí misma.

En medio del salón, volvemos a hacer otro giro de asombro de trescientos sesenta grados. En ese momento me doy cuenta de que mi amiga ya está planeando montar alguna juerga. Además, por si nos quedara alguna duda sobre la función principal del apartamento, me fijo en que en una de las paredes hay fijadas seis letras grandes de color dorado que rezan «FIESTA». También hay un cuadro de arte *pop* estilo Warhol; uno de una joven india con un rostro tremendamente simétrico en una cuatricromía.

—¿Es ella?

Mindy se pone a mi lado.

—Oh, sí. Rupa tiene un ego que no cabe en esta casa. ¿Te has fijado en su nariz?

—¿La que tiene en medio de la cara?

—Ajá. Fue un regalo por su decimosexto cumpleaños. Antes... —Mindy pone un dedo sobre el puente de su nariz y hace una curva en el aire hasta llegar a su labio superior.

—¿En serio? —Hablar de los retoques de una mujer en su propia casa hace que me sienta un poco culpable.

—Sí. Su padre es uno de los cirujanos plásticos más reputados del país, así que consiguió un buen descuento. Y bueno, ¿qué te parece el apartamento? —pregunta de forma redundante.

—Es como ese anuncio en el que se ve la vida a través de una botella de *vodka* y todo parece mucho más emocionante.

—Sí, lo recuerdo —dice Mindy—. Te hace pensar en todas las personas con las que te has acostado cuando llevabas unas cervezas de más. ¿Puedo decirle que te lo quieres quedar? ¿Que te mudarás el sábado?

—¿Y qué hago con mis cosas? —Me muerdo el labio, mirando a mi alrededor. Ya solo con sentarme aquí voy a estropear el ambiente de diseño.

—¿Tienes muchas?

—Ropa y libros. Y... utensilios de cocina.

—¿Y muebles?

—Sí, los suficientes como para llenar una casa con tres dormitorios.

—¿Les tienes mucho cariño?

Me pongo a meditarlo un rato. Algunos de ellos me gustan bastante, al fin y al cabo los elegí yo misma. Pero si hubiera un incendio, no me imagino lanzándome en plan protector sobre la mesa nido o el deshilachado sofá rojo de Ikea mientras las llamas se ciernen sobre nosotros.

—Porque estoy pensando que podrías llegar a un acuerdo con Rhys y dejárselos. Dijiste que se va a quedar con la casa, ¿no? Pues si tiene que comprar de nuevo el mobiliario más importante le va a suponer un gasto considerable. Podrías conseguir algo de dinero por ellos y después comprar lo que necesites cuando encuentres un lugar donde instalarte definitivamente. ¡O puedes venderlos todos y comprarte una pieza de museo como un sillón Eames Lounge con otomana o una silla Egg Conran!

Esa es la paradoja de Mindy; el sentido y el sinsentido compartiendo el mismo cuerpo, como si Elinor Dashwood, de *Sentido y Sensibilidad*, y Mr. Bean fueran una sola persona.

—Sí, supongo que puedo hacer algo así. Todo depende de las ganas que Rhys tenga de perderme de vista contra lo mucho que quiera dificultarme las cosas. Y creo que ahora mismo hay un empate técnico.

—Si quieres puedo hablar con él.

—Gracias, pero... quiero intentarlo yo primero.

Nos acercamos a la ventana y ante nosotras aparece la impresionante visión de los tejados de la ciudad, con sus luces iluminándose poco a poco mientras empieza a anochecer.

—Es tan glamoroso —suspira mi amiga.

—Puede que demasiado para mí.

—No empieces a hacer eso tan tuyo de disuadirte a ti misma de hacer algo que puede venirte bien.

—¿Lo hago?

—Un poco. —Mindy me rodea con un brazo los hombros—. Necesitas cambiar de aires.

Yo también la abrazo.

—Gracias. Qué vistas más bonitas.

Nos quedamos disfrutando de ellas durante un rato, hasta que señalo al horizonte con un dedo.

—Oh, espera... ¿eso de ahí no es...? —digo.

—¿Qué? —pregunta Mindy, entrecerrando los ojos.

—¿ ...Nueva York?

—¡Vete a la mierda!

Capítulo 8

Mindy tiene que irse a casa para preparar una reunión que tiene al día siguiente, así que nos despedimos enseguida. Me dirijo a tomar el autobús que me llevará a casa, pero cuando quiero darme cuenta, voy de camino a la biblioteca. Hace unos días, mientras estaba dando una vuelta por la librería Waterstones, se me ocurrió que si decidía aprender italiano, podría estudiar en la biblioteca, para las clases nocturnas a las que pienso apuntarme... pronto. Y entonces, si me encontrara con Ben, sería por pura casualidad. Cosas del destino, dándonos un amable empujón.

Cuando llego, enderezo mi postura y gano unos centímetros de altura. Intento no mirar ni a izquierda ni a derecha mientras entro andando, pero no puedo resistirme y mis ojos se mueven nerviosos como si fuera un preso en su primer día de patio. En la Biblioteca Central se respira el mismo ambiente reverencial que en una catedral, y es un lugar tan sereno y cultivado que solo con poner un pie en el edificio tu cociente intelectual aumenta varios puntos.

Una vez dentro, saco los libros de *Buongiorno Italia!* que llevo conmigo, también por casualidad, sintiéndome completamente ridícula. Bueno, vamos a ello. Vaya, para ser un idioma tan romántico es más difícil de lo que imaginaba. Después de diez minutos de verbos intransitivos me da la sensación de que me estoy «intransitivando» a mí misma. Probemos con algunas frases de uso social. «Cómo reservar una habitación...» «Cómo presentarse...» Entonces mi cabeza empieza a divagar.

***

Ben llamó a mi puerta muy temprano la mañana del primer día de clases, aunque no tan pronto como para adelantarse a Caroline, que teniendo en cuenta las horas a las que solía levantarse, debía de ser la encargada de poner las calles. Yo estaba luchando denodadamente con la brocha de maquillaje para dar algo de color a mi rostro, aunque lo único que estaba consiguiendo era parecer un salmonete, y Caroline estaba sentada sobre mi cama, con esas piernas de flamenco que tiene extendidas sobre el colchón, sosteniendo una enorme taza de una conocida marca de sopa instantánea llena de té. Había sido un alivio descubrir que el resto de alumnas de mi residencia no eran las dementes juerguistas y experimentadas ninfómanas de mis pesadillas, sino adolescentes nerviosas y entusiastas que echaban de menos sus hogares y que también traían suministros de supervivencia de sus casas.

—¿Quién será? —preguntó Caroline.

—Alguien de mi clase. El que me dio el carné de estudiante.

—¿Él? ¿Es majo?

—Sí, parece muy simpático —dije sin pensarlo.

—¿Y guapo?

Consideré si decirle la verdad o no. Llevábamos siendo amigas solo una semana, y aunque me parecía una persona sensata, no me apetecía llevarme una desagradable sorpresa si se ponía a gritar como una loca «¡mi amiga está por tiiiiiii!» en medio del campus.

—Sí, es bastante atractivo —respondí en tono despreocupado.

—¿Cómo de atractivo?

—Lo suficiente.

—Creo que no eres muy exigente en ese punto —dijo, mirando la foto que tenía con Rhys encima del escritorio.

Una foto que nos habíamos hecho en un *pub,* apretándonos el uno contra el otro para que saliera bien encuadrada mientras yo sostenía la cámara en alto y pulsaba el disparador. Nuestras cabezas estaban tan juntas que su pelo negro se enredaba con el mío castaño oscuro, de modo que era imposible saber dónde terminaba uno y empezaba el otro. Rhys y Rachel. Rachel y Rhys. Así era como se suponía que tenía que ser. Había soñado con las dos «R» entrelazadas que pondríamos en nuestras invitaciones de boda, aunque me pegaría un tiro si él llegaba a enterarse.

Me quedé mirando la foto y me estremecí un poco. Todo era nuevo y apasionante —e inestable— como suele suceder con todas las cosas que son así, nuevas y apasionantes. El caso es que ahora estábamos a más de sesenta kilómetros de distancia. De modo que cuando me dijo que quería que nos siguiéramos viendo, sentí un gran alivio.

Nos habíamos conocido unos meses antes en un *pub* de mi barrio al que solía ir con mis amigas del instituto. Allí nos sentábamos, nos bebíamos nuestras pintas de cerveza mezclada con sidra y mirábamos con ojos soñadores al grupo de adolescentes que tocaba y que nos parecía lo más de lo más. Ellos trabajaban y conducían, y los pocos años que nos sacaban representaban un abismo de madurez y experiencia. Nuestra adoración hacia ellos venía de lejos, pero como nunca andaban escasos de compañía femenina, guardaban las distancias con las *groupies* quinceañeras. Hasta que una noche, sin saber muy bien cómo, me vi envuelta en una competición con la máquina de los discos. Cada vez que yo ponía una canción, Rhys escogía otra que estaba relacionada con el título de la mía. Si yo elegía *Blue Monday*, él se levantaba y ponía *True Blue*, y así una y otra vez. (En ese momento Rhys atravesaba su fase irónica. Qué lástima que ya la hubiera superado con creces cuando estábamos planeando nuestra boda.)

Al final, después de muchas risas, susurros y monedas de veinte peniques, Rhys se dejó caer por nuestra mesa.

—Una mujer con un gusto como el tuyo se merece que la inviten a una copa.

—Y un hombre con el tuyo se merece pagar —repuse, encontrando las palabras necesarias en un ataque de imperturbabilidad total, que no he vuelto a tener en mi vida.

Mis amigas soltaron un jadeo colectivo, Rhys se rió y yo conseguí un Malibú con limonada y que nos invitaran al rincón del *pub* que era su territorio. Aunque no me lo podía creer, Rhys parecía realmente interesado en mí. Y la dinámica desde entonces no cambio mucho: él era el hombre de mundo y yo la ingenua que siempre abría los ojos asombrada. Tiempo después le pregunté por qué se fijó en mí esa noche.

—Porque eras la chica más guapa del *pub* —me dijo—. Y tenía un montón de suelto en el bolsillo.

Alguien llamó a la puerta de mi habitación y Caroline se levantó y fue a abrirla a la velocidad del rayo.

—Lo siento. He debido de equivocarme de número —oí que decía una voz masculina.

—No, nada de eso —canturreó Caroline, abriendo la puerta un poco más para que Ben pudiera verme y viceversa.

—Ah —sonrió él—. Sé que ayer vi a muchas estudiantes y sus respectivos carnés, pero estaba seguro de que no eras rubia.

Caroline le sonrió como una tonta, tratando de dilucidar si aquello significaba que prefería a las rubias o que no. Ben me miró, seguro que se preguntaba por qué tenía el color de un salmonete y cuándo me decidiría a hacer las presentaciones de rigor.

—Caroline, Ben, Ben, Caroline —dije—. ¿Nos vamos?

Él saludó con un «¿qué tal?», mientras que Caroline optó por el «¡hola!», y ahora fui yo la que me pregunté si me gustaría que la primera persona que había conocido en la residencia se enrollara con la primera que había conocido de mi clase—. La respuesta era clara: no; más que nada porque si la cosa iba mal me dejaría en una situación delicada, y si iba bien, me quedaría más sola que la una.

—Pasadlo bien —repuso Caroline. Después, con una erótica languidez que no pareció estar muy a tono con la hora del desayuno, salió de mi habitación y se fue hacia la suya.

—Ah, Rachel, ¿te acuerdas de lo que estábamos hablando antes? —me llamó Caroline, cuando ya habíamos recorrido medio pasillo sin ningún incidente—. Pues «suficiente» no es la palabra adecuada, y eso es algo que deberías saber si vas a estudiar filología.

—¡Adiós, Caroline! —grité, mientras se me encogía el estómago.

—¿De qué estabais hablando? —quiso saber Ben.

—De nada —mascullé. Si hubiera sabido lo roja que me iba a poner, no habría usado colorete.

Al ver las filas de macro concierto que se formaban alrededor de los autobuses, Ben sugirió que fuéramos andando el kilómetro y medio de distancia que nos separaba de la universidad. Y mientras caminábamos por el manto de hojas amarillo pardusco con el sonido de fondo de la carretera de Oxford, fuimos rellenando nuestras lagunas biográficas: de dónde éramos, qué bachillerato habíamos escogido, familia, pasatiempos y cosas varias.

Ben provenía de la zona sur de Londres y se había criado con su madre y una hermana más pequeña. Su padre se había ido a comprar tabaco cuando tenía diez años y nunca más se supo de él. Cuando pasamos el edificio que se parece a un enorme soporte para tostadas hecho en cemento, ya sabía que se rompió una pierna a los doce años al caerse de un muro. Se pasó tanto tiempo en reposo que le dio tiempo a leerse todo lo que había en su casa, incluidos los clásicos de la Folio Society y las novelas románticas de Catherine Cooksons de su madre, de lo desesperado que estaba, antes de mandar a su hermana a la biblioteca para que le trajera material nuevo. De modo que una fractura de peroné fue el cimiento sobre el que luego se construiría su amor por la literatura. No le dije que el mío venía precisamente de que nadie solía invitarme a salir para hacer tonterías encima de los muros.

—No tienes mucho acento del norte —me dijo cuando le hice un sucinto relato de mis orígenes.

—Tengo acento de Sheffield, ¿qué esperabas? Seguro que eres de los que piensa que el norte empieza a cien kilómetros de Londres.

Él se echó a reír y después nos quedamos en silencio.

—Mi novio me dice que será mejor que no vuelva con el típico acento de Manchester —añadí.

—¿También es de Sheffield?

—Sí. Toca en un grupo —No pude evitar decir esto último.

—¡Qué bien!

Me percaté de su sinceridad y de que tuvo la delicadeza de no comentar que las relaciones de antes de ir a la universidad solían durar lo mismo que un catarro estacional. Algo que aprecié bastante.

—Así que ahora lo lleváis desde la distancia, ¿no?

—Sí.

—Buena suerte. No creo que yo fuera capaz de hacer algo así a nuestra edad.

—¿No?

—Ahora es el momento de ir de flor en flor. No me malinterpretes, una vez que siente la cabeza pienso hacerlo de forma definitiva. Pero hasta entonces...

—Coleccionarás un montón de posavasos —terminé por él.

Ambos sonreímos.

Cuando nos acercamos a la zona de las clases, Ben sacó un trozo de papel del bolsillo que contenía un mapa del campus. Me fijé en que todavía estaba en perfecto estado, no como el mío, que parecía un pergamino antiguo después de los nervios, las manos sudorosas y de las veces que lo había doblado y desdoblado.

—¿Dónde tenemos que matricularnos? —preguntó.

Inclinamos las cabezas al unísono, fijándonos en el rectángulo señalado con naranja fluorescente e intentando orientarnos.

Ben se volvió y echó otro vistazo al mapa.

—¿Alguna idea, Danny?

Toda mi alegría se evaporó al instante, haciendo que me sintiera de lo más violenta. ¿A cuántas mujeres conoció el día anterior?

—Me llamo Rachel —le informé tensa.

—Pero para mí siempre serás la pequeña Danny.

En ese momento me acordé de la conversación que habíamos tenido sobre la foto de carné y el alivio me invadió, por lo que rompí a reír en voz alta.

Las mejores amistades se van haciendo poco a poco, de forma que no sueles recordar el momento exacto en el que empezaron. Pero en ese instante sentí como si en mi interior se produjera un «clic» que me dijo que no tomaríamos caminos separados en cuanto nos matriculáramos y nos hiciéramos con los horarios de clase.

Volví a centrarme en el mapa y al inclinarme sobre él pude oler el aroma a cítrico de lo que fuera que usara para lavarse. Entonces señalé en dirección a una ventanilla.

—Ahí está. La C11.

No hace falta decir que me equivoqué, y que por eso llegamos tarde.

Capítulo 9

La esperanza me ha abandonado. Ha sido como si se filtrara a través de mi cuerpo, se convirtiera en un charco a mis pies y se evaporara a través del techo de la biblioteca. No hay señal de Ben, y lo único que he conseguido viniendo aquí es la prueba irrefutable de las muchas ganas que tenía de verle. Además, si me paro a pensarlo detenidamente, ni siquiera estoy segura de que no haya sido un error de Caroline. Lleva lentillas y ha empezado a entrar en esa edad media en la que no eres capaz de distinguir si alguien que va vestido de gótico es un hombre o una mujer.

Además, en el caso de que Ben hubiera estado aquí, lo más probable es que se tratara de una visita relámpago para hacer alguna de sus extrañas búsquedas y ahora estará de vuelta en su casa, lejos, muy lejos de aquí, dejando su maletín de marca Paul Smith sobre el suelo de su entrada de baldosas blancas y negras, revisando el correo y diciéndole a su cariñito, una mujer igual de exitosa que él, que ha llegado a casa. Y durante todo ese tiempo no tendrá ni idea de que la estudiante que conoció en el pasado se ha vuelto tan patética que está sentada a casi trescientos kilómetros de donde vive él, leyendo una y otra vez la frase en italiano de «Disculpe, ¿puede indicarme cómo ir a la escalinata de la plaza de España?» para parecer una persona compleja e interesante.

Me levanto de mi silla y voy de aquí para allá por toda la sala, fingiendo estar muy concentrada en mi proceso de aprendizaje. El suelo de un tono tostado oscuro está tan reluciente que parece un espejo. Mientras recorro con los dedos los lomos de los libros, veo a un hombre de pelo castaño, de unos treinta y poco años, que se encuentra de espaldas a mí. Está sentado en una mesa situada entre las estanterías que bordean la sala circular, de modo que si tuvieras una vista aérea de su situación, parecería el radio de una rueda.

Es él. Es él. Oh, Dios mío, ¡es él!

El corazón me empieza a latir con tal intensidad que es como si alguien con conocimientos médicos hubiera metido la mano entre mis costillas para hacerme una reanimación cardíaca. Me acerco, y cuando llego a la altura de su mesa, simulo estar buscando un libro de especial interés. Lo saco y empiezo a ojearlo. De una forma nada convincente, me doy la vuelta, haciéndome la distraída, para poder mirarle bien. Soy tan poco sutil que muy bien podía haberle lanzado un avión de papel a la cara y luego esconderme para que no me pillara. Le miro de refilón. El hombre alza la vista y se ajusta las gafas sin montura que lleva.

No es él. Tiene una mochila con distintivos reflectantes a sus pies y lleva dos bandas abrazaderas de ciclista alrededor de los pantalones. Cuando me doy cuenta de que seguramente este debió de ser el hombre al que Caroline vio, me deprimo un poco, así que decido terminar con mi visita a la biblioteca. Recojo mis cosas en cuestión de segundos, sin importar si parezco o no interesante, consciente de que la ley de Murphy siempre termina jugándotela.

No debería haber venido. Esto no es típico de mí, estoy actuando de forma irracional, inducida por algún tipo de estrés postraumático a consecuencia de mi ruptura con Rhys. Ni siquiera sé qué le hubiera dicho a Ben si de verdad me lo hubiera encontrando, ni por qué quería verle. Bueno, esto último no es del todo cierto. Sí que sé por qué quería verle, pero no quiero pararme a pensar en eso.

Un grupo de personas con abrigo y gorros, que parecen estar aquí en una visita guiada, me bloquean la salida. Como haría cualquier vecino impaciente de la zona, me doy la vuelta y los rodeo. Sumida en mis pensamientos, no me doy cuenta de que alguien viene en dirección contraria y me doy de bruces contra él.

—Lo siento.

—Perdón —dice él a su vez, con esa forma tan británica de disculparse solo porque has provocado que otro también tenga que hacerlo.

Antes de empezar con el pequeño tango de maniobras para no volver a chocar, intercambiamos una mirada distraída. No, es imposible que este hombre sea Ben, lo sentiría si lo tuviera tan cerca, pero aún así alzo la vista y me fijo en su cara. Lo que mi mente registra como un desconocido, poco a poco se va tornando más familiar, hasta que llega el fogonazo del reconocimiento.

¡Oh, por Judas Priest! ¡Es él! ¡ES ÉL! Siento como si hubiera salido de mis pensamientos y se hubiera materializado frente a mí a todo color y en alta definición. Lleva el pelo un poco más largo que en la universidad, pero todavía lo bastante corto como para que no sea un obstáculo para encontrar un buen puesto de trabajo. Y sin lugar a dudas esos son sus rasgos. Verlos me hace retroceder una década ipso facto. Y a pesar del tiempo transcurrido, Caroline tenía razón, Ben todavía mantiene esa capacidad de dejarte sin respiración.

Ha perdido ese aspecto de niño que teníamos todos en aquella época y ahora tiene el rostro más marcado, pero de una forma que lo hace aún más atractivo. Le han salido patas de gallo y las líneas de expresión de su boca parecen más definidas. Los años también se han encargado de fortalecer su constitución y ha perdido la delgadez de su juventud.

Estar mirando a alguien que conozco tan bien, pero que al mismo tiempo es un desconocido, me resulta de lo más extraño. Él también se me ha quedado mirando, aunque podría tratarse de un círculo vicioso, es decir, me mira porque yo le miro. Durante un horrible instante, pienso que no va a reconocerme, o peor aún, que va a fingir no reconocerme, pero sucede todo lo contrario.

—¿...Rachel? —pregunta, después de abrir la boca, quedarse en silencio durante un segundo y hacer como si hubiera perdido el habla.

—¿Ben? —pregunto. Como si no estuviera jugando con ventaja.

Alza las cejas incrédulo, pero sonríe, y el alivio y la alegría me invaden.

—Oh, Dios mío, no me lo puedo creer. ¿Cómo estás? —pregunta en un susurro, como si nuestras voces fueran capaces de llegar hasta la sala de lectura.

—Bien —respondo con una especie de chillido—. ¿Y tú?

—Bien también. Ahora mismo un poco aturdido, pero bien.

Nos reímos. Nuestros ojos abiertos como platos parecen decir «esto es una locura». En realidad más de lo que se imagina.

—Sí, es algo surrealista —manifiesto mi acuerdo, sintiendo como poco a poco regresa la antigua camaradería que compartíamos. Es como andar a oscuras en tu habitación, intentando recordar donde está todo.

—¿Vives en Manchester?

—Sí. En Sale. Estoy a punto de mudarme al centro. ¿Y tú?

—Sí, en Didsbury. Me vine de Londres el mes pasado.

Me enseña un maletín, como si fuera el ministro de economía llevando el Presupuesto General del Estado.

—Ahora soy un aburrido abogado, ¿te lo puedes creer?

—¿En serio? ¿Hiciste uno de esos cursos de adaptación?

—No. Lo conseguí a base de persuasión. Me saturé de ver series de televisión sobre el tema y pensé que podía empezar desde ahí. Algo así como en la película *Atrápame si puedes*.

Me lo dice tan serio y yo sigo tan asombrada por nuestro encuentro que tardo un segundo en darme cuenta de que ya está haciendo gala de su sentido del humor.

—Ah, claro, claro —asiento. Entonces añado apresuradamente—: Yo soy periodista. Más o menos. Cubro los procesos del Tribunal de la Corona para un periódico local.

—Ya sabía yo que serías la única a la que le terminaría sirviendo el título de inglés.

—Bueno, yo no iría tan lejos. No me piden que dé mi opinión sobre Thomas Hardy cuando estoy redactando mi millonésimo informe de robo con violencia de un vehículo.

—¿Y qué estás haciendo aquí? —Esta pregunta sí que me asusta y de pronto me entra el clásico cargo de conciencia—. Me refiero a la biblioteca —añade Ben.

—Oh... esto... repasando un poco mis clases nocturnas. Estoy aprendiendo italiano. —Me gusta lo convincente que he sonado a pesar de lo que me avergüenza mentir—. ¿Y tú?

—Exámenes. Los muy capullos nunca terminan. Al menos con este mi cuenta bancaria mejorará.

La gente empieza a rodearnos y me doy cuenta de que si no nos vamos de aquí, no vamos a poder seguir mucho rato con la conversación.

—¿Tienes tiempo para un café? —pregunto de manera atropellada, como si se tratara de una idea alocada que acaba de surgir en mi mente. Aunque también estoy tensa, por miedo a que él se invente una excusa para irse.

—Dado que tenemos que ponernos al día después de una década sin vernos, creo que más bien serán un par de ellos —contesta él sin pensárselo dos veces.

Me siento tan radiante y emito tal luz y calor que las personas que nos rodean podrían acercarse a mí y calentarse las manos sin ningún problema.

Capítulo 10

Mientras nos dirigimos hacia la cafetería medio vacía, mantenemos una pequeña charla sobre su examen y mi italiano. Una vez dentro, Ben va a pedir los cafés, un capuchino para mí y uno expreso para él. Yo me siento en una mesa, me seco las palmas de las manos, que me sudan, en el vestido y observo a Ben mientras hace cola.

Mete la mano en el bolsillo de su pantalón de vestir en busca de cambio. Encima lleva un abrigo gris de estilo militar de los caros. Veo que sigue vistiéndose cómo si fuera una estrella de cine. Me parece del todo innecesario tener una pinta como esa si eres abogado. Con ese aspecto debería estar posando en plan sensual en un yate de un anuncio de loción para después del afeitado en vez de codearse con el resto de mortales, exhibiéndose de esa forma.

Pero su aspecto físico no era la única razón por la que las mujeres se enamoraban de él —aunque eso también ayudaba— sino porque tenía lo que me imagino que los actores llaman «presencia» o Rhys «ser el puto amo». Ben se mueve como si sus articulaciones fueran mejores que las de los demás. Por no hablar de ese humor tan irónico que tiene: inteligente, con comentarios tan rápidos, que hacen que la mayoría de la gente se asombre de que algo así pueda venir de una persona tan atractiva —en realidad todo el mundo espera que los guapos, y también las guapas, sean un poco bobos y que eso les venga de serie.

Y mientras le estoy contemplando, sintiendo como si las entrañas se me licuaran, él sigue charlando con la camarera de mediana edad que le está sirviendo los cafés como si nada. Para mí, todo esto supone un acontecimiento de proporciones épicas. Para él, solo soy una referencia histórica a pie de página. Esta enorme disparidad lo único que augura es un enorme problema. Si estuviéramos en un cuento de hadas, estaría sufriendo de un ataque de sed insaciable delante de una botella en cuya etiqueta pone «veneno» con mayúsculas. Por ahora, sin embargo, me va a saber a café con leche.

Ben se acerca y me entrega mi taza.

—Lo querías sin azúcar, ¿verdad?

Hago un gesto de asentimiento, contenta de que se acuerde de una trivialidad como esa. Pero entonces diviso un nuevo detalle en él que no es nada trivial —un sencillo anillo de plata en el dedo anular de su mano izquierda. Y aunque me he dicho una y mil veces que era algo perfectamente posible, siento como si me acabaran de dar una bofetada.

—¿Sabías que los italianos solo toman capuchinos por la mañana? Es una bebida propia del desayuno —comento, sin saber por qué se me ha ocurrido decir algo así.

—¿Eso te lo han enseñado en tus clases de italiano? —pregunta Ben en tono simpático.

—Eh... Sí. —Y ahora es cuando la fortuna me escupe en la cara y resulta que la mujer de Ben es medio italiana. Él se pone a soltar algunas frases líricas y a mí me toca poner cara de circunstancia y decirle que apenas estoy empezando con las clases. Y todo por culpa de la mujer de Ben.

—¿Has estado metida en alguna cabina de criogenización desde la universidad? —continúa Ben—. Estás exactamente igual. Me resulta un poco raro.

Me alivia pensar que no parezco demasiado maquillada e intento no sonrojarme en exceso por un cumplido tan implícito.

—Los juzgados son un buen repelente para los rayos solares... esos que dicen que provocan radicales libres.

—Excepto por el pelo, por supuesto —agrega él, se lleva la mano a la altura de la nuca y hace el típico gesto de rebanarse el cuello en alusión a la nueva longitud de mi cabello. Solía llevarlo más largo en la universidad, pero tras unas cuantas ocasiones en las que me confundieron con la novia de algún acusado, decidí hacerme un corte más «profesional», por encima de los hombros.

Me coloco un mechón detrás de la oreja con timidez.

—Sí.

—Te queda bien —dice con tono despreocupado.

—Gracias. A ti también se te ve bien. —Tomo una profunda bocanada de aire—. Y bueno, cuéntame qué es de tu vida. ¿Estás casado, tienes la media de dos coma cuatro hijos que corresponde por familia, un súper plan de pensiones...?

—Sí, estoy casado.

—¡Qué bien! —Me aseguro de que cada sílaba haga parecer que estoy encantadísima con la noticia—. ¡Felicidades!

—Gracias. Olivia y yo celebramos nuestro segundo aniversario el mes pasado.

El nombre me produce una punzada de dolor. Todas las niñas bien que iban a nuestro curso se llamaban Olivia, Tabitha o Verónica, y solíamos oponernos con uñas y dientes a que entraran en nuestro poco elegante, aunque exclusivo, club de dos. Y ahora él va y se casa con una de ellas. ¡Traidor! Durante un segundo me hubiera encantado tener algún Toby a mano como represalia.

—Bien hecho —comento—. ¿Hicisteis una gran boda y todo eso?

—Quita, por Dios. —Ben se estremece al pensarlo—. Fue en el registro civil de Marylebone. Alquilamos un viejo autobús de dos plantas y ofrecimos a nuestros invitados un pastel de carne como elegante almuerzo de boda en un salón que había encima de un *pub*. Uno muy bonito que eligió Liv. Todo ello aderezado con el idílico correteo y ruido de niños jugando en el parque al que fuimos después. Nos hizo un tiempo estupendo.

Asiento con la cabeza y él, de pronto, se siente cohibido.

—Me imagino que cumplimos con algunos clichés, música de Chas'n'Dave, los Beefeater de Londres...

—Suena genial. —Es cierto que suena genial. Y muy romántico. Aunque me da igual lo que llevara la novia o ver el álbum. Bueno, no me da igual.

—Sí, lo fue. Nada de hoteles despersonalizados, *disk jockeys* que fingen tener acento estadounidense, ni tres millones de familiares comiendo una comida que cuesta tres millones de libras.

—Eso solo sale a una libra por cabeza. Demasiado barato.

Ben sonríe, pero ahora mismo le noto distraído, casi puedo ver los engranajes de su cerebro moviéndose y trayéndole a la memoria cosas que no tienen que ver con esta broma; cosas que no va a mencionar.

Durante una fracción de segundo, percibo su desasosiego y me maravillo de lo masoquista que puedo llegar a ser. ¿De verdad quiero seguir aquí sentada, escuchando como ha prometido pasar el resto de sus días con otra? ¿No debería tomarme eso como una señal? ¿Quiero descubrir a un hombre deshecho? No. Quiero que sea feliz y eso es lo que más me duele. Esa es la razón por la que todo esto me parece una mala idea. Una de las razones.

Ambos le damos un sorbo a nuestros cafés, y yo me limpié discretamente la boca no vaya a ser que se me haya quedado un bigote de espuma.

—Niños todavía no —prosigue Ben—. En cuanto al plan de pensiones, tengo uno que le pega un buen mordisco al fondo de inversiones que tengo para pasármelo bien.

—¿Todavía eres capaz de gastar más que las niñas de papá?

Recuerdo los días en que Ben y yo íbamos a comprar ropa, las esperas fuera de los probadores, lo que nos reíamos con el cambio de roles. Incluso llegó a aceptar un consejo mío sobre qué comprarse. Era como si mi viejo muñeco Ken hubiera cobrado vida. «Pues no será tan Ken si se comporta como un maricón», me dijo una vez Rhys.

—Por supuesto —dice Ben—. Como Liv es la que más gana, tengo que esconder las bolsas para que no las vea. Es un poco castrante, la verdad. ¿Y tú qué? ¿Estás casada? —Toma su cucharilla y se pone a

76

remover el café a pesar de que no le ha echado nada de azúcar. Durante un segundo baja la mirada—. ¿Con Rhys?

Si ahora mismo estuviéramos sometiéndonos a la prueba del polígrafo, la aguja se habría vuelto loca.

—Hemos estado comprometidos durante un tiempo, pero acabamos de dejarlo.

Ben parece de veras consternado. Fantástico, nos hemos saltado la parte de «me alegro que saliera mal» para pasar directamente a esa en que doy lástima.

—Dios, lo siento.

—Gracias. No pasa nada.

—Tendrías que haberme detenido cuando me he puesto a hablar de bodas.

—Tranquilo, fui yo la que pregunté.

—¿Por eso te estás mudando?

—Sí.

—¿No tienes hijos?

—No.

—Es curioso, estaba seguro de que los tendrías. No sé por qué —comenta Ben sin reservas—. Una niña pequeña con los mismos problemas de actitud que su madre y las mismas manoplas ridículas.

Esboza una tenue sonrisa y vuelve a mirar la taza. La ternura de esa confesión —el que se haya referido a algo que solo nosotros comprendemos y que demuestra que ha estado pensando en mí— me hace soltar un sonido estrangulado muy parecido a una risita nerviosa. De pronto siento una profunda tristeza. Como si tuviera el pecho lleno de añoranza.

Evitamos mirarnos durante unos segundos y proseguimos con nuestra charla. Ben me habla del despacho de abogados al que se ha unido y me cuenta que su mujer también es abogada y que pidió que la trasladasen del bufete de Londres donde trabajaba a la oficina que tenían en Manchester para poder estar juntos. Se conocieron en una cena del colegio de abogados, en un salón abarrotado de gente vestida de etiqueta. La escena empieza a proyectarse en mi cabeza como si fuera una película romántica del director de *Love Actually* que no quiero ver ni en broma.

—Oye, si yo soy abogado y tu reportera en los juzgados, quizá no deberíamos estar hablando, ¿verdad? —bromea Ben.

—Depende, ¿cuál es tu especialidad?

—Derecho de familia.

—¿Llevas divorcios y ese tipo de cosas?

—Sí. Régimen de visitas, custodias... A veces es un poco desalentador. Otras, cuando consigues que todo salga bien, bastante satisfactorio.

Entiendo por qué ha terminado trabajando en esa área, y él sabe que lo sé, de modo que asiento.

—Creo que el problema en hablar lo tendríamos si fueras abogado penalista.

—Entonces no tendría tiempo libre. El amigo que me consiguió el puesto en este despacho lleva los procesos penales. Y tiene que estar disponible en cualquier momento. Es agotador. Por cierto, lleva unos días diciendo que le gustaría hablar con la prensa sobre un caso. ¿Puedo darle tu nombre?

—Claro —contesto, ansiosa por complacerle y por establecer una conexión.

Cuando nos terminamos el café, me ofrezco a invitarle a un segundo, pero él mira el reloj y dice que aunque le encantaría, tiene que irse.

—Sí, ahora que lo dices, yo también —miento. Giro mi reloj en la muñeca y finjo ver la hora.

Ben espera solícito mientras me pongo el abrigo. Espero que no se haya dado cuenta de los más de seis kilos que he ganado desde que terminamos la universidad. «¿Solo seis kilos?» —solía bufar Rhys—. «¿Es que Bruselas ha sacado una nueva directiva en la que ahora un kilo es igual a tres mil kilogramos?»

Salimos a la calle juntos.

—Ha sido genial volver a verte, Rachel. No me puedo creer que hayan pasado diez años. Es increíble.

—Sí, increíble —repito yo.

—Tenemos que seguir en contacto. Liv y yo no conocemos a mucha gente aquí. Podríamos quedar y así nos cuentas cuáles son los mejores sitios para salir por Manchester y qué es lo que está más de moda.

—¡Me encantaría! —exclamo. Como si yo lo supiera—. Puedo decírselo a Caroline, Mindy e Ivor y quedar todos juntos.

—Guau, ¿sigues viéndolos?

—Sí. Nunca hemos dejado de vernos.

—Eso es genial —asiente Ben, pero yo siento que es otro ejemplo del estancamiento que he sufrido durante esta interminable década. Es como si me hubiera convertido en la vieja señorita Havisham de Dickens y estuviera sentada con mi apolillado vestido de graduación, escuchando un disco rayado de la canción *Disco 2000* de Pulp (esa que habla de un adolescente que está enamorado de la estudiante más popular, y que años después, cuando vuelven a encontrarse, ella se ha casado con otro y él sigue solo)—. Bueno, ya hablaremos lo que te he comentado de mi amigo. ¿Cuál es tu número?

Ben empieza a teclear mi teléfono en su móvil mientras yo, con la adrenalina corriéndome por las venas, intento recordar los dígitos en el orden correcto.

Vuelve a mirar su reloj.

—¡Uf!, llego tarde. ¿Y tú? ¿Te acompaño hasta tu parada?

—Está justo a la vuelta de la esquina. No te preocupes por mí, vete.

—¿Seguro?

—Sí, gracias.

—Hasta luego, Rachel. Ya te llamaré.

Se inclina para darme un beso en la mejilla y yo contengo la respiración, esperando el roce de su piel contra la mía. Pero entonces se produce una situación embarazosa: él se dirige a mi otra mejilla para darme un segundo beso, al modo sofisticado de los londinenses y europeos, y como yo no me esperaba el gesto, estamos a punto de chocar nuestras caras, así que, para evitar caerme, apoyo una mano en su hombro, lo que hace que me avergüence aún más y dé un salto hacia atrás como si acabara de electrocutarme.

—¡Nos vemos! —digo a modo de despedida, aunque lo que de verdad me gustaría hacer es volver a repetir lo de antes sin parecer tan estúpida y torpe.

Camino hacia mi parada en un estado de casi trance. Siento como si tuviera una hilera de estrellas girando alrededor de mi cabeza, como en los dibujos animados, y tengo la cara ardiendo por el par de besos que me acaban de dar. Es una combinación extraña; por un lado, el ilícito placer que me ha producido el volver a verlo —¡y él quiere repetir!—, y por otro, la desazón de comprobar que su vida va viento en popa y la mía no.

Llego a casa una hora después, ya sin la sonrisa de oreja a oreja, y cuando me pongo a ver la vieja tele de la habitación de invitados dejo que las lágrimas fluyan. Lo malo es que, una vez abierta la presa, no hay manera de controlarla. Está casado. Felizmente casado. Con Olivia. ¿Qué misterio puede tener un pastel de carne de niña bien?

Siento como si me hubiera despertado después de un coma, devuelta a la vida por mi canción favorita, y no estoy segura de que me guste lo que veo desde la cama. La idea de volver a ver a Ben se corresponde con la definición de la palabra «agridulce».

Y ahora, entre lágrimas, mucosidades, y esta vorágine que invade mi interior, no puedo evitar hacerme dos preguntas: ¿Qué sentiré si no me llama? ¿Y qué puede traer de bueno que lo haga?

Capítulo 11

No le pido a Rhys que me deje el coche para trasladar mis cosas porque sé que lo necesitará para estar en cualquier lugar que no sea nuestra casa el día que me vaya.

Hace dos noches, salía de la ducha con una toalla alrededor del cuerpo y otra en el pelo. Iba deprisa, porque no me parecía adecuado pasearme medio desnuda por la casa después de haber roto. De pronto, Rhys subió a toda prisa las escaleras. Creí que cuando me viera me esquivaría o me diría algo por haber estado tanto tiempo con el agua caliente, pero se paró delante de mí y me miró a la cara. Para mi sorpresa, tenía los ojos húmedos.

—Quédate —me pidió con voz quebrada.

Tardé en procesar sus palabras porque creí que no le había oído bien.

—No puedo.

Él asintió con la cabeza. No estaba enfadado, ni tampoco resentido. Simplemente bajó las escaleras como las había subido y yo me quedé temblando en el rellano.

Esto me ha hecho darme cuenta de que las consecuencias de tomar una gran decisión no te caen de golpe, como si abrieras un armario lleno de ropa; sino que son como las olas, que van llegando poco a poco.

Cuando le digo a Caroline que voy a contratar a un camión de mudanzas, me pregunta que qué es lo que me voy a llevar conmigo y decide que podemos hacerlo con unos cuantos viajes en su Audi Saloon. El sábado por la mañana viene temprano a casa. La estoy esperando de pie en el vestíbulo, un poco sudorosa y con la compañía de todas las posesiones que tengo que se pueden transportar. Siento como si me estuviera marchando otra vez de la universidad, aunque en esta ocasión, más que esperanzada, estoy un poco desesperada.

Al final Rhys estuvo de acuerdo con la idea de Mindy sobre los muebles. Pude ver el curso de sus pensamientos por la expresión de su rostro. Al principio debió de pensar «ni de coña voy a facilitarle las cosas» pero en cuanto se imaginó llevando uno de esos carritos enormes del IKEA aceptó a regañadientes. Así que solo me llevo la ropa, los libros, algunos DVD, una sorprendente cantidad de artículos de tocador y «otras chorradas»; una categoría que debería englobar las cosas más pequeñas pero que al final resultan ser las más grandes: álbumes de fotos, plantas, accesorios, cuadros... En cuanto a todo aquello que solo había una unidad en la casa —la botella de agua caliente, el cubo de la basura, la cafetera, el anillo de compromiso...— he sido extremadamente justa y se lo he dejado a Rhys.

Caroline echa un vistazo a mis pertenencias y dice que lo podemos trasladar en dos, o a lo sumo tres, viajes. Empezamos a acoplarlo todo en la parte trasera de su Audi que, gracias a que lleva los asientos recogidos, nos permite colocar una cantidad decente de cosas.

—Definitivamente dos viajes —concluye Caroline, diciendo lo mismo que yo estoy pensando, excepto la parte de lo mucho que estoy temiendo que llegue la siguiente vez (y última) que esté en esta casa.

Nos ponemos en camino. Yo me dedico a parlotear sobre mi nuevo apartamento en un intento de distraer el revuelo que siento en mi interior; Caroline a lanzarme miradas preocupadas cada vez que puede apartar la vista de la carretera.

—No tenemos por qué ir, lo sabes. Si cambias de idea... —empieza, pero yo me muerdo el labio y niego rotundamente con la cabeza para rogarle de manera tácita que no hablemos de eso.

Mi amiga me da una palmadita en la rodilla y me pregunta por dónde tenemos que seguir. Cuando llegamos al apartamento doy las gracias porque todo lo que tenemos que hacer —pagar el parquímetro, abrir mi nueva vivienda, hacer relevos con los brazos cargados de cosas— me mantiene ocupada. Al final lo dejamos todo amontonado arriba y nos vamos a recoger el resto. Inspiro y suelto el aire con mucha concentración, como si fuera un atleta preparándose para una prueba que le va a requerir un esfuerzo descomunal.

Una vez en casa, o en lo que solía ser mi casa, metemos lo que falta en cuestión de minutos.

Todavía no puedo irme. No puedo. Me siento en la escalera de la entrada principal e intento recobrar la compostura, pero lo único que consigo es derrumbarme. Un pequeño gemido termina convirtiéndose en un llanto descontrolado hasta que noto la mano de Caroline en mi tembloroso hombro.

—No tengo nada para dormir —digo cuando levanto la cabeza de entre las rodillas y consigo que mi voz se abra paso entre todo el líquido que mi cuerpo está perdiendo por los ojos, boca y nariz.

—¿Qué quieres decir? —pregunta Caroline, poniéndose en cuclillas delante de mí—. Rupa tiene una cama, ¿verdad?

—No —hago un gesto señalándome—. Para dormir. Solía ponerme una camiseta de Rhys. Una de los Velvet Underground. Pero la he dejado en casa. —Me enjugo las lágrimas—. Porque, ¿es mía? ¿O de él? Ni siquiera lo sé.

Me pongo a llorar otra vez y Caroline me acaricia la espalda.

—Habéis estado juntos mucho tiempo y todo esto ha sucedido demasiado rápido. ¿Qué esperabas? Es normal que te duela, Rach.

La amable sensatez que mi amiga demuestra en algunas ocasiones tiene algo que consigue que vuelvas a centrarte cuando has entrado en un círculo vicioso. Es comprensiva pero sin ser indulgente. Lo mismo que encontrarte con la enfermera del colegio en vez de con tu madre cuando te has hecho una herida en la rodilla.

—Le voy a echar de menos —confieso.

—Lo sé. —Me acaricia con más fuerza, como si así pudiera hacer desaparecer todo el dolor que siento.

—Pero no puedo decírselo.

—¿Por qué no?

—¡Porque lo estoy dejando! —grito, y me vuelvo a derrumbar.

Se sienta a mi lado en el estrecho escalón y yo me desplazo un poco hacia la derecha para hacerle sitio. Ambas hacemos caso omiso de los niños que estaban jugando al fútbol en la calle y que ahora nos miran con curiosidad.

—Mira. —Baja un poco el tono de voz—. No quiero sonar como una terapeuta de esas, pero creo que es normal sentirte culpable, y también triste. Lo único que debes hacer es aceptarlo. No te odies por eso. Así es como tiene que ser. Dios, esto es tan trillado...

—No. De hecho creo que tienes razón.

—¿Sí? Bien, bueno.

Permanecemos sentadas en silencio otro medio minuto más.

—No hace falta que hagamos esto ahora mismo si te apetece seguir aquí otra noche —añade.

Esa declaración me deja un poco sorprendida. En la universidad Caroline solía ser de las de «no dejes para mañana lo que puedas hacer hoy». Tengo el presentimiento de que le gustaría que me lo replanteara y de que volviera con Rhys.

—No, no. Estoy bien —insisto—. Quiero hacerlo ahora.

O quizá se trate de una artimaña de esas de psicología inversa.

Caroline se pone de pie, se sacude las rodillas y extiende una mano para ayudar a que me levante.

—Diré a Mindy que te compre algunos pijamas. Ya sabes lo que le gusta comprar.

Esbozo una débil sonrisa, acepto su mano y me incorporo.

—¿Seguro que quieres dejar tantas cosas atrás? —prosigue Caroline, revisando el maletero que acaba de cerrar—. Sé que a Mindy le parece una buena idea, pero lo mismo dijo de sus tres últimos novios.

—Sí. Tengo dinero para comprar todo lo que me falta. Además, no estoy dejando tanto.

Alzo la vista hacia la que ha sido mi casa y ella parece devolverme la mirada, dándome la razón. Me acuerdo del sobre que he dejado junto al teléfono y que contiene el anillo que nunca más llevaré.

Caroline no dice nada más, me da una palmadita en el hombro y entra en el asiento del conductor. Todavía temblorosa, tomo una profunda bocanada de aire y hago lo propio en el del copiloto.

Ya está. Me estoy marchando. Y no ha hecho falta hacer nada, ni siquiera hemos intercambiado ninguna mirada elocuente Rhys y yo. Puede que siempre sea así. Pero me da la sensación de que la situación requería algo diferente. No sé, alguna formalidad: un apretón de manos oficial, una ceremonia, un certificado... Como Rhys dijo: «¿Esto es todo lo que valen trece años juntos?».

Capítulo 12

Caroline termina rompiendo el silencio que impera en la parte delantera del Audi.

—Estaba equivocada sobre lo del alquiler. Puede que Mindy tenga razón y este... interludio sea precisamente lo que necesitas.

—Gracias. Creía que pensabas que el juicio de Mindy era bastante dudoso.

—No siempre.

Sé que han estado hablando de mí, que se preocupan por mí, y hay una pregunta que no puedo callarme más.

—¿Todos pensáis que estoy cometiendo un gran error?

—Bueno... no hay un «todos»... —responde Caroline tras una tensa pausa.

—Oh, Dios mío. —Me llevo una mano a la cara—. No me digas que hay tres tipos diferentes de desaprobación.

—No es desaprobación, tienes treinta y un años. No nos corresponde a nosotros ni a nadie decirte lo que tienes que hacer. Supongo que lo que me ha sorprendido es que no mencionaras que teníais problemas antes, eso es todo.

—No quería hablar a espaldas de Rhys. Y para serte sincera, tampoco estaba muy segura de cómo me sentía. Me estaba dejando llevar por la planificación de la boda y de pronto me pareció que a él le importaba todo una mierda, y entonces fue como si se hiciera la luz.

—¿Y no consideraste que mereciera la pena darle un ultimátum para que cambiara de actitud? Creo que nunca te has mostrado lo suficientemente firme con él, y puede que eso le haya llevado a ser un poco... dejado.

—Lo hice. Le sugerí que fuéramos a ver a algún consejero o algo por el estilo, pero no le interesó.

—Dudo mucho que quisiera perderte. Es un cabezota...

—No puedes pedirle a alguien que no sea como es. Y ahí es donde íbamos.

—Y no podrías... si hicieras...

—Caro, por favor. Ahora no puedo hablar de esto. Podré, pronto, con una botella de vino y durante horas. Hablaremos largo y tendido hasta que termines hasta las narices de escucharme. Pero ahora, no.

—Lo siento.

—No pasa nada. Hablemos de otra cosa.

Hmm... No estoy muy segura de cuándo llegará ese «pronto». Lo más probable es que me espere hasta el 2064, cuando mi amiga se pueda introducir una memoria USB en el oído y descargarse todo la información directamente a su lóbulo frontal.

—Por cierto, he visto a Ben —añado de pronto, en un impulso temerario.

—¿Ben? ¿El de la universidad? ¿Dónde? Pensé que no querías verle. ¿Cómo está?

Me alegro de que Caroline solo pueda mirarme un segundo antes de volver a centrarse en la carretera.

—En la biblioteca. Pensé que era buena idea ponerme a aprender italiano como parte de mi nuevo yo, y allí estaba él. Tomamos un café. Se le ve bien. Está casado.

Caroline suelta un bufido.

—¡Aja! Normal que lo esté. A alguien tan atractivo y educado como él lo suelen cazar antes de los veinticinco, como muy tarde.

—Es decir, ¿que todo el mundo que merece la pena ya tiene que estar casado?

Caroline se da cuenta de lo que ha dicho y hace una mueca.

—¡No! Me refiero a los hombres, a los hombres como él. Hay más mujeres que merecen la pena que hombres, de modo que según la ley de la oferta y la demanda, los de su clase hace tiempo que salieron del mercado.

—Entonces eso rebaja drásticamente mis perspectivas de encontrar a alguien.

Caroline se pone nerviosa y al cambiar la marcha el Audi hace el típico ruido de no haber pisado bien el embrague. Ahora mismo mi amiga se parece a una antigua cabeza de terracota egipcia que vi una vez en el Museo Británico.

—No quería decir eso... bueno, ya sabes...

—Tranquila —digo—. Estoy de acuerdo contigo. Ben estaba destinado a casarse y puede que las elecciones después de los treinta no sean las mejores. Pero muchos terminarán divorciándose y quizá me toque uno bueno en su segundo intento.

Caroline suelta una carcajada, más por agradecimiento que por diversión.

—Todo va salir bien, ya lo verás.

—Mindy e Ivor también están solteros y son majos y personas normales. Bueno, todo lo normales que se puede pedir —comento.

—¡Exacto!

No me siento ni la mitad de despreocupada de lo que demuestro, pero finjo estarlo por el bien de ambas.

Empezar de nuevo. Desde el principio. Con alguien que no conoce las millones de cosas importantes y no tan importantes que me caracterizan, con el que no tengo ese lenguaje que establecen entre sí las parejas que llevan mucho tiempo juntas y que Rhys y yo teníamos desde hace años. ¿Llegará algún día alguien a conocerme tanto y viceversa? ¿Encontraré a alguien que quiera hacerlo? Me imagino una *Guía para conocer mejor a Rachel Woodford*. O una entrada en la Wikipedia con un montón de afirmaciones sobre Rhys seguidas de su correspondiente «[cita requerida]».

¿Y si es verdad eso de que todo el mundo que merece la pena ya está pillado? Es como si para encontrar a tu alma gemela tuvieras que salir de compras con el refrán de «a quien madruga Dios le ayuda» en mente; y que no se te ocurra hacerte con nada defectuoso, porque entonces tienes que devolverlo y al final te toca alguno de los saldos que nadie quiere. Esta es la clase de pensamiento de mi madre del que siempre me burlo, aunque también siempre me he reído de la seguridad de una relación. Pero ahora que tengo que probar la verdad o no de esa hipótesis, no estoy tan segura de mi anterior postura.

De lo que sí estoy segura es de que ha sido una buena idea dejar que Rhys se quedara con nuestro automóvil; una convicción que viene abalada por las varias vueltas que tenemos que dar alrededor del edificio de Rupa para encontrar aparcamiento.

—Me quedaré por aquí, no vaya a ser que me pongan un cepo por aparcar mal —dice Caroline. Ha desistido. Y continúa—: Si veo a un policía, daré una vuelta, así que no te asustes y pienses que me he fugado con tus toallas.

Me doy cuenta de lo poco en forma que estoy mientras voy del Audi al apartamento una y otra vez y Caroline se las arregla para que no le pongan ninguna multa.

—Te acompañaría un rato más, pero ya que ha venido tu madre, me imagino que querrás enseñarle el piso —me dice mi amiga cuando termino con la última caja.

—¿Qué? Mi madre no ha venido.

—Sí, está allí.

Caroline señala con el dedo por encima de mi hombro. Me doy la vuelta y veo a mi madre sacando unas monedas de su enorme monedero con cierre de broche y depositándolas en el sombrero colocado boca arriba de un hombre con un perro atado a una correa. Su abrigo Windsmoor largo y negro ondea como la capa del profesor Snape de *Harry Potter*. Siempre va impecablemente vestida, al estilo de Anne Bancroft en *El graduado*. Creo que muchas veces se pregunta cómo ha podido traer al mundo a alguien unos centímetros más baja que ella, con un vocabulario más soez que el suyo y con mucha menos elegancia, aunque basta con mirar a mi padre para hallar al menos una parte de la respuesta.

—Oh, mierda...

Caroline sonríe y se mete en su automóvil, despidiéndose de mi madre con la mano.

—¡Hola, cariño! ¿Era esa Caroline? Qué muchacha más encantadora. Veo que todavía tiene el metabolismo de un galgo. Algunas se han llevado toda la suerte, ¿eh?

—Hola, mamá. Hmm... ¿qué estás haciendo aquí?

—Voy con Bárbara a la prueba de maquillaje de Samantha en el centro comercial. Si quieres puedes venir.

—¿Quieres que esté en los preparativos del enlace de una amiga de la familia a la que no veo desde hace quince años para que piensen en mi malograda boda y les ponga en una situación incómoda?

—Oh, eso es una tontería. Les encantará verte.

—Hubiera sido una compañía igual de negada cuando iba a casarme, así que imagínate ahora. Además, creo recordar que Sam era una de esas adolescentes «¡chachi!».

—¿Chachi?

—Sí, esas que siempre están dando saltitos, chillidos agudos o soltando risitas nerviosas. En plan, ¡somos divertiiiiidasssss punto com! ¡Vayamos a hacer *cupcakes* todas juntas! ¡Qué chachi!

Mi madre se inclina para darme un beso en la mejilla.

—Vamos, cariño, a nadie le gusta un limón amargo. Enséñame tu nueva casa.

Optamos por ir a pie en vez de tomar el ascensor. Subo las escaleras con pesadez, como si fuera un preso de camino a la silla eléctrica, no al apartamento del frigorífico rosa. Saco la llave del bolsillo, abro la puerta y entramos. Huele raro; no a mi hogar. Miro con cara de pocos amigos en dirección al montículo que forman mis cosas y que empaña el cuidado ambiente de la casa.

—Dios bendito, qué estridente. Es como si los años 60 hubieran vuelto y hubieran vomitado por todo el salón.

—¡Gracias, mamá! A mí me gusta.

—Hmm... Bueno, pues si te gusta a ti, eso es lo importante. Solo digo que es... diferente.

«Diferente» suele ser una palabra inocua, pero dicha por mi madre es una de sus peores sentencias condenatorias.

Se quita el bolso del hombro y se sienta a mi lado. Sé exactamente lo que viene a continuación. Se aclara la garganta. Allá vamos...

—Bueno. En cuanto a Rhys y tú, entiendo que estáis atravesando una crisis...

—¡Mamá! No estamos pasando ninguna crisis. No hemos hecho un alto en el camino y estamos esperando a que pasen los nubarrones para poder seguir por la carretera que nos conducirá al matrimonio. Hemos roto.

—Si me dejas hablar, como alguien que ha estado casada durante cuarenta años...

Tiro de una costura del sofá.

— ...el matrimonio no es fácil. Cada uno consigue poner de los nervios al otro. No hay tregua. Es muy, muy, duro, y la verdad, incluso en los buenos momentos, la mayoría de los días te encantaría mandar a paseo a tu pareja.

—Entonces no me preocupa perderme la experiencia, para qué.

—Lo que quiero decir es que lo que estás sintiendo, ¡es perfectamente normal!

—Si el matrimonio es como cuentas, prefiero quedarme sola.

Silencio.

—Puede que estés echando por la borda tu única oportunidad de tener hijos. ¿Te has parado a pensarlo?

Mi madre: qué gran pérdida para el mundo de las charlas motivadoras.

—Pues por muy sorprendente que te parezca, sí que lo he tenido en cuenta, pero, gracias...

—Solo quiero que te asegures al cien por cien de que estás tomando la decisión correcta, eso es todo. Rhys y tú lleváis mucho tiempo juntos.

—Por eso estoy segura. —Me quedo callada un instante—. Significaría mucho para mí que me tomaras en serio y aceptaras que me conozco lo bastante bien como para saber con quién quiero casarme y con quién no.

—Bien. Si estás absolutamente segura.

—Lo estoy. —Y por supuesto, en cuanto digo esto, me doy cuenta de que no lo estoy. Teniendo en cuenta que es la primera vez que rompo un compromiso, y que no tengo nada con que comparar esta experiencia, estoy tan segura como se supone que tengo que estarlo.

Mi madre se pone de pie.

—Tu padre y yo vendremos pronto por aquí. Si necesitas que te traigamos alguna cosa que no tengas, dínoslo.

—De acuerdo. Gracias. —De pronto siento un nudo en la garganta. Me levanto y le doy a mi madre un abrazo muy fuerte, inhalando su familiar aroma a YSL Rive Gauche en un apartamento cuyos olores me resultan completamente nuevos.

Aunque la marcha de mi madre por un lado me produce un gran alivio, por otro me deja tan desolada como cuando tuve que despedirme de mis padres en el aparcamiento de la residencia universitaria. Necesito una enorme taza de té, una que no pueda sostener con una sola mano, sino con las dos. Con un chorrito de *Bourbon*.

Me quedo contemplando la gran ventana y de pronto toda esa inmensidad panorámica no me parece tan glamorosa, sino más bien precaria. Me imagino lo diminuta que debo de parecer al otro lado del cristal. Una figura enana, triste e insignificante, mirando los tejados de Manchester.

Durante un segundo, siento tal añoranza que estoy a punto de gritar: «Quiero irme a casa». Pero Rhys y «casa» van inexorablemente unidos.

Capítulo 13

Esa tarde, mientras intento dar un poco de vida a aquel ambiente cerrado encendiendo la radio, oigo un ruido extraño en toda la sala y me doy cuenta de que es el timbre. Quito la cadena, abro la puerta... y me encuentro con una explosión de color rosa y flores blancas y un par de piernas embutidas en unos *leggings* debajo de ellas.

—¡Feliz día de la mudanza! —grita Mindy.

—Hola, ¡guau!, azucenas. Qué detalle por tu parte.

Mi amiga se abre paso con su cargamento y accede a mi nueva casa. Detrás de ella viene Ivor, con las manos en los bolsillos, que se inclina sobre mí y me da un beso en la mejilla. Su comportamiento renuente me dice que Mindy le ha dado una charla de «felicítala con una buena elección» de camino aquí. Lleva colgada una bolsa de Marks & Spencer.

—De mi parte, aunque desde ya mismo te digo que no lo he elegido yo —dice él—. Como suelen decir, no tengo gusto para la ropa.

Echo un vistazo a lo que hay dentro. Pijamas. Muy bonitos, de seda en tonos crema.

—No te vas a poner a llorar, ¿verdad? —pregunta—. Aquí tienes el recibo.

—No, no voy a llorar —respondo, conmoviéndome un poco por dentro—. Gracias.

Mindy no deja de dar vueltas de un lado para otro buscando el lugar adecuado para colocar las flores, y el movimiento hace que deje un rastro de polen ocre en la prístina pared de tonos pastel.

—También son de parte de Ivor —añade ella. Encuentra su objetivo y va hacia la mesa de café. Las temblorosas flores dejan tras de sí otra estela de polvo dorado.

Me quedo mirando todo el jaleo que está montando y me llevo discretamente una mano a la boca.

Mindy se vuelve hacia mí, se da cuenta de lo que estoy haciendo y se lo toma como un gesto de asombro por el regalo.

—De nada —canturrea.

Ivor, que ha seguido mi línea de visión, agrega entre dientes.

—Mejor digamos que son solo de tu parte. Ya lo limpio yo.

—¿Qué te parece, Ivor? —Mindy da una vuelta como si fuera una azafata de un concurso de televisión, indicando que se refiere al apartamento.

—Creo que se parece a la guarida de una yuppie asesina recién salida de *American Psycho*. La Patricia Bateman de los ejecutivos. —Enjuaga una bayeta en el fregadero, que tiene uno de esos grifos de caño alto y giratorio que suele haber en las cocinas profesionales—. Lo digo en el buen sentido, por supuesto.

Mindy vuelve a ir de un lado para otro con sus botines de color bermellón, poniéndolo todo perdido por segunda vez, e Ivor va detrás de ella limpiándolo con cautela. Después se da la vuelta hacia mí, asiente con la cabeza para decirme que ya ha terminado y me hace un gesto para que me una a Mindy.

—¿Qué queréis beber? —La pregunta hace que me ponga a pensar dónde he podido dejar la tetera y cómo voy a conseguir leche.

—Yo no puedo quedarme, tengo una cita —comenta Mindy.

—¿Con Bo... digo Robert? —pregunto yo.

—Bob «El *Fashion*» pasó a mejor vida —declara Ivor.

Robert siempre iba vestido de la cabeza a los pies con ropa de última moda de la marca All Saints y con cadenas colgando de los bolsillos. Por eso él le puso el apodo de Bob «El *Fashion*». Por desgracia, una vez que lo pronuncias, es muy difícil quitártelo de la cabeza.

—Sí, mandó a paseo mi cena familiar por una de esas guerras en las que se disparan bolas de pintura con su cuñado. —Mindy hace un gesto de desdén con la mano—. Y fue la gota que colmó el vaso. Debería haber un TripAdvisor en materia de citas, así una podría ver los comentarios que han hecho otras mujeres del hombre con el que vas a salir. «Está bueno.» «El servicio es pésimo.» «Hay que reservarlo con antelación.»

—Porciones pequeñas —tose Ivor contra su puño.

—¿Y el de esta noche, de dónde lo has sacado, de la web de citas Guardian Soulmates? —pregunto.

—De My Single Friend.

—¿Esa en la que te recomiendan tus amigos?

—Sí, me hice pasar por un amigo y me vendí como «una *mamacita* fácil de complacer, que trabaja tanto como se divierte».

Pongo mi cara de «oh, Dios mío».

—Solo significa que soy solvente, no muy caprichosa y que estoy disponible en el plano sexual —explica Mindy. Ivor hace una mueca.

—Sí, lo sé —digo yo—. ¿Pero no se supone que eso tiene que hacerlo otro?

—¿Y quién va a describirme mejor que yo misma?

—¿Entonces por qué te inscribes en una web en la que el requisito es que te recomiende otra persona?

Mindy se encoge de hombros.

—Porque los hombres confían en lo que dicen otros hombres. Las recomendaciones que hacen las mujeres son en plan «es una persona vivaz con una vida social fantástica», y ellos lo entienden como «tía aburrida que le da a la bebida».

—Narcisismo y engaño, los clásicos elementos con los que debe comenzar toda relación saludable —interviene Ivor, sentándose a nuestro lado en el sofá.

—Da igual. Tengo unos cuantos Guardian Soul destructores esperado en la reserva. Este tiene veintitrés. —Mindy se muerde el labio—.

Y le gusta el *grime*. Me refiero a la música, no a la mugre[3]. Dios sabe de qué vamos a hablar.

—Bueno, de él, a juzgar por tus experiencias anteriores —digo yo, e Ivor se ríe.

—Pero la foto de su perfil es tan parecida a John Cusack de joven... —suspira Mindy.

Ivor y yo intercambiamos una mirada, pero ninguno de los dos dice nada. Mi amiga tiene su propia teoría sobre la compatibilidad y ninguno de nosotros ha conseguido convencerla de que es una tontería. Según ella, la atracción física instantánea es un requisito previo para el éxito de cualquier relación —sea identificable o no desde el principio. Por eso únicamente le interesan los hombres atractivos, ya que dice que de ese modo solo necesita encontrar a alguien guapo con el que tenga otras cosas en común. Ningún ejemplo que contradiga esta teoría ni tampoco ninguna crítica ha conseguido que Mindy diera su brazo a torcer. Y lo único que ha obtenido como resultado ha sido salir con toda una sarta de tipos con el aspecto de un príncipe azul y que por dentro no valen mucho más que un sapo.

Miro el reloj.

—¿A qué hora has quedado con él? ¿Vais a tomar algo antes de cenar?

—A las ocho, pero tengo que ponerme guapa. Voy a hacerme un tratamiento de oxígeno puro y a depilarme las cejas con hilo de algodón.

—Ya sabes cómo va esto. Mindy tiene que entrar en preproducción para convertirse en un éxito de taquilla de Hollywood —ironiza Ivor.

—Por supuesto, si te parece solo me cambio de camiseta y me pongo un poco de desodorante Axe para cavernícolas por todo el cuerpo —replica ella con brusquedad, poniéndose de pie.

---

3 *Grime* es un estilo de música que surgió en el este de Londres a principios de la década del 2000 y que toma elementos del *hip hop* y del *dancehall*. Pero *grime* en inglés también significa «mugre», de ahí el comentario de Mindy. (N. de la T.)

—Yo que tú no lo haría —repone Ivor con suavidad—. Axe es para hombres.

Mindy hace un gesto de negación con la cabeza hacia él y me da un abrazo.

—Ya he empezado a planear la fiesta. Quién sabe, si todo sale bien, puede que traiga a Jake.

—Jake —se burla Ivor—. Solo el nombre ya te dice que es post 1985.

—Y eso lo dice el que se llama Ivor.

—Mi nombre nunca ha estado en boga, así que no puede pasarse de moda. Lo único que dice de mí, es que soy post siglo IX, querida.

—¡Da igual! Adiós, Rach.

—¡Buena suerte con el cazador de reliquias! —grita Ivor mientras la acompaño hasta la puerta.

Mindy se da la vuelta en el umbral de la puerta y le saca el dedo corazón.

—¿Crees... —comienzo mientras me dejo caer en el sofá y me abrazo a un cojín color perla, pero entonces percibo la esponjosidad de las plumas nuevas y me doy cuenta de que estos cojines no son para abrazar, así que lo dejo de nuevo donde estaba— ...que Mindy se replanteará algún día esa política tan cruel y absurda de compatibilidad que tiene de fijarse primero en el aspecto y dejar en un segundo plano la personalidad?

—Seguramente no.

Ambos negamos con la cabeza.

—¿Qué planes tienes? ¿Quieres que me quede? —inquiere Ivor, y yo me pregunto por qué hoy siento como si fuera el día de los rechazos diplomáticos—. ¿O prefieres que me vaya?

—Pues... —vacilo, intentando saber qué es lo que quiere que le conteste. Me da la sensación de tener una especie de estigma pegado al cuerpo. Y empiezo a entender por qué la gente que está pasando por alguna fase de duelo no quiere verse rodeada de gente a su alrededor que ande con pies de plomo.

—Voy a aprovechar que Katya va a pasar fuera el fin de semana para hacer una maratón del videojuego *Grand Theft Auto* y a comer carne enlatada. Si quieres unirte a mí, eres bienvenida.

—No, gracias. Estoy bien. Espero que te diviertas matando a muchas prostitutas.

Cuando Ivor se va me digo a mí misma que tengo mucha suerte por contar con unos amigos que me apoyan tanto, y que estar soltera significa que me tengo que acostumbrar a mi propia compañía y a no inventarme excusas para tener a gente a mi lado. Aunque ninguna de esas dos cosas consigue que me sienta mejor. Tengo que aprender a volver a estar sola. Rhys y yo teníamos intereses distintos. No estábamos todo el día pegados como lapas. Aun así, el silencio en el que se encuentra sumido el apartamento hace que me parezca estar en una isla desierta, con la ciudad como inmenso océano.

Me pongo a sacar más cosas de las cajas y estoy entretenida hasta que encuentro una vieja foto de la universidad y me pongo a llorar. En este momento la necesidad de llamar a Rhys y decirle que he cambiado de opinión es tan intensa como la que puede sentir un adicto por consumir droga bajo los efectos del síndrome de abstinencia. Me siento y pincho su nombre una y otra vez en la agenda de contactos de mi teléfono. No tendría por qué decirle nada a la desesperada. Solo preguntar qué tal está. Sin embargo, me detengo. No sé cómo lo estará pasando hoy, pero tengo que dejar que lo supere solo. La decisión que tomé me quitó el privilegio de poder ayudarle en esto. Cuando me lo imagino esta noche solo, en nuestra cama, pienso que he tenido suerte. Todo lo que me rodea me invita a comenzar de nuevo. Él, sin embargo, sigue en el mismo lugar en el que compartíamos nuestra vida, con todas nuestras cosas. Solo falto yo.

De pronto mi mente comienza a proyectar un montaje con nuestros mejores momentos. La primera noche que pasamos juntos en su antiguo piso, y a mí cayéndome de la cama encima de su pedal de efectos para la guitarra; lo que fue un bautismo de fuego para nuestro recién estrenado amor —pegué un buen grito y me hice un hematoma en la espalda del tamaño de una mano. Cómo corrió a la mañana siguiente a comprar analgésicos y el desayuno que me preparó, que requirió siete sartenes y tres tipos diferentes de huevos. El día que conocí a su familia, cuando yo estaba virtualmente levitando sobre el suelo de los nervios que tenía y Rhys me dijo en el umbral de la puerta: «Te querrán. No porque yo lo haga. Sino porque cualquiera que tenga ojos y oídos lo haría». El fin de semana que pasamos juntos en Brighton, a pesar de que fue el peor viaje en coche del mundo; la siniestra pensión en que nos alojamos, que estaba de todo menos cerca del paseo marítimo; y aquel restaurante con camareros espantosos. Puede que hubiera sido un desastre, pero recuerdo que no paramos de reírnos como unos colegiales durante los dos días que estuvimos. El día que nos mudamos a nuestra casa y bebimos champán en dos tazas de café, sentados en la escalera, en medio de un desierto de moqueta color arena sin un solo mueble, y nos pusimos a debatir sobre si la horrorosa foto de Iggy Pop que Rhys traía con él enseñaba o no demasiado pubis como para ponerla en el recibidor. Todas esas bromas, historias compartidas... todo ese proceso de conocer tanto a una persona, que ahora mismo no puedo imaginar volver a experimentar con otro, salvo que tuviera una máquina del tiempo que me llevara de nuevo a mis veinte años.

¿En qué estaba pensando al tirarlo por la borda de ese modo? ¿Debería volver con él? ¿Estaba cometiendo el peor error de mi vida cuando decidí dejarlo? Lo más seguro es que no, principalmente porque el trofeo de «peor error» ya lo ganó otra decisión que tomé en el pasado.

Me digo que este día está siendo tan malo como se suponía que tenía que ser, y que no me queda más remedio que pasarlo. Aunque puede que sea más fácil si lo hago inconsciente, así que gateo hasta la enorme cama, me cubro la cara con los brazos y me obligo a conciliar el sueño.

Mientras me duermo, me imagino a la supermodelo india que hay en el cuadro cobrando vida, mirándome y diciéndome:

—Oye, que este apartamento no es para eso.

Capítulo 14

Me despierto al oír un ruido extraño, como el de una abeja atrapada en una lata y algo pequeño correteando por una superficie dura. Me incorporo de inmediato y me doy cuenta de que está anocheciendo. Será mejor que Mindy no haya olvidado mencionarme alguna plaga de bichos de proporciones similares a las de las películas de serie B. Mientras trato de espabilarme, me percato de que el ruido proviene de mi teléfono móvil, que está en modo vibración, y parece haber cobrado vida deslizándose como un loco sobre la mesilla de noche. Me hago con él justo cuando está a punto de caerse al suelo y veo que es Caroline.

—¿Al final me birlaste las toallas? —mascullo medio dormida.

—¿Estás borracha?

—¡No! ¡Estaba durmiendo! —Me froto un ojo con la parte inferior de la palma de la mano—. Aunque lo otro también suena bien.

—Estoy intentando ver cómo ha ido mi política de dejarte completamente a solas. Estaba empezando a sentirme culpable, lo que es del todo inconveniente.

—¿A qué te refieres?

—Les dije que la primera noche debías pasarla sola.

—¡Gracias! —farfullo. Durante una milésima de segundo me sienta un poco mal.

—Si hubiéramos estado allí esta noche y nos hubiéramos emborrachado, habrías pasado tu primera noche a solas mañana, con la nostalgia propia del domingo, y con resaca. Es la manera más fácil.

—O se junta todo lo malo de golpe —me quejo.

—¿Es así como te sientes? Porque puedo ir ahora mismo...

Miro a mi alrededor, a mi nuevo y extraño entorno. Rupa debe de tener una especie de adicción a las lucecitas de colores porque ha colgado hileras de rosas con bombillas intermitentes. Lo cierto es que me parece bonito, a pesar de verlas a través del filtro gris de mi decaimiento. Y, como siempre, la afectuosa firmeza de Caroline me sienta bien.

—No, me las arreglaré sola.

—Consigue una botella de vino, encarga algo de comida para llevar, y mañana me pasaré por allí.

Después de colgar descubro que no tengo hambre, pero sí que recuerdo haber visto una botella de ginebra Bombay Sapphire en una de las estanterías de Rupa. Voy a por ella y me digo que la repondré antes de irme. Me falta la tónica, así que me hago un delicioso cóctel de ginebra con zumo Tropicana. Mientras enciendo la televisión y me entretengo con un drama médico, otra preocupación se abre paso en mi mente. Una que hubiera preferido no admitir que tenía. Ben no me ha llamado. Y me temo que no lo hará.

No debería estar pensando en eso. Es de muy mal gusto, porque es un hombre casado, no una cita en potencia. Eso sí, el que no me llamara diría mucho; sería un silencio más que elocuente.

«Pasar media hora contigo ha sido más que suficiente. De hecho, me ha parecido demasiado, aunque puse mi mejor cara y lo soporté estoicamente. El pasado es el pasado y tú eres la única que sigue viviendo en él. Ya nos veremos, en el décimo aniversario de nunca jamás. Ah, por cierto, con ese corte de pelo te das un aire a Tom Hanks en *El Código Da Vinci*.»

En el fondo sé que quien me está hablando es mi yo paranoico y culpable, no Ben. Ben es la persona que se disculpó en cuanto se dio cuenta de que había estado hablando de su boda según le conté que lo había dejado con mi novio. Entonces, ¿por qué cuando examino una y otra vez cómo se desarrolló nuestro encuentro tengo esa perspectiva tan pesimista? No puede ser otra cosa que el detalle crucial: que él me pidió el número de teléfono pero nunca me dio el suyo, ¿verdad?

«Pero fue él el que te dijo que teníais que seguir en contacto», asegura el ángel que tengo subido a un hombro.

«Sí, eso es lo que se suele decir para quedar bien en una conversación y que luego nunca se cumple», aduce el demonio.

Oh, Dios, nunca me va a llamar, y seguro que me lo termino encontrando, junto con su Olivia de Troya, en Zara Home comprando ropa de cama y yo, en mi prisa por escapar y que no me vean, tropiezo con alguien que vaya en silla de ruedas y me caigo encima de él.

Mientras el paciente de la televisión entra en lo que alguien llama «fibrilación ventricular» y el equipo médico se pone en acción, elaboro una teoría que se adapta tanto a mi fatalismo como al carácter del Ben que conozco. Él sí que quiso decir que teníamos que seguir en contacto y me pidió el teléfono de buena fe; seguro que hasta pensaba en llamarme. Pero luego debió de plantearse cómo le iba a hablar a su mujer de mí, y empezó a dudar de que hubiera sido buena idea. En ese momento me lo imagino sacando su teléfono, yendo a sus contactos, leyendo mi nombre y sintiendo una punzada de dolor. A continuación le da a eliminar y continua con su encantadora vida sin Rachel.

***

Media hora más tarde, mi teléfono parpadea avisando de que tengo una llamada entrante. Será mi madre, de modo que me preparo para fingir que me siento de lo más positiva durante los próximos cinco minutos. Compruebo la pantalla y veo que se trata de un número desconocido.

—Hola, ¿Rachel?

Reconozco esa cálida voz masculina al instante. Y paso de estar medio dormida a las seis de la tarde a convertirme en la persona más despierta de todo Manchester. «¡Me ha llamado! ¡No me odia! ¡Y no me mintió!» La adrenalina sale disparada por mis venas, con un chute de endorfina.

—¡Hola!

—¿Te encuentras bien?

—¡Sí!

—Soy Ben.

—¡Hola, Ben! —canturreo.

—¿Seguro que te encuentras bien?, porque suenas un poco rara.

—Sí, estaba... Estaba... —Dios, no quiero admitir que me he pasado durmiendo toda la tarde—. Nada, que me había tumbado un rato.

—Ah, bien. —Ben parece avergonzado y tengo la sensación de que piensa que sí que me había echado un rato, aunque en compañía de alguien más—. Bueno, ya te llamaré otro día.

—¡No! —grito yo—. Estoy bien. En serio. ¿Y tú? Qué curioso que me hayas llamado. Precisamente estaba pensando en ti ahora mismo.

«Hilo metido en la aguja. Procedamos a coserle la boca a esta mujer para que no vuelva a abrirla», dice mi cerebro.

—Todo bien, espero —dice Ben nervioso.

—¡Por supuesto! —exclamo al borde de la histeria.

—Hmm, quería saber si te apetecería conocer a mi amigo alguna noche de la semana que viene para hablar del caso que te comenté.

—Sí, claro, genial.

—¿Qué tal el jueves? Yo también iré, si te parece oportuno.

—Claro que sí. —Absoluta y maravillosamente oportuno.

—Simon es un buen tipo, pero es un poco presuntuoso. No dejes que se tome ninguna libertad si empieza a hablar de las vilezas de la prensa.

—Estoy segura de que puedo dar lo mejor de mí.

—Yo también —se ríe él—. Bueno, a principios de semana te mando un mensaje con la hora y el lugar.

—Perfecto.

—Que tengas buen fin de semana. Te dejo que sigas tumbada.

—Ya me estaba levantando, y creo que me voy a quedar así.

—Como mejor te parezca.

Nos despedimos con un adiós muy poco natural y colgamos. Ahora sí que me siento un poco rara, aturdida. En la tele, el corazón del paciente ha vuelto a la vida.

Capítulo 15

Debería estar escuchando atentamente el relato de cómo Michael Tallack, de Verne Drive, Levenshulme, el veintiséis de agosto del año en
curso, usó la pierna ortopédica de su hermano para conseguir una pensión por incapacidad de forma fraudulenta.

Sin embargo, mi mente se encuentra a años luz de aquí, recordando
aquella noche de otoño, cuando estaba en mi primer año de universidad y fuimos a ver un espectáculo de fuegos artificiales en Platt Fields
Park. Cada vez que se producía una explosión de brillante colorido
en forma de palmera exclamaba embelesada un «ahhh» u «ohhh».
En un momento dado, me volví hacia Ben para decirle algo y me di
cuenta de que tenía la vista clavada en mí, y no en el cielo nocturno.
Me miraba intensamente, lo que me produjo la misma sensación que
cuando estás en una atracción de feria y piensas que se ha parado, pero
en realidad no lo ha hecho del todo.

—Esto... —Las palabras que estaba a punto de decir se me trabaron
en la punta de la lengua—. Tengo frío.

—¿Con eso que llevas? —preguntó él escéptico, señalando mis manoplas. Eran de punto, de colorines. Y aunque me cueste admitirlo,
tenían casi el mismo tamaño que una funda para una bolsa de agua
caliente.

—¡Son bonitas!

—Sí si tuvieras siete años.

—¿No tienes frío? —quise saber yo.

—No —contesto él—. Apenas lo he notado.

Sus ojos lanzaron chispas, y en el helado ambiente sentí como el calor ascendía por todo mi cuerpo. Tomé una profunda bocanada de aire y di una sonora palmada con las manoplas.

En ese momento una estudiante se unió a nosotros, rodeando cariñosamente a Ben con un brazo. Me di la vuelta para alejarme un poco de ellos y cuando volví a la posición inicial para hacer un comentario se habían ido. Estiré el cuello para intentar divisarlos entre la multitud. Nunca antes me había sentido tan abandonada. La verdad es que era absolutamente ridículo y demostraba lo mucho que echaba de menos a Rhys.

—¡Todos en pie! —grita el secretario del tribunal, trayéndome de vuelta al presente.

Espero educadamente a que salga todo el mundo, en vez tomar el camino más rápido hacia la salida, como suelo hacer siempre. Mi cabeza está pendiente de la cita que tengo con Ben después del trabajo. Por dentro estoy hecha un manojo de nervios, entusiasmada, asustada, confusa...

Me hago con un café de esos que saben a caca de vaca y me dirijo a la sala de prensa para bebérmelo tranquilamente. Veo que Zoe se me ha adelantado. A pesar de sus dudas, se está comportando como una reportera de primera aquí en los juzgados. La habilidad para encontrar una historia es algo que no se puede enseñar, y ella la tiene. Como también tiene la confianza necesaria para irse de una sala en la que ya no hay nada interesante y buscar otra donde sí lo haya. Yo tardé años en encontrar las agallas necesarias para hacer algo así. Me quedaba clavada en el banco, escuchando las aburridas intervenciones de las partes, mirando de izquierda a derecha, como hacen los retratos de las casas de fantasmas cuando nadie los contempla.

—Maldito Gretton —dice Zoe a modo de saludo, apartando los trozos de pepino de su almuerzo con un tenedor de plástico blanco y dejándolos en la tapa abierta de su fiambrera.

Le doy un sorbo a mi café.

—¿Ahora te acecha a ti? Ya decía yo que últimamente le veía menos.

—Sí. Conseguí esa bonita historia sobre un pensionista convertido en héroe al perseguir a unos malhechores por su huerto, y cuando creo que tengo la exclusiva, me doy cuenta de que está justo detrás de mí, echándome el vaho en la nuca.

—¿Seguro que a nadie se le ocurrió contar un chiste verde con el bastón con que el anciano se enfrentó a sus atacantes? Porque allí donde haya chistes verdes fijo que está Gretton.

—No, por suerte el arma empleada fue un simple rastrillo.

—Tómatelo como un cumplido. No se molestaría en andar detrás de ti si creyera que no sabes lo que haces.

—Sí, supongo.

Tengo razón, más de la que me gustaría. Es algo incómodo descubrir cómo Gretton ha centrado su objetivo en Zoe de una forma tan rápida. ¿Acaso soy tan prescindible? Últimamente no he podido dar con ninguna gran exclusiva. Seguro que así es como se sienten las estrellas de cine venidas a menos cuando pierden a un acosador en favor de un rival mucho más joven. Incluso las ratas como él abandonan el barco mientras se está hundiendo. Ahora que he roto mi compromiso, que me pase esto me molesta más de lo que debería. Es curioso, pero cuando una parte de tu vida se desmorona, las otras partes que quedan se ven más endebles de lo que parecían. Siempre he pensado que tenía un buen trabajo. Ahora, sin embargo, me doy cuenta de que nunca me he preocupado por promocionarme, y aquí está Zoe, que es tan buena que me superará en unas semanas y continuará ascendiendo en su carrera.

—Hoy saldré a mi hora. Si te pregunta alguien de la redacción, di que me quedé hasta el final —comento—. No tengo que entregar nada hasta mañana y las cosas en la sala 2 van para rato.

Zoe me hace un saludo militar.

—Comprendido. ¿Algo divertido?

—¿Dónde? ¿En la sala 2?

—No, en el sitio al que te vas.

Esa es una muy buena pregunta.

—Voy a tomarte una copa con alguien a quien no veía hace tiempo.

—Vaya, vaya. ¿Un amigo o un amigo «muy amigo»?

Por alguna razón desconocida su pregunta me molesta.

—En realidad es una amiga —espeto. Entonces me doy cuenta de que mi conciencia de culpabilidad me está volviendo demasiado susceptible.

Zoe asiente. A continuación toma un trozo de tomate y lo pincha sobre una patata como si fuera la horca de un jardinero.

Capítulo 16

El proceso Tallack continúa y me paso la tarde en el mismo estado de ensoñación que la mañana. En esta ocasión me retrotraigo al período de estudio de antes de los primeros exámenes de carrera. Ben me dejó una críptica nota en mi casillero de la facultad de letras con la ubicación, hora y un «ven sola» que nos hacía parecer agentes secretos.

Nunca antes había estado en la Biblioteca Central de la plaza de San Pedro, pues me bastaba con ir a la John Rylands, la biblioteca de la universidad. Como Ben lo sabía, y para tomarme el pelo, me dibujó un mapa con la ruta descrita al detalle que terminaba en un pastelito redondo pintado a bolígrafo azul y que en vez de velas lucía unas columnas de orden toscano. También garabateó una cara haciendo el tonto con el nombre de Ben y una flecha para indicar que estaría allí.

Cuando llegué, mientras admiraba la arquitectura del edificio, vi a Ben saludándome con la mano desde una mesa.

—Hola. ¿Se puede saber qué estamos haciendo aquí? —susurré, colocando una silla a su lado.

—No quería que nadie nos oyera hablar en la biblioteca de la universidad —contestó Ben, también en un susurro—. Considéralo como una excursión. Mira esto.

Me puso una pila de papeles delante.

—¿Modelos de exámenes de años anteriores?

—Sí. Si los estudias detenidamente te darás cuenta de que hay un patrón obvio. Solo hay una pregunta sobre *Beowulf* cada dos años.

—De acuerdo. ¿Y...?

—Que justo cayó el año pasado, así que este año no tenemos que estudiarlo.

—Es una estrategia muy arriesgada.

—Estoy cien por cien seguro de que funcionará.

—¿En serio? —comenté con sarcasmo—. ¿Cien por cien? ¿Tan seguro como la ley de la gravedad, como la ley de... de...?

—No conoces ninguna otra ley, ¿verdad?

—Capullo.

—Está bien, entonces estoy seguro al noventa por ciento.

—Hay otro plan al que podemos recurrir y que es igual de infalible.

—¿Cuál?

—Sin que los profesores sospechen nada, podemos tratar de meter la mayor cantidad posible de información en nuestros cerebros. Después, volcamos todos esos datos en el examen, delante de sus narices. Nadie se enterará nunca de nuestro secreto.

Ben sofocó una risa.

—Mírala qué listilla. Ya sabía yo que no apreciarías mis esfuerzos.

Señalé la inscripción que había en el techo.

«La sabiduría es lo más importante, así que adquiere sabiduría antes que cualquier otra cosa.»

Ben negó con la cabeza.

—Aprobar el curso es lo más importante, no un sermón de Danny.

—Mira, puede que funcione, pero eres listo, no necesitas usar ninguna artimaña.

—¡Pero es que odio el anglosajón antiguo!

—¿Crees que a tu madre le gustaría que hicieras algo así?

—No metas a mi madre en esto.

Había conocido por casualidad a la madre de Ben la semana anterior. Había llamado a su apartamento compartido para dejarle un libro de texto y una mujer delgada, de pelo corto y con los mismos rasgos que él estaba de pie, charlando en el umbral de la puerta y jugueteando con las llaves de un coche.

—Hola, soy la madre de Ben —dijo mientras me aproximaba, en un tono que indicaba que le encantaría hablar con los amigos de su hijo y bromear con ellos.

—Hola, yo soy Rachel. Una amiga de Ben, compañera de clase —añadí aquello último para que no se pensara que era un ligue.

—¡Oh, Rachel! Tú debes ser esa chica tan encantadora e inteligente que sale con un músico.

—Esto... sí —afirmé, sintiéndome halagada por la forma en que me había descrito.

—Tu novio vive en... espera, espera... lo tengo en la punta de la lengua... —La madre de mi amigo sostuvo la mano en alto para indicar que estaba pensando.

—Mamá —intervino Ben, quejándose y completamente rojo.

—¡En Sunderland! —exclamó ella.

—Sheffield —la corregí—. Aunque no iba desencaminada. También empieza por «S». Y está en el norte, muy, muy cerca.

—De veras, no te imaginas lo bien que le viene a mi hijo tener como amiga a una jovencita como tú, inmune a sus encantos. Así que bien por ti y por tu novio de Sheffield o Sunderland.

—¡Mamá! —gritó Ben con un rictus de agonía mientras yo soltaba una risita nerviosa.

—Tu madre me ha gustado mucho —le dije en la biblioteca.

—Sí, no me lo recuerdes. A ella también le has gustado.

—Además, si suspendes este primer curso, ¿con quién me voy a sentar en clase? —pregunté.

Alguien cerca de nosotros tosió a propósito. Nos dimos por aludidos, abrimos nuestros libros y nos callamos. Diez minutos después alcé la vista y vi a Ben concentrado en el texto. Tenía la costumbre de sujetarse el hombro con la mano contraria y apoyar la barbilla en el pecho. En ese instante sentí la urgente necesidad de acariciarle la mejilla con el dorso de la mano. Pero justo en ese momento me miró y disimulé fingiendo estar aburrida con un enorme bostezo.

—¿Te apetece tomar algo?

—Sí, un café bien cargado mezclado con algún revitalizante que me espabile —dije, cerrando mi libro con un golpe seco y medio esperando que levantara una nube de polvo.

Y nos fuimos a la cafetería.

—No puedo suspender este primer año —me confesó Ben una vez allí—. Tengo que sacar la carrera y encontrar un trabajo con el que ganar algún dinero porque el vago de mi padre no va a ayudarnos ni ahora ni nunca.

—¿Le has visto?

Ben negó con la cabeza.

—No si puedo evitarlo. Y el sentimiento es mutuo.

Con la barbilla apoyada en la mano, empezó a contarme la historia del repentino abandono de su padre y de cómo su madre tuvo que ponerse a trabajar en dos sitios diferentes para sacarlos adelante. Mientras le escuchaba, sentí una punzada de culpa por todas las veces que me había quejado de lo aburrida que era mi vida en casa. También descubrí que había personas con las que podías sentirte tan conectada que siempre tendrías algo de qué hablar con ellas.

Cuando llegó a la parte en que siguió la pista de su padre y consiguió localizarle, para darse cuenta de que no quería saber nada de ellos ni de su madre, Ben estuvo a punto de ponerse llorar, lo que nos sorprendió a ambos.

—No me lo podía creer. Pensé que bastaría con que le dijera que le necesitábamos a nuestro lado y él tomaría el primer tren o le mandaría algo a mi madre. —Tenía los ojos brillantes y la voz espesa—. Me sentí como un completo imbécil.

Tuve el presentimiento de que necesitaba una salida y quise demostrarle no solo que podía confiar en mí sino que —a pesar de que alguien tan importante en su vida le había fallado— a mí sí que importaba.

—Sé que es tu padre, y espero que no te ofendas si te digo que me parece un auténtico desgraciado. Intentaste que hiciera frente a sus responsabilidades e hiciste lo correcto. Si no lo hubieras hecho, te hubieras pasado el resto de tu vida preguntándote por qué os hizo esto y te hubieras arrepentido de no dar el paso. Ahora sabes que todo es culpa suya. Sí, crees que lo único que has conseguido es que te cause más dolor, pero ya no tendrás ninguna duda al respecto. Considera que lo que hiciste te ha traído paz interior.

Ben hizo un gesto de asentimiento, agradecido porque le hubiera dado esos segundos para recomponerse.

—Gracias, Dan.

Entonces me di cuenta de que, bajo aquella apariencia tan cuidada y su típico desparpajo, Ben era una persona como cualquier otra, alguien que también buscaba su lugar en el mundo. Solo que él lo llevaba mejor.

Capítulo 17

—¡En pie! —volvió a gritar el secretario del tribunal por última vez ese día.

Mientras guardo mi cuaderno de notas y me dirijo a la salida, el estado de semi adormecimiento en el que me encuentro se ve puesto a prueba con la repentina aparición de Gretton, que viene hecho una furia.

—Puedes decirle a la zorra esa que voy detrás de ella, ¿de acuerdo? Que los periodistas vayamos en contra los unos de los otros es algo inaceptable —farfulla lleno de rabia.

No sabía que Gretton actuara bajo algún código de honor. Sin lugar a dudas, debe de tratarse de algo retroactivo porque ha perdido una historia.

—¿A quién...?

—A tu compañera.

—¿A Zoe? ¿Qué ha pasado?

Le hablo con un tono de voz calmo, intentando que baje la voz y podamos mantener una conversación tranquila, ya que varias personas nos están mirando.

—¡Lo ha hecho a propósito! —grita él.

Táctica fallida. Le agarro del codo y le arrastro conmigo a lo largo de la sala.

—Shh, aquí no. Sígueme —ordeno.

El hecho de que me lo tome en serio parece calmarle un poco, así que decide contener su ira hasta que salgamos a la calle.

—Ha saboteado mi lista de procesos.

—¿A qué te refieres?

—Que he perdido las páginas 2 y 3, y cuando he ido a buscar otra, me he dado cuenta de que en dichas páginas estaban las mejores historias.

—¿Y cómo sabes que ha sido Zoe? Puede que las páginas estuvieran mal grapadas y se cayeran sin darte cuenta.

Lo de las grapas es una posibilidad real. Cada mañana, los ujieres nos entregan a cada uno de los periodistas en sobres cerrados una copia con los procedimientos del día, así que no se me ocurre cómo alguien puede manipular la lista de otro.

—Porque justo son las páginas con sus procesos. No soy idiota.

En ese instante, Zoe pasa a nuestro lado.

—¿Todo bien, Pete? —pregunta majestuosa y fría como las rodajas de pepino que no se comió.

—¡Sé lo que estás tramando, pequeña rata manipuladora! —brama Gretton.

—Deja de hablarle así ahora mismo —le ordeno.

—¿Qué pasa? —pregunta Zoe, con sus inocentes ojos abiertos como platos.

—Que has estado arrancando páginas de mi lista. Si quieres jugar sucio, muy bien, jugaremos sucio. Luego no digas que no te lo advertí. En cuanto a ti —empieza a decir, volviéndose hacia mí y apuntándome con un dedo—, será mejor que estés atenta.

—¿Por qué? ¿Y yo qué he hecho?

Gretton nos mira ofendido y se aleja sin decir palabra, pasándose una mano por ese pelo color herrumbre que tiene y sacando un paquete de cigarrillos del bolsillo con la otra.

Zoe se coloca el bolso sobre el hombro. No me había dado cuenta de lo desgastado y poco elegante que es; es el típico bolso de estudiante, color tierra, cubierto de pequeños espejos y borlas. Lo que me hace recordar lo nueva que es en esto. Seguro que sus padres le regalan un maletín en condiciones estas Navidades. Me mira sonriendo, con un brillo de satisfacción en los ojos.

—¿Cómo lo has hecho?

—Saque mi lista y la intercambié con la suya cuando estaba despistado mirando a esa abogada de piernas kilométricas que se enganchó la toga en el picaporte de una puerta.

Ambas nos miramos y nos echamos a reír.

—Ahora vendrá el contraataque —comenta ella.

Siempre he considerado a Gretton como una cruz con la que tenía que cargar, pero Zoe está demostrando tener mucha iniciativa. Si hace diez años yo hubiera tenido esa misma energía, puede que mi carrera se hubiera desarrollado de otra forma.

—Deberías estar muy orgullosa de tu primera semana aquí —le digo, ofreciéndole la mano.

—¿Te apetece tomar algo? —pregunta, estrechándomela.

—No. En otra ocasión. He quedado con unos amigos.

—Ah, sí, tu amiga —asiente ella.

Durante unos segundos me he olvidado de la mentira que le conté y la he mirado sin entender a qué se refería.

—Pásatelo bien —comenta ella, aunque su sonrisa afectada me está diciendo a las claras que me ha pillado.

Mientras me marcho no paro de repetirme en silencio: «y estás aprendiendo italiano, y estás aprendiendo italiano».

***

—Estás muy guapa —dice Caroline mientras me acerco al lugar donde hemos quedado, en Piccadilly Gardens, con mi vestido camisero y unos tacones más altos de lo normal—. Te has puesto así solo por mí, ¿cierto?

—Tú también estás muy guapa —respondo a la defensiva.

—Yo siempre me pongo guapa para ir a trabajar.

—Anda que no eres presumida.

Espero parecer lo más profesional posible. Bueno, y también un poco *sexy*. Hasta ahora me he ganado un «Vaya, vaya, pero si tenemos una violación andante del Acta de 1959 contra la prostitución y demás conductas deshonrosas en las vías públicas. ¡Directa a la sala 7!» por parte de Gretton.

Le pedí a Caroline que me acompañara en un ataque de nervios cuando me di cuenta de que necesitaba un poco de apoyo para enfrentarme a Ben y al tipo ese tan oscuro que solo se dedica a trabajar. Además, también se me ocurrió que una charla a cuatro era mucho mejor que una a tres, y sabía que Caroline no desperdiciaría la oportunidad de admirar a Ben desde una distancia prudencial.

—A Graeme no le habrá importado que vinieras, ¿verdad? —pregunto cuando nos ponemos en camino e intento seguir el paso enérgico de mi amiga y sus largas zancadas—. Espero no haberte chafado algún plan.

—Sí, has arruinado mi viaje anual al cine. Yo me niego a ver cualquier película con submarinos de por medio, y él cualquiera en la que salga Meryl Streep. Así que nos ponemos a discutir en la entrada del cine hasta que Gray termina sobornándome con chocolatinas.

—Lo siento.

—Estaba bromeando. Nuestra cita habría terminado por anularse de todos modos. Me quería engatusar con no sé qué tontería de una hoja de cálculo, así que ya puede esperar sentado. Y además de Ben, ¿con quién más hemos quedado?

—Con su amigo Simon.

Caroline enarca una ceja.

—¿No me digas que está haciendo de celestino?

—No digas chorradas. Ese no es el tipo de cosas que Ben suele hacer.

—Bueno...

—¿Bueno qué? —pregunto nerviosa.

—Llevas sin verle diez años, puede que «el tipo de cosas que suele hacer Ben» haya cambiado por completo.

Capítulo 18

Ben ha hecho que quedemos en un bar de moda en el centro de la ciudad en el que todavía no he estado, lo que demuestra que no soy la más indicada para aconsejarle ningún sitio para salir. Se trata de un local de cemento enlucido, con una iluminación de abajo hacia arriba que le da un toque teatral, centros de flores tropicales y sillas tan bajas que a uno le da la sensación de estar hablando con las rodillas de los que están de pie.

En cuanto entramos veo a Ben en una mesa del rincón más alejado, charlando con un hombre alto y rubio, de unos treinta y tantos años, y cuyo lenguaje corporal da a entender que el mundo es como un programa de televisión en el que él es el presentador. El aspirante a próxima estrella periodística televisiva nos lanza una lánguida mirada de arriba a abajo, al estilo de un escáner de cuerpo completo de esos que te hacen en el aeropuerto, mientras nos acercamos a ellos.

—Hola, Ben, ¿te acuerdas de Caroline?

—Claro —sonríe Ben—. ¿Cómo estás? Simon, esta es Rachel, la amiga periodista de la que te he hablado.

Ben se pone de pie. Lleva todavía su ropa de trabajo, una camisa azul aciano un poco arrugada (si no fuera él, sino cualquier otro mortal, habría que multiplicar esas pocas arrugas por mil) y un traje de chaqueta azul marino, cuya americana está doblada del revés sobre una silla que tiene al lado, dejando a la vista el forro brillante. Una parte de mí, esa parte que como Caroline ha señalado hace un momento no se ha dado cuenta de que han transcurrido diez años, quiere saltar de alegría, abrazarle y gritar: «¡Eres tú! ¡Soy yo!». Pero sé que no debo hacerlo. Esto no significa nada, solo una copa con un viejo amigo de la universidad. Ben se inclina y da a Caroline un beso en la mejilla. Como era de esperar mi amiga se pone en plan sentimental. A continuación, Ben y yo nos saludamos con un ligero asentimiento de cabeza, dejando claro que ya nos dimos los besos de rigor el otro día y que a ninguno de los dos nos apetece repetirlo.

Simon extiende sus larguísimas extremidades y también se pone de pie.

—Encantado. Señoritas, ¿qué quieren tomar?

—Oh, no, está bien, ya voy yo, ¿qué estáis bebiendo vosotros? —pregunto, aunque en seguida me percato de lo inútil de mi resistencia; un macho alfa como Simon jamás permitirá que vaya a por nuestras copas. Estoy más acostumbrada a lidiar con los betas adictos a la cerveza.

—No, por favor, ¿qué queréis tomar? —repite con firmeza.

—Un *vodka* con tónica —responde Caroline, apoyando al bando contrario.

Simon se vuelve hacia mí y me mira expectante.

—Un *gin-tonic*, gracias.

—¿Qué tal, Ben? Rachel me ha dicho que estás casado y que eres abogado.

—Sí, igual que mi mujer.

—Pero tú estudiaste filología, ¿no? —pregunta Caroline.

—Sí, me equivoqué de carrera —contesta él sin rodeos—. Elegí una que no sirve para casi nada.

Eso me duele, no porque esté muy orgullosa de mis estudios, sino porque si Ben no se hubiera matriculado en lo mismo que yo, lo más seguro es que no nos hubiéramos conocido ni hecho amigos.

—No serviría para nada si solo se estudiara una carrera para encontrar trabajo.

—Sí, lo siento, no quise decir que no servía para nada. Está claro que a ti te ha ido muy bien —se disculpa Ben. Incluso él se ha quedado

122

asombrado por su falta de tacto—. Lo que pasó es que me quedé sin un duro tras graduarme, y para lo único que me cualificó la carrera era para seguir estudiando más. Ni siquiera podía ser profesor de inglés sin tener el certificado correspondiente. Y no estoy hecho para el periodismo como Rachel. No sería capaz de ponerme a teclear en serio y entregar en la fecha tope como hace ella.

Sé que está tratando de reparar el «no sirve para casi nada» de antes, y aunque se lo agradezco, no puedo evitar sentirme dolida. Noto que tiene los ojos clavados en mí.

Simon regresa con nuestros vasos llenos de hielo.

—El que lleva la rodaja de limón es el *vodka,* el que contiene la de lima el *gin-tonic.*

—Gracias —coreamos ambas al unísono.

¿Ha ido a por una ronda y no se ha traído nada para él? Tendré que contar a Rhys que existen hombres así. Lo más probable es que recomiende a Simon que done su cerebro a la ciencia. Inmediatamente.

Una vez sentados empezamos con la típica charla de «conozcámonos» y en cuanto Simon se entera de que Caroline es contable entabla una conversación con ella.

—¿Cómo le va a Abigail? —le pregunto a Ben.

Abigail es la hermana pequeña de ojos saltones de Ben. Cuando íbamos a la universidad debía de tener unos trece o catorce años. A él se le caía la baba con ella, como les sucede a muchos hermanos mayores, y me previno, antes de que la conociera, de que tenía síndrome de Asperger, lo que implicaba que diría cualquier cosa que se le pasara por la cabeza sin importarle que fuera o no políticamente correcta. «Pues más o menos como hace la mayor parte de mi familia o amigos» bromeé yo, aunque por dentro me sentí un poco recelosa. ¿Y si me preguntaba por qué tenía patillas? Sin embargo, el día que por fin la conocí me di cuenta de que era una de esas pocas personas que carecen de impulsos crueles o pensamientos ofensivos, así que no me sentí tan cohibida. Además, le gustó tanto un gorro de lana que había comprado en el mercadillo de estudiantes que hasta me preguntó si se lo podía quedar, lo que dejó a Ben consternado.

Pasado un tiempo, le envié uno muy parecido. Ben me dijo que le había encantado y que casi se puso a llorar cuando lo vio, pero que le quedaba tan grande que parecía uno de los extraterrestres de *Mars Attacks*. Todo eso me lo contó en una carta, después de haber tomado la insólita decisión de escribirme durante las vacaciones.

—A Abi le va genial —sonríe Ben—. Tiene un trabajo de media jornada en una agencia de viajes. Mi tía también trabaja allí, así que puede echarle un ojo. Y sigue viviendo con mi madre, de modo que yo me quedo más tranquilo sabiendo que ninguna de las dos está sola.

Recuerdo lo mucho que a él solían preocuparle esas cosas.

—¡Cuánto me alegro!

También me viene a la memoria lo mucho que se encariñó conmigo.

—Seguro que está encantada de tener una cuñada.

Ben hace una mueca disgustado.

—Hmm... sí, lo estuvo al principio.

Hago un gesto de «no entiendo lo que quieres decir».

—Abi estaba convencida de que sería una de las damas de honor de nuestra boda —continúa Ben—. Pero Liv ya se lo había pedido a dos amigas y me dijo que no iba a quitar a ninguna de ellas porque Abi se hubiera creado falsas expectativas. Además, según Liv, si metíamos a Abi también habría que hacer lo mismo con las diablillas de sus sobrinas y eso era algo que quería evitar a toda costa. Intenté explicárselo a mi hermana de forma que lo entendiera, pero no lo hizo. Bueno, ya sabes cómo es.

Encuentro conmovedor que piense que comprendo a su hermana después de todos estos años.

—¿Y no pudiste intervenir de alguna manera? —pregunto—. Sé lo delicados que son estos asuntos. —Lo he sufrido en mis propias carnes.

—Quise hacerlo. Lo intenté. Pero tampoco podía imponer a Liv quién podía ser o no su dama de honor.

—Ah, claro.

—Abi se encabezonó y adoptó una actitud de «o soy dama o nada» y hubo un tira y afloja entre mi madre, Abi y Liv. Procuré mantenerme al margen, pero la relación entre ellas es un poco tensa desde entonces. O por lo menos entre mi madre y Liv. A Abi ya se le ha olvidado. Estoy seguro de que al final las cosas se arreglarán.

Pienso en la risa tan alegre que me regaló la madre de Ben el día que nos conocimos, y durante un micro segundo me imagino en un mundo paralelo donde yo soy su nuera, Abi mi dama de honor y todos nos llevamos fenomenal. No se me da mal inventarme fantasías, hasta debería meter un par de elfos llevando los anillos.

—Cuando hables con Abi, ¿le darás recuerdos de mi parte?

—Por supuesto —responde Ben—. Solía preguntarme mucho por ti.

Ambos nos quedamos parados ante el uso del verbo en pasado. ¿Le explicó a su hermana cómo terminó nuestra amistad?, me pregunto. ¿Qué pensaba de mí? Mientras pensara en mí...

Si vamos a volver a ser amigos, está claro que este es nuestro primer bache coloquial de los muchos que tendremos en la carretera que se nos presenta por delante. Aunque también es posible que Ben no vea esto como el comienzo de nada, sino como un mero favor a otro amigo. Un viaje a la memoria, un cambio de sentido en forma de «U» y volvamos de nuevo a pisar el acelerador.

—Esto es una locura, ¿no crees? —dice Ben, que debe de estar pensando lo mismo que yo. Me señala a mí, luego a él y finalmente a ambos—. ¿Dónde se ha ido el tiempo?

«Seguro que a ti se te ha pasado más rápido que a mí», pienso, haciendo un gesto de asentimiento. Caroline y Simon siguen con su conversación sobre finanzas y no muestran signos de querer terminar muy pronto.

—¿Qué pasó entre tú y Rhys? ¿Quieres que hablemos de ello? —pregunta Ben al darse cuenta de que no están pendientes de nosotros. Parece que eso le hace sentirse más seguro—. Si no quieres lo entenderé perfectamente...

—Fue todo y nada en particular. Llegamos a un punto en que ya no podíamos continuar. Final de trayecto.

—¿Perdón?

—La última estación de la línea. Como en el metro. No importa.

—Ah —Ben sonríe desconcertado.

Si estuviéramos en la universidad esto último le hubiera arrancado una carcajada. Lo que me lleva a pensar que ya no le conozco como antes. Ha cambiado. O puede que tenga que intentarlo con una nueva gracia.

Una parte de mí quiere abalanzarse sobre Ben, contarle todo lo que pasó, pedir al camarero que nos traiga lo que queda de la botella de ginebra y decir a Caroline y a Simon que sean buenos y nos dejen solos. Pero mi otra parte me dice que es la persona menos indicada para buscar compasión, ya que no soportaría ver el más mínimo indicio de alivio en sus ojos. Alivio porque consiguió librarse de mí.

—Da igual —repito—. Y bueno, ¿qué te llevó a mudarte aquí? —continúo un poco desesperada.

—¿Aparte del hecho de que Simon me dijera que en su despacho había una vacante más que apetecible? Pues en realidad no lo sé. Estaba harto de Londres y no podía permitirme vivir en las zonas residenciales metropolitanas, pero tampoco quería irme a una ciudad demasiado pequeña. Manchester lo tenía todo, era grande y es un lugar que conozco y me gusta.

—¿Tu mujer también quería mudarse?

—No exactamente. Tomamos una decisión después de meditarlo mucho. Y de alcanzar un compromiso... y... esto... de hacer alguna que otra concesión.

Simon nos oye por casualidad y decide intervenir.

—Lo que Ben quiere decir es que se han venido a vivir aquí, sí, pero a partir de ahora Olivia se saldrá con la suya hasta que uno de los dos muera. —Y termina añadiendo—: Y ya que estamos hablando de mujeres dominantes, Caroline cree que Ben debería ir a por más bebidas.

—¡Eh, que yo no he dicho eso! —protesta mi amiga, aunque se ríe por la broma de Simon. Siempre le han gustado los tipos arrogantes.

Ben niega con la cabeza, fingiendo un gesto de desaprobación.

—Venga, Caroline, que ya no estamos en el bar de la universidad. Era una monstruo en esa época.

—¿En serio? —inquiere Simon, contemplando a mi amiga. Está claro que está deseando que «monstruo» signifique «abierta de miras»—. ¿Y cómo era Rachel? —Esta vez se dirige a Ben.

—Peor —murmura Ben. Acto seguido se levanta y se va a por las bebidas.

Capítulo 19

—¿Vas a contarle a Rachel lo de tu historia? —pregunta Ben a Simon cuando regresa de la barra. Durante un instante me había hecho ilusiones de que no estábamos aquí por un asunto de trabajo.

—Sí, ¿de qué se trata? Me tenéis intrigada —añado no obstante.

—¿Puedo confiar en ti? ¿Me aseguras que lo que te voy a contar va a ser absolutamente confidencial? —comenta Simon con cautela, inclinándose hacia delante en su asiento y mirando a un lado y a otro, como si yo hubiera venido acompañada de algún cómplice apostado en la máquina de tabaco.

—No suelo venir a los bares cargada de micrófonos ocultos. —Simon me fulmina con la mirada, de modo que me hago una cruz en el pecho con el dedo y digo en tono solemne—: Te prometo que esto quedará entre nosotros. Por mi vida. Ya está, ahora puedes hablar.

Él se inclina todavía más.

—Tengo un cliente muy importante que está dispuesto a conceder una entrevista... al periódico adecuado.

—Nosotros no podemos ofrecerle mucho dinero —informo yo.

—He hablado del periódico adecuado, no del que pague más.

—¿Y de quién se trata?

Simon se apoya en el respaldo y me mira detenidamente, como si mi cara fuera un mapa que contuviera la clave sobre mi fiabilidad.

—Para ser más exactos es la mujer de un cliente. Natalie Shale.

Se me acelera el pulso, pero el pesimismo del que siempre hago gala entra en escena para bajarme de la nube.

—Ella no concede entrevistas.

—No concedía entrevistas. Le estoy aconsejando que lo haga.

—¿Y quién le aconsejaba antes?

—El último abogado de su marido —confiesa con gesto torcido; no le ha debido de sentar muy bien que le pusiera en duda—. Me hice con el caso para ayudar a un compañero que tenía demasiado trabajo.

—Tienes que ser muy bueno para que te lo hayan asignado...

—En el despacho están considerando hacerle socio —explica Ben.

—¿Quieres la entrevista o no? —pregunta Simon.

—¿Estaría dispuesta Natalie a concederme una entrevista cara a cara, con fotos y todo?

Hacía mucho tiempo que no me entusiasmada tanto por una historia. En este momento puedo sentir a la periodista seria que llevo dentro despertarse cual Bella Durmiente tras un largo sueño. Mi jefe de redacción se va a poner a dar saltos de alegría.

—Sí. Pero nada de hablar de las nuevas pruebas que se van a presentar en la apelación, y quiero que me des tu palabra de que no tocaréis el turbio pasado del marido. Como te puedes imaginar, no es algo que le haga mucha gracia y Natalie no quiere hacer nada que pueda oscurecer la gloria de su marido cuando lo absuelvan.

—¿Y si no lo hacen? —pregunta Caroline.

—Lo harán —afirma Ben.

Emito un bufido que deja ver a las claras que estoy de acuerdo con esta última afirmación.

—¿Por qué? —insiste mi amiga.

—Porque es inocente... y porque tiene un equipo de abogados fantásticos —contesta Ben, tan optimista como siempre, inclinando su botella hacia Simon.

Caroline, tan pragmática como siempre, me mira como diciendo: «¿Y desde cuándo eso es una garantía?».

—Es que necesita unos abogados fantásticos —termina diciendo Simon—. Y al tratarse de un error judicial, también requiere toda la atención posible para que el juez piense que la gente no se tomaría la molestia de manifestarse a la entrada de la Corte de apelación con pancartas y *vuvuzelas* a menos que tuvieran un buen motivo. La entrevista de Natalie puede ayudarnos en este punto.

Simon ha pronunciado su mini discurso con un acento muy culto, lo que hace que me pregunte si no habrá ido a alguno de esos colegios para niños bien como Eton o Harrow.

—Además, a Natalie se le dan muy bien las cámaras —concluye—. Si sabes cómo llevarla, tenemos asegurada la victoria.

—Creía que habías dicho que no concedía entrevistas —recuerda Caroline.

—Lo que quiere decir es que es atractiva —aclaro.

—Exacto —dice Simon. A continuación se recuesta en el asiento de una forma tan relajada que parece que está tumbado en una cama.

Capítulo 20

Que mis amigos de la universidad estudiaran contabilidad, empresariales y ciencias, tuvo una consecuencia importante —aparte de que todos hayan acabado ganando más que yo—: que me quedaron muchas, muchas, muchas horas libres.

Como era lógico, Ben y yo terminamos los exámenes de nuestro primer año una semana antes que los demás. Por razones que se perdieron en la historia, celebramos el fin de curso en un espantoso *pub* escocés llamado MacDougal's situado en el barrio de Fallowield. Si aquel sitio reflejaba lo que era el antiguo clan MacDougal, no me apetecía nada conocer a esa familia. Tenía cortinas hechas con tela de tartán, asientos tapizados en el mismo color que una herida supurando sangre y una moqueta que olía a desinfectante y tabaco. Nada más entrar Ben espetó un «¡oh, sí!» con fuerte acento escocés.

A pesar de que él y yo pasábamos casi todo el día juntos y nos divertíamos tanto que podíamos estar noches enteras riendo sin parar, en mi cabeza tenía claro que no corría el riesgo de enamorarme de él. No solo porque no fuera mi tipo, eso era fácil. Sino porque la atracción, según creía yo en esa época, requería tirantez. Era algo que se fundamentaba en el conflicto, el misterio y la distancia. Rhys podía mostrarse distante en muchas ocasiones, en más de un sentido. Incluso me había pedido que dejara de ir a sus conciertos para no distraerle. No me trataba muy bien, pero a mí, que me encantaban los clichés, me parecía normal y seguía loca por él.

—Aguanto muy bien el alcohol —anuncié, dos *vodkas* con Coca Cola después.

—¿En serio? —preguntó él, dudando.

—Oh, sí. Puedo beber tanto *vodka* como para emborrachar a una banda de música.

—Pero si solo te has tomado dos.

—Seguro que puedo tumbarte sin despeinarme —medio grité con el espíritu exaltado del que ha bebido un par de copas con el estómago vacío y solo sabe decir tonterías.

Ben soltó una risilla contra su vaso.

—Tú eliges —añadí, golpeando la mesa con la palma de la mano para dar mayor énfasis a mis palabras—. Escoge la bebida, y verás como termino llevándote a casa.

Ben me miró y ladeó la cabeza.

—¿Has probado alguna vez los Drambuies flameados?

—Nooooo. Venga, tráelos.

Él se fue hacia la barra y regresó con una caja de cerillas y dos vasos que contenían unos tres centímetros de un líquido de color cobre. Siguiendo sus órdenes, los encendimos, creando dos diminutas lagunas en llamas. Después, tapamos con la palma de la mano el borde para producir un efecto de sellado e intentamos bebérnoslo entrelazando nuestros brazos, pero terminamos haciéndonos un lío.

—No te pareces en nada a ninguna de las mujeres que conozco —confesó Ben con tono despreocupado mientras se limpiaba la boca con el dorso de la mano. Ahora nuestros estómagos tenían que lidiar con dos chupitos ardiendo.

—¿Digo más tacos? —pregunté.

—No. Quiero decir que eres... ya sabes. Es como si tuviera aquí a mi mejor amigo. No eres demasiado femenina. Eres una persona ingeniosa.

Esto último lo dijo tan bajo que tuve que agudizar el oído para captarlo, mientras él se dedicaba a estudiar la lista de bebidas disponibles.

—¿Es que nunca has conocido a una mujer inteligente?

—No me refería a eso. Nunca he tenido una amiga como tú, ni me he reído tanto como contigo.

En esa época no me imaginaba a Ben siendo amigo de ninguna mujer; otra cosa sí, pero «amigo», no, aunque no quise inflarle el ego con aquella reflexión.

—Tu tampoco te pareces a ninguno de los hombres que conozco —dije con la lengua suelta de las personas que están medio borrachas, sin considerar que ese pensamiento podía llevarme a una meta que no me interesaba alcanzar.

—¿Por qué?

—Porque pareces uno de esos tipos que cantan en algún grupo de tíos de esos que están de moda, uno de esos para adolescentes.

Ben puso cara de estar muy, pero que muy ofendido.

—¡Muchas gracias!

—No te pongas así, lo decía como un cumplido.

—No, nada de eso.

Seguí insistiendo en que se trataba de una halago y Ben masculló algo sobre que antes de meterse en un grupo así tendrían que amputarle su sentido de la vergüenza junto con otro apéndice bastante importante de su anatomía. Y yo me arrepentí de haber sido tan sincera.

Seguimos sumidos en esa cálida neblina alcohólica hasta que aparecieron los compañeros de piso de Ben y me encontré siendo la única mujer en un grupo de siete varones. No solo eso, sino que nos saludaron con un «vaya, vaya» y «¿ya te has traído de nuevo a tu mujercita?».

Aquello no me molestó, sobre todo por el estado de relajación etílica en el que me encontraba, pero cuando miré a Ben le vi rojo de furia.

Para mi sorpresa, muy pronto me vi superada en mi guerra de chupitos. Uno de los estudiantes trajo a la mesa en la que estábamos una botella entera de tequila con un tapón con forma de sombrero, un salero y una pila de rodajas de limón un poco resecas.

—¡Reto o verdad! —exclamó Andy, el que solía ejercer de cabecilla de todos ellos—. ¿Juegas? —preguntó, señalándome con el dedo.

—No, ella no juega —contestó Ben bruscamente.

Me volví hacia él.

—¿Perdona?

—Dan, eres la única mujer que hay aquí. En todos los retos te van a pedir que te quites la ropa.

Abrí la boca para objetar pero Ben me interrumpió.

—Créeme, ellos soportan el alcohol mucho mejor que tú y tienen mucha menos ética.

—¿Por qué la llamas Dan? —preguntó Patrick.

—Es una larga historia —dijo Ben.

—Es que aquí la pareja forma parte de una hermandad secreta de solo dos miembros —se burló Andy.

—¿Hace falta cumplir con algún ritual especial de iniciación para poder entrar? —volvió a preguntar Patrick con una sonrisa lasciva.

—¿Por qué tienes que ser siempre tan infantil? —repuso Ben.

—Seguro que ser demasiado susceptible con todo lo que tiene que ver con Rachel es uno de los rituales —dijo Andy a Patrick.

Me di cuenta de que el enfado de Ben iba en aumento y no supe cómo ayudarle. No quería hacerme la tonta entre tanto codazo y guiños de ojos pero presentía que si decía algo sería usado en nuestra contra, así que permanecí en silencio por el bien de Ben.

—Bueno, ¿juegas o es tu canguro el que lleva los pantalones? —me insistió Patrick con su tono de capitán del equipo de debate. En ese momento me di cuenta de lo poco que me gustaba ese tipo.

—¡Sí! ¡Déjala jugar! ¡No seas machista!

—No me estoy comportando como un cavernícola, estoy cuidando de ti —me susurró Ben—. ¿Qué querría Rhys que hicieras en una situación como esta?

Sacar a colación a mi novio consiguió el efecto deseado. Si él hubiera estado allí, a esas alturas ya habría crujido los nudillos e invitado salir a la calle a más de uno.

—No me gusta jugar con ventaja, así que voy a pasar de esta ronda. —Sonreí, ganándome un abucheo colectivo.

El juego dio comienzo. Los minutos siguientes estuvieron llenos de confesiones sobre fantasías un tanto pervertidas que incluían tríos con profesoras, beberse pintas de cerveza de una sola vez y Andy tuvo que acercarse a una ventana y bajarse los pantalones para enseñar el trasero a los transeúntes. La camarera se limitó a hacer alguna que otra mueca y a pasar las hojas de la revista que estaba leyendo, contenta de que, a pesar de tener que aguantar esa clase de tonterías, dobláramos con creces la clientela habitual de un día de diario del MacDougal's.

—¡Ben, Ben, BEN, BENNY! —gritó Andy—. Te toca. ¿Reto o verdad?

Andy me miró con una chispa maliciosa en los ojos y tuve el presentimiento del todo irracional de que si elegía «verdad» mi nombre saldría en la pregunta. ¿Pero qué «verdad» podíamos temer?

—Esto... reto —dijo Ben.

Andy se inclinó hacia Patrick y los dos se pusieron a hablar entre susurros y risitas. Me agarré a los reposabrazos de mi silla.

—¡Ya hemos decidido cuál será el reto de Ben! ¡Bésala! —ordenó Andy, señalándome.

—Ni lo sueñes, ella no está jugando —apuntó Ben con una sonrisa despectiva.

—¿Y? Tampoco estaban jugando las personas de ahí fuera que han tenido el honor de ver mis preciosas posaderas.

Ben lo fulminó con la mirada.

—No. Pienso. Hacerlo. Verdad o dejo de jugar.

—Ya no puedes echarte atrás. —Andy hizo un gesto de negación con la cabeza—. Venga, manos a la obra —insistió, haciendo un gesto lascivo con la lengua en mi dirección.

—¡Brrr! No voy a repetirlo más veces —sentenció Ben.

Aunque fuera irracional o ridículo ese «brrr» me dolió. La determinación que mostraba Ben era comprensible, y hasta una señal de respeto hacia mí, pero resultaba tan vehemente que no pude evitar preguntarme si de verdad le producía tanto asco la idea de besarme.

Sí, pensaba que yo era «ingeniosa», según él mismo había dicho, pero eso no equivalía a ser fea, ¿no? Claro, que por otro lado todos admirábamos el trabajo de Charles Dickens y yo no fantaseaba con sentir los pelillos de su bigote contra mis labios.

—Está bien. Ben es una nenaza. ¡Verdad! ¡Verdad! —Andy hizo unos cuantos aspavientos con las manos para pedir silencio—. Veamos.

Él y Patrick volvieron a los susurros y risas disimuladas, y a los pocos segundos comunicaron su decisión.

—Dado que pareces tirarte todo lo que se menea, tu pregunta es: ¿con cuántas mujeres has estado desde que llevas aquí? Queremos nombres y detalles.

—Ah, sí, bueno, un caballero no habla de esas cosas —empezó a decir Ben, pero a esas alturas ya estaban todos dando golpes en la mesa.

—Ni de coña, colega. ¡O nos lo cuentas o cumples el reto! —gritó Andy—. ¡Que lo cuente! ¡Que lo cuente!

Ben se mordió el labio y yo sentí el imperioso deseo de no escuchar su lista de conquistas. No era que me molestase, pero su historial de Casanova era algo que estaba a años luz de nuestra amistad. Incluso sospechaba que no había intentado ligar con Caroline porque era alguien demasiado cercano a mí como para que ambos nos sintiéramos cómodos. Si en ese momento comenzaba a enumerar todos sus encuentros en orden cronológico, con nombres y apellidos, yo les pondría cara y me daría la sensación de estar frente a un asesino en serie contando cómo había matado a sus víctimas.

—No creo que esto sea justo... —Ben intentaba hacerse escuchar por encima de los silbidos y abucheos—... para las personas con las que he estado, ¿verdad?

«Personas.» Ahí estaba, el plural que implicaba un amplio número de conquistas. El Drambuie empezó a revolverme el estómago.

—¡Venga ya! No hace falta que nos des todo lujo de detalles —intervino Patrick—. Pero tampoco te cortes. Si eres un buen cazador, tienes que tener la cabeza de un ciervo colgada en la pared.

—Te echaré una mano. La primera fue Louise «La Escandalosa», y eso que apenas llevabas una semana aquí —canturreó Andy.

Me aferré a los reposabrazos con tanta fuerza que se me pusieron los nudillos blancos.

Ben tiró un posavasos en la mesa.

—No. Me niego a formar parte de un disparate como este.

—Oh, no nos obligues a castigarte —amenazó Andy—. No te gustará lo que tenemos pensando hacerte, pero te adelanto que incluye meterte de cabeza en ese contenedor de basura... desnudo.

Eran un montón contra dos, Ben y yo. Empecé a preocuparme en serio, pero no quería que lo notaran para no meterle en más problemas; con haberme dado cuenta yo ya tenía bastante. Como hija única, nunca tuve un hermano al que defender en el parque, pero me imaginé que me hubiera sentido así si alguien le hubiera amenazado de ese modo. Muy, pero que muy enfadada.

—Cumple el reto. —Le di un codazo a Ben en las costillas, como si me diera igual—. No me importa.

—¿No? —Preguntó él un poco horrorizado.

De acuerdo, ahora sí que había herido mis sentimientos de verdad. ¿Le estaba ofreciendo una salida y él reaccionaba como si estuviera cavando su propia tumba?

—¡Ajá! —exclamó Andy entusiasmado.

De nuevo comenzaron los golpes en la mesa.

—Ben, ¿a quién va a importarle? —dije entre dientes—. Solo es un beso y sabemos que no significa nada. Si tú puedes...

Cuando él me miro, sopesando los pros y los contras, hice un gesto de asentimiento, animándole.

Sin más preámbulos, Ben se acercó a mí y me dio un beso con la boca cerrada en los labios que duró unos pocos segundos. A pesar de su brevedad, respondí besándole con un poco más de pasión y con los labios ligeramente abiertos; después de todo, no me apetecía nada que pensara que besaba fatal.

Ben se separó unos centímetros, como si hubiera dado por concluido el reto. Entonces, de forma completamente inesperada, volvió a acercarse y me besó de nuevo. Esta vez fue un beso de verdad, con las bocas abiertas y las lenguas enredándose. Sentí su mano en mi estómago, como si necesitara apoyarse en mí para no perder el equilibrio.

Sabía a alcohol con un toque de sal y, ¡oh, Dios!, me deshice como un terrón de azúcar en una taza de té caliente. Y mientras mi cerebro seguía funcionando medianamente bien, el resto de mi cuerpo se rebeló. Era como si hubiera registrado material genético de alta calidad y mandara instrucciones inmediatas a mis terminaciones nerviosas para engendrar trece hijos con ese hombre sin importar si teníamos o no los mismos gustos musicales. En cuestión de segundos crucé la línea de no saber si estaba respondiendo a ese beso por auténtica pasión o no. Ah, las lecciones de la vida. «Por eso es por lo que nunca besas a amigos en los retos.»

Ben se separó de nuevo, esta vez de forma abrupta y sin mirarme a los ojos. Después ambos nos tomamos un chupito de tequila a toda prisa para mantenernos ocupados y disipar el sabor del otro mientras sus compañeros rompían en un sonoro aplauso. El problema era que no se había tratado de un mal beso, sino de uno muy bueno. Quizás hasta espectacular. Y no podía negar que existía una atracción física entre nosotros, incluso aunque Ben no fuera mi tipo. En ese momento lo que más falta me hacía era darme una ducha fría; más bien helada.

Y también en ese momento supe que había cometido mi primer delito contra Rhys; el tipo de delito contra el que me había advertido cuando me marché de Sheffield. Pero ¿se podía considerar infidelidad dar un beso por motivos prácticos, es decir, obligada y para impedir que a otra persona la desnudaran sin su consentimiento? Seguro que solo era culpable como las mujeres que eran secuestradas por los malos de la película y que se veían forzadas a vestir con bikini y picardías de noche hasta que el héroe acudía en su ayuda para rescatarlas. Han Solo nunca recriminó nada a Leia; en todo caso, sintió gratitud por que le hubieran descongelado, pero jamás le echó la culpa. Claro que en este caso teníamos que averiguar primero quién interpretaba el papel de Han Solo en mi vida.

—Buen beso —dijo Andy, decidido a seguir tocando las narices—. ¿No os habéis planteado nunca enrollaros?

—Sé que puede que te cueste entenderlo, pero solo somos amigos —repuso Ben mordazmente—. Ha sido como besar a mi hermana. Reto conseguido.

—¡Me acabas de matar! —dijo Andy, mirando en mi dirección en busca de una reacción por mi parte. Sí, había dado en el clavo. Y me dolía, pero escondí esa sensación tomándome otro chupito.

Sin embargo, para mi sorpresa, Ben me agarró la mano que tenía libre por debajo de la mesa, en señal de apoyo. Intenté calcular qué era exactamente lo que había pasado entre nosotros, en ese estado tan afectado en el que me encontraba. Sabía que debía de estar vibrando como un diapasón.

Cuando terminó la velada, Ben me acompañó andando hasta unos pocos metros antes de llegar a mi residencia. Habíamos venido charlando acerca de asuntos insustanciales sobre los que podíamos hablar de todo y de casi nada a la vez, y que no dejaron que nos sumiéramos en un silencio que nos hubiera llevado a pensar más de la cuenta.

—Oye, siento mucho lo que ha pasado con esa panda de imbéciles —dijo antes de separarnos—. Tenía que haberme negado a jugar. Ha sido por culpa del alcohol. Y también siento lo de... ya sabes.

—¡No pasa nada! —dije a toda prisa, desesperada para que no lo repitiera o siguiera dando más aclaraciones sobre lo sucedido— ¡Buenas noches! —añadí a modo de despedida.

Tenía toda la pinta de haber pasado un mal trago, pero lo único que yo sabía era que, durante el breve lapso en que nuestras bocas estuvieron unidas, para mí no lo fue. Las largas vacaciones de verano habían llegado justo a tiempo.

Capítulo 21

—No quise parecer una ignorante en público —comentó Caroline en el taxi de camino a casa, mientras yo intentaba no marearme, concentrándome en la figura del trol vestido con la equipación del Manchester que colgaba del espejo retrovisor. Los asientos llevaban unas fundas con bolas de madera antiestrés, seguramente para compensar la forma de conducir del taxista—. Pero por lo que habéis hablado me imagino que una entrevista con Natalie Shale significa una gran oportunidad, ¿verdad?

—Sí, sería fantástico que nos la concediera. ¿Te acuerdas de qué iba el caso?

—No mucho, solo que no era bueno.

—Atraco a mano armada en un almacén de seguridad, al guarda le dieron un golpe con la culata de un arma y perdió un ojo. Las pruebas contra Lucas Shale eran casi todas circunstanciales y nadie de la prensa creyó que era culpable. Llevaba veinte años sin delinquir, tenía una mujer maravillosa y dos hijas gemelas preciosas, así que todo el mundo pensó que lo absolverían porque existían pruebas de que la noche de autos la había pasado en su casa. En ese momento todo el mundo tenía la sensación de que la policía había actuado presionada por la necesidad de encontrar rápido a un culpable debido a la violencia empleada en la comisión del delito.

—¿Y por qué no hablado Natalie antes?

—Me imagino que porque no ha tenido un motivo para hacerlo, hasta la apelación. Aparte del dinero, y eso no parece preocuparla.

Esa es la cuestión, he visto pasar a un montón de personas por juicios como este, y todos daban la impresión de estar llevándolo muy bien.

—Bueno, me alegro por ti. Seguro que te viene bien centrarte en otra cosa que no sea... todo lo demás.

—Sí —comento, pensando que no será el caso lo que tenga precisamente en mente esta noche, cuando me vaya a dormir.

—¿Simon está soltero? Tiene un buen trabajo, es atractivo, inteligente... —pregunta Caroline, mientras va enumerando sus características con los dedos.

Se queda callada.

—No puedes estar hablando en serio.

—¿Por qué no?

—Porque —farfullo indignada como si acabara de anunciar que el mundo está gobernado por una coalición secreta de sabandijas dentro de un búnker—, en primer lugar, no es mi tipo.

—Ese rollo de «es mi tipo o no lo es» debería terminar cuando una deja de colgar pósters de cantantes o actores en la pared. Me gusta pensar que tengo un matrimonio feliz y cuando veía a los Take That nunca pensaba en «oh, cómo me gustaría que uno de ellos tuviera unas pocas canas y llevara mocasines».

—Lo sé, pero, ¡venga ya!, Simon está a un millón de kilómetros de Rhys.

—¿Es necesario que te señale que la idea de encontrar a alguien que se parezca a tu ex hace aguas por todas partes?

—Estás perdiendo el tiempo. No me imagino con alguien como él, y los hombres como él no se sienten atraídos por mujeres como yo. Ellos terminan casándose con alguien como tú y acostándose con muchachos cubanos de caderas estrechas.

—Qué típico de ti.

—¿El qué?

—Pasas una velada con un hombre encantador y porque viene de un ambiente distinto al tuyo no solo lo descartas, sino que encima le acusas de no atreverse a salir del armario o de ser un pedófilo. Eres una esnob a la inversa.

—¡Sabes que lo de pedófilo no iba en serio! Y «ambiente distinto» ni siquiera se acerca a lo diferentes que somos. Ha dicho «hola» como si tuviera cinco «aes» en vez de una. Tiene uno de esos acentos que parece que habla como si se le estuviera acabando la batería.

—Es muy difícil conocer gente nueva a nuestra edad. A ver, ¿hay alguien en tu trabajo al que pudiéramos considerar un buen candidato?

—Hmm... no sin cruzar el límite de las especies.

—En cuanto a Ben, ¡guauuuuu! —Caroline silba por lo bajo—. Perdóname por usar el léxico de Mindy, pero, ¡por favor, sírveme un trocito de él! —Aprieto los dientes—. ¿Nunca te gustó?

—¿Ben? —Resoplo, sobreactuando un poco.

—Sí. Ya sé que no es de los que parece necesitar una buena ducha, como suelen gustarte.

—Oh, no. Lo veía más como el hermano que nunca tuve —dije, aunque no tenía esa idea tan clara.

—Eras la amiga perfecta para él. Una lástima que no os mantuvierais en contacto. ¿Por qué?

—¿Tan extraño te parece?

—Supongo que no. Pero se te suelen dar bien ese tipo de cosas, eso es todo. Además, él parece tenerte mucho cariño.

Permanecí en silencio, porque contestar a esa pregunta era demasiado arriesgado y doloroso.

—Entonces —continuó al cabo de unos segundos—, si averiguamos que Simon es por lo menos bisexual, ¿lo tendrías en cuenta?

—No me dejas ser soltera más de cinco minutos sin que intentes liarme con alguien, ¡Jesús!

—Era una broma. —Caroline se ríe e intenta darme un codazo, pero en ese momento el coche toma una curva a demasiada velocidad y ella termina estrellándose contra la puerta.

Capítulo 22

No puedo esperar para anunciar a mi jefe de redacción, Ken, la exclusiva de Natalie Shale, pero tan pronto como pongo un pie en la sala de prensa, Vicky se percata de mi presencia y grita mi nombre.

—¡Rachel! —Vicky es la segunda al mando en la redacción y es igual que una de esas criaturas mitológicas griegas, mitad mujer, mitad serpiente.

Me abro paso entre los escritorios y me acerco obedientemente a ella.

—Tu historia sobre el fraude del supuesto discapacitado ya está terminada. —Golpea ligeramente la pantalla del ordenador con su bolígrafo, haciendo gala de su usual tono de voz dulce pero cargado de veneno—. O mejor debería decir corregida hasta la última palabra. ¿Puedes explicarme por qué Michael Tallack se convierte en Christopher, cinco párrafos más abajo?

Mi cara empieza a arder.

—¿Ah, sí? —Siento una ligera capa de sudor sobre mi labio superior. Acabo de salir de una sentencia por homicidio y la historia del discapacitado casi la he olvidado—. Lo siento.

—Sí. El hermano de Hopalong Cassidy fue absuelto de cualquier participación en el asunto, ¿verdad?

—Sí, lo siento...

«Maldita sea.»

—Si no te supone un esfuerzo excesivo, intenta no poner nada en tus artículos por lo que puedan demandarnos.

—De veras que lo siento, Vicky. No sé en qué estaba pensando.

—Suerte que me he dado cuenta —termina ella.

—Sí, gracias.

Me juego el cuello a que ella no ha sido, seguro que algún redactor le ha ido con el cuento. Algunos compañeros son conocidos por venderte a la menor oportunidad, no por su ritmo de trabajo. En una ocasión, mi amigo Dougie los describió diciendo que iban con un látigo en la mano y con un pastel en la otra. Al final terminó cansándose y se fue a Escocia, donde se convirtió en un famoso periodista de crímenes. En este momento tengo la sensación, no por primera vez, de ser una especie de roca que se va erosionando por el paso del tiempo y la inclemencia de las olas.

El periodismo, como seguramente también sucede en el resto de profesiones, viene con la paradoja de que cuanto más éxito tienes, menos haces lo que en un principio te atraía: encontrar una buena historia y escribirla. Podría solicitar que me dieran un puesto en redacción, pero tendría que pasarme el día contestando llamadas y discutiendo con la gente. Además de que no me quedaría más remedio que sentarme al lado de gente como Vicky.

—¿Está Ken por aquí?

—Sí, debe de andar por ahí. —Vicky ya ha perdido el interés en mí y se dispone a contestar una llamada.

—¿Qué tal, Woodford? ¿A qué debemos el honor de contar con tu presencia?

Me vuelvo para ver a mi jefe de redacción con una bolsa de patatas fritas en una mano y un ejemplar del periódico debajo del brazo. Tiene una mata de pelo cano que parece haber sido cortado siguiendo el modelo de un cubo, y cada vez que lo veo me da la sensación de que lo lleva más cuadrado. Si llevara una caja por sombrero le encajaría que ni pintada.

—He venido para darte una buena noticia.

—Señor, no estarás embarazada, ¿verdad?

—No...

«Si alguna vez he estado menos embarazada es ahora, pero gracias, Ken.»

—Alabado sea Dios.

Ken Baggaley es conocido por ser una persona «estricta pero justa», aunque en realidad es más que estricto y no particularmente justo. En jerga periodística se dice que sus ataques de furia son reacciones a acontecimientos reales, en vez de terremotos provocados por un defecto psicológico.

—Tengo una entrevista con Natalie Shale.

Él se muestra impertérrito.

—¿Ha dado una rueda de prensa?

—No, sería una entrevista en exclusiva. Solo para nosotros. Su abogado es mi contacto.

Ken alza las cejas y gruñe, y yo siento que he escalado puestos hasta estar en el primer lugar del podio, por encima de sus patatas.

—Bien. ¿Para cuándo?

—Todavía tenemos que ultimar la fecha, pero será pronto, antes de que se produzca la vista de la apelación de Lucas Shale.

—Mantenme informado. Buen trabajo, Woodford.

Ken se deja caer en una silla y sigue con el asalto a la bolsa de patatas. Salgo de la redacción con el pecho henchido de orgullo. Mi jefe está entusiasmado. Está visto que Ben me trae buena suerte.

* * *

De regreso al tribunal, decido hacer una pequeña parada en Marks & Spencer. Cuando coloqué mi rancia colección de ropa interior —de la elegantísima línea «llevabas muchos años con tu amorcito»— me quedé un poco impresionada y decidí que iba siendo hora de actualizarla. Al principio pensé «¿para qué?, si ahora mismo no tienes a nadie que te vaya a ver con ella», pero cuando se lo comenté a Mindy ella me contó su teoría sobre el *feng shui* de la lencería, según la cual, si llevas ropa interior desgastada y de algodón, no atraerás a nadie que merezca la pena en tu vida, incluso aunque no lo estés buscando. No estoy muy segura de que me haya convencido con ese razonamiento.

Me pongo a mirar sujetadores *balconette* color turquesa pero no siento que esté desprendiendo ningún tipo de energía sexual a mi alrededor. Me pregunto si alguien querrá volver a verme desnuda, o lo que es más importante, si después de verme desnuda por primera vez, querrán seguir haciéndolo de forma regular, continua y permanente, como diría Ken.

Una de las cosas que tienen las relaciones de larga duración es que te dan tanto como te quitan. Dejas de ser una montaña rusa para convertirte en un tren, lo que significa que evitas los picos más altos, pero también los bajos. Si tu pareja entra de pronto en el cuarto de baño y te pilla vomitando en la taza del váter, no vas a dejar de gustarle, ni tampoco va a esperar que estés todo el día caminando de manera provocativa, con un escote de infarto y perfectamente depilada, porque ya te tiene, compró el producto. Pero cuando te quedas soltera y buscas una nueva relación te toca volver a venderte entera, en cuerpo y alma.

Estos pensamientos nada reconfortantes me rondan por la cabeza mientras examino un triángulo violeta hecho de algo que parece una red de pescar elástica.

De pronto, suena el teléfono móvil. Es Ben. Lo sé porque añadí su número a mi lista de contactos. Ahí está de nuevo el familiar estremecimiento.

—¡Hola, Rachel! ¿Cómo estás? Quería agradecerte que ayudaras a Simon con lo de la entrevista.

Me he sonrojado de la cabeza a los pies. ¿En serio estoy aquí, mirando unos tangas diminutos, con la cara como un tomate porque estoy oyendo la voz de Ben? Esto no es *Sexo en Nueva York*.

—De nada, pero en realidad soy yo la que tiene que darte las gracias por presentarnos. Es una gran historia que me va a venir de perlas en el trabajo. Te debo una.

—No me debes nada. Además, le has solucionado un problema a Simon. No sabía cómo contactar con un periódico. Cree que los periodistas sois una especie sin domesticar. Estaba muerto de miedo.

«¿Simon? ¿Ese que respira seguridad en sí mismo por los cuatro costados?»

—Me cuesta imaginarme que tu amigo le tenga miedo a algo.

—Pues entonces imagínatelo temblando como un flan.

—¡Nooo! ¡Me sangran los ojos! —Suelto una risita nerviosa, consciente de la sensación de felicidad que empieza a embargarme por el retorno de nuestra antigua camaradería.

Ben se ríe.

—La verdad es que habló muy bien de ti. Dijo que eras «descarada».

—Seguro que lo dijo en el sentido de maleducada.

—Te lo dije, necesita que le planten cara. Le gusta. De cualquier forma, hay algo que quiero preguntarte.

—Dispara.

—Me preguntaba si estás libre el sábado por la noche para venir a casa. Liv quiere hacer una de esas cenas de «conociendo a gente en Manchester». Ahora nos hemos convertido en unos de esos malditos burgueses y ya sabes cómo van estas cosas. Además, mi mujer tiene especial interés en conocerte.

—Vaya —digo con un poco de miedo. ¿Por qué iba a tener Olivia «especial interés» en conocerme si no es para evaluar el riesgo? Él podría decirle que no tiene nada de lo que preocuparse. Espera un segundo. Peligro, peligro. Oh, Dios mío, ¿qué es lo que sabe? La lógica me dice que solo conoce la historia oficial; la invitación a cenar es buena prueba de ello. Pero el corazón me pide que use uno de los sujetadores de la tienda como tirachinas para lanzar mi teléfono móvil lo más lejos posible e irme corriendo al Polo Norte.

—¿Vendrás? —pregunta de nuevo Ben al ver que me he quedado callada.

—Sí, claro.

—No quiero fastidiar tu noche de juerga entre solteros de los sábados. Sé que solo somos una pareja de aburridos casados.

—¿Estás bromeando? Iré encantada, en serio.

—¿De verdad? Genial.

Aunque he dicho lo de encantada muerta de miedo, Ben parece tan complacido que casi me lo creo.

—Adoro comer. Y siento un respeto reverencial por todo aquel que se atreva a cocinar para sus visitas.

—Pero tú eres buena cocinera, ¿verdad?

—No. Tiré la toalla cuando me fui a vivir con Rhys. Él era el encargado de hacer la comida.

—Ah. —Se produce un silencio embarazoso—. Liv también me preguntó si ibas a venir acompañada. ¿Alguna cita, quizá?

Este es el momento en el que se supone que se me tiene que ocurrir alguna idea descabellada, como por ejemplo contratar a alguien que haga el papel de acompañante. En realidad sí que lo considero durante unos segundos, pero termino descartándolo igual de rápido. Uno de los romeos todo musculitos que Mindy conoció por Internet trabajaba como acompañante y casi siempre iba vestido con *jeans*, camisa vaquera y con botas de *cowboy*. Y lo que era aún peor, debajo llevaba unas camisetas horrorosas. Ivor le apodó «don Levi's».

—Pues no.

Tras colgar el teléfono, hago un cálculo aproximado de la talla que uso y me hago con un puñado de prendas del siempre seguro color negro. Es un comienzo.

Capítulo 23

Empecé el segundo año de universidad con un ligero bronceado que quise prolongar a base de loción hidratante con color de Nivea. Un bronceado que conseguí gracias a mis dos semanas de vacaciones en Paxos, regalo de Rhys.

Mientras que mis amigas de toda la vida tenían novios de nuestra misma edad que trabajaban lavando platos en algún restaurante o ayudando en la recolección de bayas, yo tenía uno mayor, con un trabajo de verdad, a tiempo completo, que preparó de improviso unas vacaciones de ensueño. Algo que a mis padres no les hizo la menor gracia. Rhys se presentó en el *pub* en el que trabajaba con mi maleta hecha, provocando la pérdida de mi paga semanal y un trabajo por salir antes de tiempo. Sin embargo, se olvidó de mi pasaporte, así que tuvimos que pasarnos por mi casa y aguantar el discurso de mis padres por la actitud tan temeraria que demostrábamos con los trabajos temporales y viajar al extranjero.

Le conté entusiasmada a Ben todo el drama que se montó en mi casa mientras estábamos en la lavandería. Normalmente, el segundo año en la universidad, y a tantos kilómetros de casa, implicaba tener una lavadora. La nuestra se había roto y como las clases habían empezado justo cuando volvimos de vacaciones, tenía un montón de ropa sucia que no me había dado tiempo a lavar. Ben se había ofrecido voluntario a acompañarme y luego teníamos pensado tomar un café. Él compartía casa con otros estudiantes, y aunque se había encargado de eliminar a los peores, los mejores no eran precisamente los reyes de la limpieza; incluso me había advertido de que no era buena idea usar su lavadora Zanussi si no quería volver del café y encontrarme a todos sus compañeros con mis bragas en la cabeza.

—¿Cómo consiguió tu novio hacerte la maleta sin que se enteraran tus padres? —preguntó, mientras le hablaba de las aguas color zafiro del mar y el resto de sitios que visitamos.

—Porque no eran mis cosas. Se fue a Boots y me compró un cepillo de dientes, un bikini y algo de ropa.

En realidad me resultó muy gracioso comprobar de primera mano la idea que los hombres tenían de lo que una mujer podría necesitar en un viaje sorpresa a tierras soleadas. Gracias a Dios tuvimos que pasar por casa y allí pude meter unas cuantas cosas más sin herir los sentimientos de Rhys.

—Ahora lo entiendo. —Ben miró mi mano y me horroricé al darme cuenta de que tenía un sujetador de puntillas propio de una cría de quince años que hacía mucho tiempo que había perdido su blanco inmaculado. Lo metí a toda prisa en el tambor de la lavadora, cerré la puerta e introduje las monedas necesarias.

A continuación nos sentamos juntos en un banco de madera.

—Tendrías que haber visto la cara del encargado cuando me marché —me reí—. Fue genial.

—No hace falta que lo digas. Un viaje a Grecia con Rhys —comentó Ben.

—¡Sí! ¡Nos lo pasamos de maravilla!

—Seguro. Mucho sol, natación y todo lo demás... —Ben se frotó la barbilla.

—¡Oh, sí! —suspiré. Sabía que estaba siendo insufrible, pero estaba en esa fase petulante de «parejita feliz» y no podía dejar de hablar de lo que disfrutábamos juntos.

Las campanas de viento de la puerta de la lavandería sonaron y vimos entrar a una estudiante del campus que era a las mujeres lo mismo que un Aston Martin Vanquish a los automóviles. Se trataba de

Georgina Race, un nombre que cualquier alumno de la universidad era incapaz de pronunciar sin terminar con una exhalación de deseo. Se la identificaba al instante por su increíble melena cobriza, de un tono tan intenso y brillante que parecía tener todos los focos del teatro Royal Albert Hall apuntándola. Si pasaba a tu lado, era imposible no detenerse y mirarla, y una vez que posabas tus ojos en ella no había mucho más que añadir, como diría mi padre. Tenía una cara de muñeca de porcelana que parecía hecha para protagonizar la portada de una novela romántica. Te la podías imaginar con una blusa medio transparente, languideciendo en los musculosos brazos de un pirata arrogante y seductor.

Georgina iba a mi clase y había perfeccionado el arte de entrar en el aula, plantarse en medio de ella y escudriñar las filas medio vacías en busca de un asiento, sabiendo que cualquier alumno varón estaba deseando tenerla cerca. Ben solía darme un codazo y hacía con las manos un gesto de ruego por debajo de la mesa, y yo le respondía con otro gesto desdeñoso que decía «eres un perdedor». Ninguno de ellos tenía la más mínima posibilidad porque se rumoreaba que salía con un actor de culebrones de Londres.

Esa fría mañana de septiembre, Georgina iba vestida igual de fresca. Llevaba un pañuelo verde manzana anudado alrededor de su cuello de cisne y un vestido estampado, corto y con vuelo que resaltaba sus larguísimas piernas; una piernas que no parecían ensancharse a la altura de los muslos. El conjunto terminaba con una levita marinera que se ajustaba en la cintura y se acampanaba en sus caderas con forma de violín. Parecía una de esas mujeres que transitaban por *Carnaby Street* hacía unas décadas y a la que hombres parecidos a Michael Caine de joven silbaban a su paso.

Tenía que ser una zorra. Solo me faltaba encontrar la prueba que lo demostrara.

—¡Hola, Ben! —canturreó ella en cuanto lo vio— ¿Qué estás haciendo aquí? —Se acercó a nosotros.

«¿Conoce a Ben?», pensé, «¿y por qué narices te crees que está aquí? ¿Para encargar una tortilla de patata? ¿Para que le revisen los frenos? ¿Esperando los resultados de una autopsia?»

—He venido con Dan. Se le ha roto la lavadora.

Georgina me miró con desgana.

—Qué horror, ¿verdad?

Asentí con la cabeza. Por irritante que me pareciera, sentí como si estuviera delante de una celebridad y me hubiera quedado sin habla.

—¿Y qué te ha traído por aquí? —quiso saber Ben—. Me imagino que también has venido a lavar la ropa.

—Sí, he traído algunas cosas al servicio de tintorería —explicó, quitándose del hombro un bolso con monograma que debía de contener prendas increíblemente caras—. Ya sabes cachemira, etcétera.

No pude evitar fijarme en que tenía unos brazos delgados como las ramas de un sauce y unas manos delicadas como mariposas de papel de seda. En la lotería genética a ella le había tocado el premio gordo.

—Por cierto, tenemos que hacer sí o sí aquello de lo que hablamos. Lo de la cena, ¿te acuerdas?

—Por supuesto. Solo dime cuándo.

—Lo haré —dijo ella con un ligero mohín felino y un guiño de flirteo—. Nos vemos.

Dejó su ropa en el mostrador y se despidió de Ben meneando sus dedos en un gesto de lo más cursi.

—Hmm... ¿Qué fue lo que hablasteis? —pregunté yo, intentando con todas mis fuerzas no sonar como una entrometida amargada, aunque he de reconocer que fallé.

En el fondo esperaba que Ben me contara que habían hablado de ir a algún bufé libre de Pizza Hut de esos de «come todo lo que puedas hasta reventar».

—Una cita.

—¿Una cita? —repetí como si me hubiera dicho que habían quedado para ir a cazar ornitorrincos.

156

—Sí. ¿Tanto te sorprende?

—No. Es que no creía que saliera con otros estudiantes, eso es todo. Pensaba que solo se relacionaba con hombres mayores y más interesantes que viven en otras ciudades.

—¿Como tú, quieres decir? —sonrió Ben. *Touché.* Y antes de que pudiera devolvérsela, añadió—: Todo el mundo opinaba al respecto, así que pensé que no perdía nada por intentarlo. Ya sabes, quién no arriesga no gana.

Aquello iba de mal en peor. Así que había sido él el que se lo había pedido. También era cierto que no podía negar que eran la pareja perfecta: el rey y la reina de Lengua y Literatura Inglesa.

— Ya sabes cachemira, etcétera. —La imité.

Ben no cayó en la provocación, pero tuve la sensación de que acababa de lanzar un bumerán y que tarde o temprano terminaría golpeándome.

Capítulo 24

A finales de semana me toca sentarme con Pete Gretton, en la zona de prensa de la sala, en la apertura de juicio oral por un caso de homicidio involuntario por negligencia médica. Los procesados son dos médicos de la sanidad pública y una enfermera a los que se les acusa por su mala praxis en una operación de liposucción que tuvo como consecuencia la muerte intempestiva de una paciente de veintinueve años. Han venido corresponsales de diversas agencias —un tipo de periodistas independientes con más movilidad geográfica y menos sórdidos de Gretton. Él está aquí porque nos han comentado que se van a dar detalles bastante escabrosos sobre las complicaciones que surgieron en la intervención quirúrgica y cómo se produjo la extirpación de los depósitos de grasa. Gretton es en sí mismo una celulosa adiposa, que viaja por las arterias del tribunal ocasionando una presión sanguínea demasiado peligrosa para la salud.

—Es imposible que todos sean culpables —masculla antes de que se inicie la sesión—. ¿Cuánta gente se necesita para poner una vía intravenosa? La fiscalía está dando palos de ciego a ver si alguno mete la pata. ¿Quieres un chicle?

—No, gracias.

—¿Estás a dieta?

—Piérdete.

Gretton me muestra sus dientes amarillentos.

—No te preocupes, a la mayoría de los hombres les gustan con un poco de carne en los huesos. Aunque esta fue demasiado lejos. He oído que pesaba más de ciento veinte kilos. Era redonda.

Mastica su chicle ruidosamente, ofreciéndome una desagradable visión de su boca abierta.

—¡Cállate! —siseo, mirando a algunos familiares de la víctima, también de constitución robusta. A continuación me deslizo por el banco, intentando apartarme lo más posible de él. Necesito urgentemente una camiseta con el lema «No estoy con este estúpido».

Los abogados debaten entre sí, los papeles pasan de un lado a otro y el público que hay en la sala tose y se mueve en sus asientos.

Una pareja de la «Hermandad de la Toga y la Peluca» rompe a reír sobre algo que debe de tener mucha gracia si estás familiarizado con las complejidades de la mala praxis, y veo a los familiares mirándoles incrédulos y furiosos a la vez. Lo cierto es que les compadezco. Debe de estar siendo muy duro ver como algo que ha supuesto una tragedia en tu vida, es un día normal de trabajo para las personas que se dedican a esto.

La mayoría de las veces los periodistas somos meros fisgones que entendemos los conceptos básicos que salen en los juicios. Un perro muerde a un hombre, un hombre muerde a un perro, un hombre muerde a otro hombre porque su perro le ha mirado mal, y suma y sigue. Sin embargo, en procesos como estos, no te queda más remedio que aprenderte un montón de tecnicismos propios de un área altamente especializada en muy poco tiempo, por eso, cada vez que el juez le pide a un abogado o a un testigo que simplifique la terminología para que la entiendan los miembros del jurado, la prensa suelta un suspiro colectivo de alivio.

Cuando salgo de la sala a la hora del almuerzo, veo a Zoe manteniendo una conversación con una mujer que reconozco haber visto entre el público del juicio.

Gretton, como siempre, viene pisándome los talones.

—¿Qué narices está haciendo?

—Hablando —respondo.

Zoe y la mujer nos miran y Zoe inclina la cabeza con complicidad.

—¿Quieres que te salga un grano en el culo? —pregunta Gretton—. Está hablando con alguien involucrado en el caso. ¿Acaso no te importa?

—No mucho. Por lo que sabemos, bien podría estar preguntándole la hora.

—Eres una ingenua.

—Se llama confianza.

—¿Confianza? Esa víbora miente más que habla

— Zoe no te ha caído bien desde el principio, ¿verdad?

—La tengo calada.

—Si tanto la conoces será porque eres igual que ella —sonrío yo.

Gretton se mete los chicles en el bolsillo de su pantalón y se aleja furioso.

Zoe viene hacía mí.

—¿Hora de ir al *pub*?

Digo que sí con la cabeza. Desde que la llevé al Castle, ha asumido que se trata de una rutina semanal, y yo me sorprendo no solo por seguirle la corriente, sino por disfrutar con su compañía. Antes de que ella llegara solía aislarme celosamente en la sala de prensa para almorzar. Jamás me imaginé que terminaría haciendo una amiga.

—Gretton se ha puesto furioso cuando te ha visto hablando con esa mujer. ¿Quién era? —pregunto en cuando salimos a la calle.

—¡Adivina!

—La hermana de la víctima de mi liposucción.

—La madre. La vi dando vueltas por aquí antes y supe que sería la portavoz de la familia, así que hablé con ella. Le dije que Gretton había dicho que su hija todavía seguiría con vida si en vez de extirparle la grasa le hubieran quitado la cuchara con la que se comía los helados.

Me detengo en seco.

—¿Hiciste eso?

—Sí, y también le dije que si quería hablar después del juicio, debería hacerlo contigo.

161

—Pero... Gretton dijo eso en la sala de prensa.

—¿Y?

—Sé que Gretton es lo peor de lo peor, pero de vez en cuando todos decimos cosas no muy acertadas en la sala de prensa. No deberías ir contando los comentarios que hacemos allí.

—¿Por qué no?

—Porque eso no se hace. Así de simple.

Zoe se muerde el labio.

—He ido demasiado lejos, ¿no?

Nos ponemos de nuevo en marcha y me cambio el bolso de hombro.

—Sí, has jugado sucio. Si Gretton se entera se va a enfurecer de lo lindo.

—Lo siento. Fue tan cruel con ella que pensé que se lo merecía.

—Lo sé. Pero ten en cuenta que podrías meternos a todos en un lío. La gente no suele diferenciar entre los buenos periodistas y los Gretton de turno. Muchos de ellos ni siquiera entienden lo que sucede en los juicios. Incluso se asombran de que no nos echen.

—Lo siento mucho.

—Bueno, no te preocupes, no se le suelen dar bien las entrevistas en las que está en juego el dolor de la familia de la víctima. No me lo imagino siendo amable y cercano con la madre, y lo más probable es que termine indignándola con todos los detalles truculentos que sacará en sus artículos a lo largo del juicio.

Interrumpimos la conversación mientras cruzamos la calle.

—Mi madre es una mujer grande —confiesa Zoe cuando la reanudamos.

—¿En serio? —Miro con recelo sus brazos delgados.

—He heredado el metabolismo de mi padre —explica ella—. Llegó un momento en que pensó en ponerse una banda gástrica en el estómago, pero estaba demasiado obesa.

—¿Y por qué no...? —reformulo la pregunta— ¿Y no se trata precisamente de eso?

Zoe masculla algo sobre la cirugía y los riesgos de la anestesia.

—Al final perdió el peso necesario y se colocó la banda. Entonces empezó a beber esos batidos proteínicos de chocolate que usan los culturistas.

—Bien. Después de este tipo de intervenciones, la alimentación líquida es lo mejor.

—No si estás todo el día con ellos y terminas pesando lo mismo que antes de someterte a la cirugía.

—Vaya. —Es lo único que se me ocurre decir. Pobre Zoe, puede que su ambición profesional sea el resultado de querer estar fuera de casa el mayor tiempo posible para evitar los problemas que tiene dentro.

—Gretton puso el dedo en la llaga —concluye ella.

—Gretton pone de los nervios a cualquiera. No lo pienses más.

—¿Qué hago? ¿Le digo a la madre que lo entendí mal o algo parecido?

—No creo que a la madre se le vaya a olvidar fácilmente la frase del helado. Deja las cosas como están. Y gracias por decirle que hable conmigo. —No quiero parecer una desagradecida.

—No hay de qué. Somos un equipo. Hoy me toca pagar a mí. Voy a probar un labrador en remojo.

—¿En remojo?

—Sí, con salmón ahumado.

—Ah.

—Me lo acabo de inventar —reconoce.

—Gracias a Dios.

—En realidad ellos lo llaman el «labrador pescador».

—De acuerdo, tú te encargas de pedirlos. —Abro la puerta del *pub* y dejo que entre primero Zoe—. Ya lo paso bastante mal sin necesidad de innovar.

Capítulo 25

—¡Eh! —gritó Caroline por encima del ruido de mi secador de viaje. Lo apagué para entender lo que decía—. ¡Es para ti! ¡Es Ben!

Bajé corriendo las escaleras de nuestra residencia hasta el recibidor. No solíamos hacer muchas llamadas, ya que el encargado había instalado un teléfono de pago que se tragaba las monedas como si fueran agua al alcance de alguien muerto de sed en pleno desierto.

—¡Dan! ¡Te necesito! ¡Tengo una emergencia culinaria! —exclamó Ben al otro lado de la línea—. Estoy haciendo la cena para Georgina y me está saliendo una auténtica porquería.

—¿Estás cocinando? —comenté riéndome. Aunque también envidié a Georgina por ser la clase de mujer por la que los hombres sudaban la gota gorda haciendo flambeados con tal de impresionarla—. ¿Por qué no salís fuera?

—Porque ella debió de entenderme mal y no tuve el valor de sacarla de su error a tiempo. Me dijo algo así como... —Pone un tono afectado e imita la voz de las estrellas de cine de los años cincuenta que Georgina sabe usar tan bien con los hombres—... «no puedo esperar a probar tu comida, Ben».

—¡Esto va a ser la bomba! —dije sin parar de reírme—. ¡Será mejor que vayas buscando un buen libro de cocina!

—Georgina no parece ser de las que se conforman con unas empanadillas congeladas, ¿verdad?

Ben vivía con estudiantes que reutilizaban los platos sucios poniéndoles film transparente para no tener que lavarlos, de modo que Georgina iba a necesitar tener un estómago a prueba de bomba y su cartilla de vacunación al día.

—La verdad es que no puedo dar fe de su sentido del humor, pero nunca la he visto sonreír ni un poquito. Ni siquiera en las hilarantes clases de lingüística.

—¡Ayúdame! ¿Qué hago?

Suspiré exageradamente.

—¿A qué hora habéis quedado?

—Dentro de tres horas. No... espera, ¡dentro de dos horas y cuarenta y cinco minutos!

—¿Y qué presupuesto tengo si me paso por el supermercado de camino a tu casa?

—¡Pilla lo que quieras! Eres mi ángel.

—Sí, sí.

Al cabo de un rato me había plantado en la puerta de Ben con mi gorro de lana y sosteniendo en cada mano una bolsa de plástico cuyas asas se iban alargando cada vez más por lo llenas que estaban.

—Déjame entrar o van a terminar rompiéndose —dije pasando delante de él como una tromba y dejándolas sin contemplaciones en el suelo del vestíbulo.

—Ah, Dan, Dios te bendiga. —Ben fue tras un bote de nata para cocinar que había salido rodando hacia el perchero.

—También he traído flores —le informé, sacando un cucurucho de celofán de rosas blancas—. Me siento como si estuviera seduciendo a alguien por medio de otra persona, como Cyrano de Bergerac.

—¡Genial!

En ese momento supe que debía de querer mucho a Ben, porque lo que menos me apetecía en este mundo era seducir a Georgina Race, salvo que fuera con un buqué de ortigas, colas de rata y tampones. Y por lo visto eso era precisamente lo que estaba haciendo.

Con la ayuda de unas tarjetas de recetas que te daban en el propio supermercado, conseguimos preparar algo bastante aceptable: un entrante a base de espárragos, pechugas de pollo rellenas, patatas gratinadas y *mousse* de chocolate blanco con frambuesas. Delegué unas cuantas tareas en Ben, que decidió poner música mientras trabajábamos y resultó ser un ayudante muy capaz. Poco a poco el frigorífico se fue llenando de platos envueltos en papel de aluminio.

—No tenía ni idea de que supieras cocinar —dijo él.

—Ni yo tampoco. Lo he ido aprendiendo sobre la marcha.

—¿Y me lo dices ahora?

***

—Aquí tienes los tiempos. —Anoté la temperatura del horno para los distintos platos y se los dejé detrás de la tetera—. Síguelos en el orden que te los he puesto y ofrécele una copa de champán en cuanto llegue. La gente suele pasar por alto los errores cuando va un poco achispada. ¿Qué te vas a poner?

—¿Una camiseta? —dijo Ben, dudando. En ese momento llevaba una roja de la «Copa Mundial de Fútbol» de 1966. Algo que contravenía frontalmente el artículo 7.1 del «Código para no ser un perdedor» de Rhys, según el cual nunca debías ponerte nada que anunciara un evento al que no hayas asistido, un lugar donde nunca hayas estado o un grupo de música que nunca hayas escuchado.

—Sé inteligente. Nada de ropa deportiva.

—Entiendo.

—Me voy para dejar que te arregles.

Me puse el abrigo y me coloqué el gorro.

—Buena suerte.

—Eres mi ángel y serás recompensada en el cielo.

—Sí, porque aquí en la tierra seguro que no —me quejé.

Mientras regresaba a la residencia, empecé a sentirme un poco molesta, y no por el hecho de que había estado cocinando una comida que no probaría.

167

Mi amistad platónica con Ben —que de vez en cuando atraía miradas de envidia de las féminas que malinterpretaban nuestra relación— me impedía ver algo que cualquier programa eugenésico eficiente hubiera detectado sin ningún problema: los hombres como él salían y se procreaban con mujeres como Georgina Race. No era que yo quisiera salir con él, y mucho menos tener hijos, pero resultaba humillante confirmarlo.

Mi mente volvió a visualizar la noche de los fuegos artificiales, recordando que había mujeres para pasar una excitante noche de sexo, y luego estaba la buena de Danny, la muchacha atrevida que podía encontrarte las mejores ofertas del supermercado.

***

Al día siguiente nos encontramos en nuestra clase de las diez. Ben se sentó a mi lado y me miró con una sonrisa traviesa.

—Y... ¿Cómo te fue? —Sonreí a mi vez, mordiendo la tapa de mi bolígrafo.

—Bien —contestó él—. Le encantó la cena. Estuvo absolutamente deliciosa. Gracias.

—¿Vais a volver a quedar? —quise saber.

—Lo dudo. —Acompañó su negativa con un gesto de cabeza.

—Vaya. —No sabía si debía o no hacer más preguntas, o si Ben quería que las hiciera. Cuando vi que estaba mirando a un lado y a otro, pensé que era una forma de decirme que termináramos de hablar del asunto, pero luego me di cuenta de que solo se estaba asegurando de que nadie nos escuchaba.

—¡Es tan aburrida! ¡Ni te lo imaginas! Al principio pensé que era porque estaba nerviosa, pero es sosa a más no poder. Y egocéntrica. Lo más extraño de todo es que ya no me parece que esté tan buena. Es como si todo ese halo de mujer diez hubiera perdido intensidad. Sí, es muy guapa y todo eso. Pero... no está hecha para mí.

Hice caso omiso de la alegría que me produjo oírle decir aquello.

—No importa. Al fin y al cabo la que perdió el tiempo comprando la cena fui yo, tú solo perdiste un viaje a la farmacia...

—No, lo hicimos de todos modos —repuso Ben—. No me esforcé tanto solo para hablar de los colegios privados de Hertfordshire y lo bonitas que son las pulseras de Tiffany.

Lo miré. Su expresión era impasible. Entonces recordé la conversación en el MacDougal's sobre todas las mujeres con las que se había acostado y mi alegría se evaporó.

—¿Qué? ¡Eres deprimente!

—¿Eh?

—No te gusta como persona pero te acuestas con ella. Eso es superficial y vergonzoso. Pobre Georgina, ¿la llamas aburrida después de que se ha convertido en una muesca más en el cabecero de tu cama? Me parece una falta de respeto increíble.

Rachel Woodford, defensora de la virginidad de Georgina Race. Esa era una faceta mía que no conocía.

—Está bien, tranquilízate.

—Simplemente esperaba más de ti.

—¿Sabes?, la gente mantiene relaciones sexuales esporádicas en el mundo real e imperfecto en el que vivimos, y no tiene por qué verse como algo malo—masculló Ben.

—¿Qué se supone que quieres decir?

—Que no todos tenemos la suerte de estar con nuestra alma gemela, y que no por eso vamos a tener que permanecer célibes mientras la encontramos.

Podía haberle dicho que no era tan tonta como para pensar que vivía como un monje de clausura, pero Ben me miró completamente indignado. Lo cierto era que nunca me hizo tanta ilusión que empezara una clase como ese día.

«Alma gemela». ¿Había dicho yo alguna vez eso? ¿Quizá cuando le hablé de mis vacaciones en Grecia? Oh, Dios. Puede que sí que lo dijera. Pero en ese instante me percaté de que había exagerado para que Ben no se diera cuenta de que casi me había desmayado con su beso del curso anterior. De hecho, Rhys y yo habíamos terminado con nuestra fase de tortolitos en plena luna de miel hacía tiempo. Que los amigos que había hecho en la universidad me trataran como una igual había conseguido que fuera más reacia a tolerar su carácter dominante y sus maneras distantes a lo Mr. Darcy que mostró en la primera etapa de nuestra relación. En realidad hasta me había echado en cara que estaba demasiado rebelde. Si era honesta conmigo misma, sabía que el viaje sorpresa de Rhys había sido una treta para demostrar quién seguía llevando los pantalones.

Después de un rato, Ben empujó su cuaderno en mi dirección de forma que pudiera leer lo que había escrito en uno de los márgenes.

«Estaba de broma.»

Fruncí el ceño, garabateé un signo de interrogación debajo y le pasé el cuaderno.

«No lo hicimos», escribió él, subrayando varias veces la última palabra para que supiera a qué se refería. «¿Qué te pasa?»

Buena pregunta. Me encogí de hombros y le devolví el cuaderno. ¿De verdad era tan neurótica que esperaba que mis amigos que no tenían pareja vivieran su sexualidad según mis reglas?

La clase terminó. La siguiente hora teníamos asignaturas distintas en diferentes partes del edificio, así que me levanté de la silla, bajé las escaleras y llegué a la puerta en cuestión de segundos. Ben me alcanzó, agarrándome del brazo, antes de que pudiera salir.

—Mira, estaba haciéndome el machito. Normalmente te hace gracia —dijo, casi sin aliento. Me zafé de él de forma brusca, a pesar de que me sujetaba con suavidad—. Que conste en acta, no hicimos nada, ni tampoco quería hacerlo —añadió—. Y sigo sin ver por qué hubiera sido algo inmoral.

—No es asunto mío —espeté con altivez. De pronto el corazón empezó a latirme a mil por hora, como si quisiera salir de mi caja torácica e ir directo a la clase de ensayistas victorianos que tenía enfrente. Puede que mi comportamiento fuera más acorde con esa época y no con la de ahora.

—Me lo hubiera pasado mejor si te hubieras quedado —confesó él, tocando de lleno el punto que más me preocupaba.

—¿Por qué lo dices así? Como si te conformaras con algo menos sofisticado. Como si pensaras «me lo hubiera pasado mejor "incluso" con Dan».

—Yo no he dicho eso.

No, y eso tampoco era lo que yo quería decir. «No quiero que quieras acostarte con ella. Porque Georgina no tiene nada que ver conmigo». ¿Pero qué me estaba pasando?

—Sé cocinar —dijo con total contundencia.

—¿Qué? ¿Me mentiste para que me encargara de comprar la comida? El me miró intensamente. Yo le devolví la mirada.

—No saben lo que me alegra comprobar el interés que han puesto hoy en mi clase y ver que siguen discutiendo tan acaloradamente sobre la materia. —Nuestro tutor escogió ese momento para interrumpirnos—. Y estoy seguro de que las notitas que se han estado pasando durante mis explicaciones tienen mucho que ver con el siglo XIV y *Los cuentos de Canterbury*.

—Por supuesto —afirmó Ben, asintiendo.

—Márchense ahora mismo a sus clases de las once —bramó él.

Le obedecimos al instante.

Capítulo 26

En todas las revistas de moda que publican especiales sobre «Qué ponerte para conocer a sus padres» o «Qué conjuntos llevar para un agradable fin de semana en el campo» deberían dejarse de tonterías y hablar sobre asuntos verdaderamente espinosos, como: «Qué ponerte para conocer a la mujer que se casó con tu amor perdido».

Sé que no puedo ir a la cena con nada de lo que tengo en mi guardarropa actual. Así que como el abanico de posibilidades en más bien pequeño —no las tallas—, decido seguir una política de tierra quemada, es decir, arrasar con todo lo que pueda serle útil al enemigo, y llevar casi todas mis prendas al centro de caridad más cercano.

La sensación de euforia por mi acto de altruismo solo me dura hasta que me veo en medio de un centro de ayuda a la tercera edad con dos enormes bolsas de basura. La mujer que está en el mostrador es una señora de pelo gris recogido en un moño, que lleva unas gafas redondas colgadas en una cadena que tiene alrededor del cuello, y que me recuerda a una de esas abuelitas de las historias de Roald Dhal que te adoptan después de que tus padres mueran en el primer capítulo de forma cómicamente macabra.

—¿Las dejo aquí? —pregunto con la esperanza de poder irme cuanto antes. Pero ella me hace señas con la mano para que me acerque.

Cuando llego hasta el lugar en el que se encuentra, deposito las bolsas. No sabía que para donar ropa tuvieras que pasar por un proceso de selección. La mujer empieza a sacar mis prendas y a colocarlas delante de mí. Cuando llega a un jersey de punto lo olfatea con desdén.

173

—¿Es usted fumadora? —pregunta. Antes de que me dé tiempo a responder la oigo soltar un grito de angustia, como si hubiera encontrado entre mi ropa un consolador del tamaño de un cactus del Sahara, y dice—: Podemos prescindir de estos... —Entre el dedo índice y el pulgar sostiene unos calcetines largos.

Se trata de mis calcetines especiales con forma de garra con la planta recubierta de goma antideslizante. Creía que a alguien le vendrían bien. Admitámoslo, para usar calcetines de segunda mano no tienes que llevar una vida muy boyante. Pero debe de ser cierto eso de que ninguna buena acción queda impune y me dan ganas de decirle: «Quién es usted, la duquesa de la limpieza en seco?».

En lugar de eso murmuro un «¿cómo han podido terminar ahí?» y sigo con mi plan de compras con los calcetines metidos en los bolsillos de mi abrigo, jurándome a mi misma que las personas mayores y sus malditas representantes de lengua bífida se las van a tener que arreglar solas en el futuro.

Necesito un guardarropa nuevo que diga «adulta pero juvenil» o «vestida pero informal», no «no una golfilla, pero casi».

Como era de esperar es difícil encontrar algo que entre dentro del presupuesto y que: a) me siente bien y b) transmita seis mensajes contradictorios. Además, pensaba que usaba una talla cuarenta y dos, y sigo teniendo la esperanza de que así sea, a pesar de que todas las evidencias apuntan más alto.

Una larga caminata por las tiendas de moda de la King Street, un concurrido sábado por la tarde, me deja agotada y al borde del llanto. Solo hay una forma de solucionarlo, llamar a Mindy.

Mi amiga, después de escucharme, me da unos rápidos consejos:

—Has perdido la perspectiva y no estás en condiciones de tomar una buena decisión. Vete a un sitio de categoría, como Armani, y busca un vestido de cóctel negro que sea lo más sencillo posible. Deja a un lado tu orgullo y, si te queda mejor, cómpralo una talla más grande. Paga lo que cueste, sin mirar el dinero, y conjúntalo con cualquier zapato de tacón con el que sepas que puedes andar sin problemas. Y ya está.

—Pero ya fui vestida de negro la última vez que quedé con Ben y con su amigo —comento a toda prisa.

—Confía en mí, los hombres no suelen recordar lo que llevas a menos que te pongas uno de los estrambóticos modelitos de Lady Gaga.

Encuentro sus instrucciones concisas y efectivas. Horas después llego a casa animada, pero en cuanto me pongo el vestido descubro que mientras que con las luces del probador parecía una actriz de moda, en casa parezco una llorosa viuda de la mafia. Puedo tratar de mejorar mi aspecto o tomarme un vodka con Coca Cola *light* mientras espero a que llegue el taxi. Esto último me atrae mucho más que lo primero, la verdad. Pero entonces recuerdo uno de los refranes de Mindy —«una circonita nunca será un diamante, pero puedes dejarla igual de brillante»—, y opto por servirme el vodka y un ponerme un poco más de maquillaje.

Estoy obsesionada con la idea de cómo será Olivia. Sé que es rubia, o al menos eso me pareció por el vistazo que eché al fondo de pantalla del teléfono de Ben. Y él siempre salía con mujeres cañón, así que no hay razón para pensar que aquella que ha conseguido hacerle sentar la cabeza no lo sea. Me la imagino como Patsy Kensit en su época de Octava Maravilla, pero vestida a lo Betty Draper de la serie *Mad Men*. Y por supuesto, con las habilidades oratorias de Dorothy Parker y la... ¡Oh, por Dios! ¡Ya basta!

Lo peor ya ha pasado. Ella no soy yo.

El menú de esta noche está más que claro: filetes de corazón de Rachel con salsa a la pimienta.

Capítulo 27

Ben y Olivia viven en una casa estilo victoriano con fachada blanca y una reluciente puerta azul. Junto a la entrada, tienen un laurel podado en forma redondeada en un maceta cuadrada negra. Toco el timbre de latón y espero. Desde dentro me llega el murmullo de voces animadas y empiezo a ponerme tensa. Nunca más tendré a Rhys a mi lado. Hasta ahora no me había dado cuenta de lo sola que te puede hacer sentir la soltería. Desearía haberme tomado dos vodkas en lugar de uno.

Ben es el encargado de abrirme la puerta. En la mano porta una botella con un sacacorchos insertado, va vestido con una camisa color crema y lleva el pelo ligeramente despeinado, lo que hace que parezca recién salido de un catálogo de modelos. Seguro que él y Olivia salen los domingos a dar vigorizantes paseos con jerséis de Lacoste y pantalones de pana de color chocolate mientras lanzan palos a su perro adoptado, riendo cuando este los trae de vuelta.

—¡Hola, Rachel! —Se inclina para darme un casto beso en la mejilla y yo me pongo rígida—. ¿Me das el abrigo?

Durante los siguientes segundos hago una especie de incómodo baile. Primero le paso la botella que he traído, luego me quito el abrigo y finalmente intercambiamos objetos.

—Esta es Olivia. Liv, esta es Rachel —dice, mientras cuelga el abrigo y mira por encima de su hombro. La sangre se me agolpa en las orejas.

Una mujer menuda se acerca sonriendo y me libera de la botella por segunda vez. Me estremezco. Tal y como era de esperar, después de toda esta angustia, es una mujer atractiva. Rubia, con el pelo corto, un rostro ovalado y de tez dorada. Me esperaba una de las posibles variedades de perfección femenina y Olivia es de las que parece sudar Chanel número cinco. De modo que no me he llevado ninguna sorpresa en este aspecto.

Si yo fuera una arpía —que no lo soy, pero si lo fuera—, diría que la esposa de Ben es físicamente la opción menos despampanante. Las mujeres con las que solía salir en la universidad eran dinámicas, con un aspecto saludable, atléticas y con amplias sonrisas estilo Julia Roberts. El tipo de belleza deslumbrante que es imposible negar del mismo modo que no se puede mirar directamente al sol sin entrecerrar los ojos.

—Encantada de conocerte —dice ella.

—Igualmente. Muchas gracias por la invitación.

—Mientras te pongo algo de beber, ¿por qué no pasas y saludas al resto de invitados?

La sigo y veo que lleva puesto un jersey drapeado ajustado y unos pantalones estrechos de campana en tonos grises. Evidentemente no se trata de un gris obtenido por el efecto de haber lavado muchas veces ambas prendas, sino de ese tipo de grises llamados «gris perla», «gris marengo» ó «gris pizarra» que cuelgan en perchas acolchadas de las elegantes tiendas que tienen el mismo ambiente que los clubes nocturnos de Nueva York. El tipo de tiendas a las que no me he atrevido a entrar estar tarde por miedo a que me echaran con una escoba. A Olivia en cambio se la ve tan sencilla y sofisticada que de pronto el vestido que tanto me ha costado escoger parece sacado de un anuncio de Nescafé de los años ochenta.

La mujer de Ben me lleva hacia un salón-comedor y me presenta a una mujer alta de pelo castaño con reflejos rubios que parece una de esas jugadoras de baloncesto que te marcan de tal forma durante todo el partido que al final te da miedo hasta moverte. A su lado hay un hombre más bajo y corpulento vestido con una camisa color salmón que acentúa su bronceado.

—Lucy, Matt, esta es Rachel. Y creo que ya conoces a Simon.

El susodicho, que está inspeccionando una de las estanterías de libros y que me sigue pareciendo que lleva el atuendo propio para ir a trabajar, alza su copa de cristal a modo de saludo.

—¿Puedo ofrecerte un cóctel de champán, Rachel? —pregunta Olivia.

—Claro que puedes, y ten por seguro que te voy a decir que sí —contesto yo, intentando parecer ingeniosa, aunque creo que en realidad he quedado como una presuntuosa—. Tienes una casa encantadora, Olivia. Parece como si llevarais viviendo aquí años.

Esta sí que es una vivienda propia de dos adultos. La alfombra beige que hay bajo nuestros pies es gruesa y suave, dentro de una chimenea bastante original relucen diversos cirios encendidos para la ocasión y las paredes están llenas de fotografías en blanco y negro de Barcelona, Berlín o cualquiera de los lugares donde han disfrutado de románticas escapadas con su inseparable Nikon.

—Todavía estamos terminando de acomodarnos. Esta noche hemos puesto una iluminación más tenue para que no se note el lío que tenemos —comenta Olivia de camino a la cocina.

—Liv está siendo modesta; allí donde la mayoría de la gente atrae el caos, mi mujer lo va ordenando todo a su paso —grita Ben desde algún lugar cercano al horno.

La mesa donde vamos a cenar está adornada con servilletas color aguamarina y velas a juego junto con un centro formado por una orquídea flotando en un cuenco lleno de guijarros. Desde el equipo de música Bang & Olufsen suena una suave melodía *chill out* o algo parecido. La estancia desprende un ambiente de lujosa serenidad y de un cierto poder adquisitivo, de modo que me digo a mí misma que si Ben todavía está ascendiendo en la escala social, Olivia debe de encontrarse en los puestos más altos. Me acuerdo de la que hasta hace poco era mi casa en Sale y me doy cuenta de los círculos tan diferentes en los que Ben y yo nos hemos movido. Me pregunto si no estaría más tranquila con Rhys a mi lado, pero rápidamente me doy cuenta de mi error. Seguro que a estas alturas tendría los pelos de punta, porque se sentiría como si estuviera en medio de un anuncio de decoración, y yo estaría rezando en silencio porque no bebiera más de la cuenta y dejara salir su mal humor.

En ese momento Olivia regresa y me da una copa de champán con frambuesas.

—¿Estamos todos? —pregunta Lucy.

—Sí.

—Pues entonces brindemos. Bienvenidos a Manchester, Liv y Ben.

—Eso —farfullo yo, chocando mi copa con la de los demás.

—Va por ti, Ben —gritan todos ya que él sigue en la cocina.

¿Ya estamos todos? ¿Solo somos seis personas, dos parejas y dos solteros? Está claro que están tratando de emparejarnos a Simon y a mí. Así que no es ninguna leyenda urbana, de verdad existen este tipo de emparejamientos incómodos y poco sutiles. ¿Se sentirá él igual de violento que yo? Lucy y Matt me están mirando con curiosidad. Voy a tener que enfrentarme a esta situación como si no estuviera sucediendo. Que por otro lado es lo que normalmente suelo hacer.

Desesperada, me dirijo hacia Simon con una sonrisa forzada.

—¿Qué tal estás? —le pregunto.

—He hablado con Natalie y está completamente decidida a hacer la entrevista.

Me alegro de que tengamos un tema en común.

—Genial.

—Ya te diré la fecha exacta. ¿Estás de acuerdo en hacerla en su casa?

—Sí, me parece perfecto.

—¿Te importa si estoy presente?

—Para serte sincera prefiero que no.

—Vaya, gracias.

—No quiero ser grosera...

—¿Ah, no? ¿Entonces como lo llamarías en este caso?

Pone tal cara de póquer que no puedo evitar reírme.

—Si vas —explico yo—, se pondrá nerviosa y estará todo el rato mirándote en busca de tu aprobación y sus declaraciones no serán espontáneas. Sé que es una gran historia, pero Natalie no es Barbra Streisand. Todo saldrá bien.

—Ya me lo pensaré —dice él, sonriendo.

—Estas son mis condiciones. —Le devuelvo la sonrisa. Espero no estar siendo demasiado impertinente—. Buena suerte cuando vayas con tus términos a los diarios de tirada nacional.

En realidad los periódicos nacionales se lo merendarían de un solo bocado. Por lo que me dijo Ben, estoy segura que Simon mantendrá su sentido del humor y se quedará conmigo.

—¿A qué te dedicas? —interrumpe Matt.

—Trabajo en un periódico local, cubro los procesos judiciales más destacados. ¿Y tú?

—Soy consultor. Fundamentalmente de empresas con gran liquidez. Como no se me ocurre ninguna otra pregunta para seguir con la conversación, él añade:

—¿Qué es lo peor que has visto hacer a un acusado?

—Esto... ¿Peor que matar a varias personas?

—No. No me refiero a asuntos morbosos. Sino a algo divertido.

—Los aquí abogados pueden contestarte mejor a esa pregunta. Seguro que han visto más cosas que yo.

—Yo también me dedico a la abogacía —comenta Lucy—. Estoy especializada en litigios privados, así que no he visto mucho, salvo vecinos peleándose por cipreses mal podados y paredes medianeras.

—Hora de sentarse —anuncia Olivia.

Lucy y Matt se van derechos al centro y a Simon y a mí no nos queda otra opción que flanquearlos, sentándonos uno frente al otro. ¿Por qué no me avisó Ben de esto? No es propio de él. «En realidad ya no sabes lo que es propio de él», me recuerdo a mí misma.

La llegada del vino hace que me termine el cóctel de un trago. Cuando se sirven las ensaladas trato de recordar los temas de conversación que suelen sacarse en veladas de este tipo e intento buscar el sentido a la ecuación de «Ben más Olivia igual a amigos estilo Lucy y Matt». Una de las partes más maravillosas de los años que compartí con Ben era nuestro radar para detectar quién era como nosotros y quién no. Era como si nos hubiéramos hecho amigos compartiendo un manual de conversación, una brújula moral y un mapa, aunque el del campus fuera menos comprensible. Este giro de los acontecimientos me dice que Ben, o bien ha cambiado —como Caroline comentó— o solo está siendo un buen anfitrión y marido. Y yo sé perfectamente qué versión me gusta más.

—¿Qué tal lo estás llevando? —pregunta Matt a Olivia—. ¿Te gusta vivir en «Manchestah»?

Pronuncia Manchester con un acento tan del lugar que me pone de los nervios.

—Me gusta la tienda Harvey Nicks que tiene —responde Olivia, arrancando una risita a Lucy—. En serio. Me he dado cuenta de que esta ciudad es más miniatura de Londres de lo que creía.

Eso no ha sonado como un cumplido, al menos para mí. ¿Cómo puede serlo el que se considere a algo como una versión más pequeña de otra cosa a la que estabas más acostumbrado? A menos, supongo, que estemos hablando de traseros.

—Ya sabéis que Ben siempre estaba hablando de lo increíbles que fueron sus años de universidad aquí... —continúa ella.

«Bien por ti, Ben», pienso yo.

—Didsbury es una zona fabulosa —dice Lucy.

—Sí, parece tener de todo. Vamos a tener que empezar a buscar colegios —comenta Olivia con timidez.

—Oh, ¿tenéis alguna noticia que darnos? —trina Lucy, agarrando el brazo de Olivia.

Mastico con tal fuerza que me muerdo la boca por dentro.

—No, solo estoy hablando de cara al futuro —admite Olivia, lanzando una mirada a Ben.

—Ohhh —murmura Lucy.

De pronto me siento infinitamente triste y un poco achispada, una combinación que solo presagia el desastre. No obstante, me percato de que Ben parece haber recibido un puñetazo en el estómago.

—No adelantemos acontecimientos —le dice mi amigo a Olivia—. Hoy por hoy, nos basta con un perro. Ahora solo estamos centrados en aclimatarnos a esta nueva vida —nos explica.

—No lo demoréis mucho porque tampoco sabéis cuánto tiempo os va a llevar —reflexiona Lucy—. ¿Cuánto tiempo tardamos nosotros con Miles?

—Dieciocho meses —contesta Matt.

—Y eso que practicábamos casi todas las noches —añade Lucy.

De repente ver si la ensalada lleva endivias me resulta un tema de lo más apasionante.

—El otro día leí un artículo en el *Mail* escrito por unos especialistas en fertilidad —continúa Lucy—, en el que decían que uno debería tener toda su familia completa a los treinta y tres. ¿Cuántos hijos quieres tener, Liv?

—Tres. Dos niñas y un niño.

—No puedes elegir el sexo como si estuvieras comprando en Amazon—, dice Ben, soltando un sonoro suspiro.

—¿Y tienes cuántos, treinta y uno? ¡Pues tienes que empezar ya, en este mismo instante! —exclama Lucy, dando un golpe en la mesa y riéndose como una tonta.

—Espero que no se lo tomen en sentido literal —replica Simon secamente.

Yo me echo a reír.

—Deja de animarla de ese modo, Lucy —dice Ben con una nota de tensión en la voz que parece pasar desapercibida a la mujer de Matt.

—¡Venga, Ben! —canturrea Lucy—. No seas malo y dale ese capricho a tu mujer. ¡Hacer pequeñines es divertidísimo!

Miro al resto de comensales como si necesitara confirmarlo. ¿En serio ha dicho «pequeñines»?

—A no ser que tengas miedo a no tener suficientes guerreros —comenta Matt con semblante serio.

Ben lo mira con cara de «esto no puede estar pasando».

Guau. Tengo la sensación de que cualquier hijo de Matt y Lucy debe de ser como el resultado de una fórmula. Matt y Lucy al cuadrado.

—Ya cambiará de idea —dice Olivia, acariciando el brazo de Ben.

Mi amigo parece estar entre la espada y la pared y toma un sorbo de su vaso.

—¿Y qué me dices de ti, Rachel? —pregunta Olivia. Todas las miradas se posan en mí—. ¿Te gustaría tener hijos algún día?

—Pues... —La pregunta me ha pillado con un tenedor lleno de ensalada a mitad de camino de la boca, de modo que para no parecer un primate de *Gorilas en la niebla* en plena selva, siendo observado por cinco Dian Fossey, vuelvo a bajarlo y lo dejo en el borde del plato—. No está en lo más alto de mi lista de prioridades, pero sí. ¿Por qué no? Siempre que encuentre a alguien con quien tenerlos. —Se produce un incómodo y largo silencio, auspiciado quizá por el intento de emparejamiento que han ideado. Al final decido continuar—: Y no le des mayor importancia a lo que dicen los especialistas en fertilidad. Al fin y al cabo su trabajo consiste en eso, en decirte cuándo y cómo tener hijos. Lo mismo que un hepatólogo te dirá que no bebas nada de alcohol y un cardiólogo que no utilices la mantequilla para cocinar.

Otro silencio. Y esta vez más largo que el primero. Ben me sonríe de un modo alentador. No me extraña, acabo de centrar toda la atención en mí en vez de en él.

—¿Sueles beber mucho? —pregunta Matt sin miramientos, mientras intenta pinchar Dios sabe qué en su plato.

—No... No soy de las que se toman dos botellas de licor de manzana y terminan meándose en los monumentos públicos con cada juerga que se corren. Aunque tampoco me tomo solo dos copas. Digamos que lo normal, ¿no?

—No si tienes hijos —comenta Lucy.

—Claro, las noches en vela... y todo eso —digo yo.

—Y Miles tiene casi cuatro años. No quiero que tenga ningún contacto con el alcohol.

—Por supuesto. No debería darle a la botella a esa edad tan temprana —bromeo yo.

Lucy, sin embargo, se lo toma al pie de la letra y parpadea varias veces.

—Me refería a que hasta hace poco le he estado dando el pecho. Tiene tres años. Por eso no quería beber —añade.

—Sí, claro, lo he dicho en br...

Antes de que termine la frase Lucy se vuelve hacia Olivia.

—¡Oh, Dios mío! —exclama—. Se me olvidó decirte que por fin tenemos las llaves del chalé. —Rebusca en su bolso, sacando unas cuantas fotografías que pasa a Olivia y a Ben, que responden con sonidos de interés y aprobación.

No parece que dichas fotos vayan a llegar a mi zona.

—Has elegido al público equivocado para desplegar tu sentido del humor —me murmura Simon, llenando mi vaso de vino vacío.

—¿He dicho algo malo? —susurró yo.

—Por supuesto que no. Estaba temiendo que de un momento a otro se pusieran a hablar de la calidad de mis espermatozoides. —Mira hacia abajo y agrega—: Hemos tenido suerte, muchachos.

Nos echamos a reír y tengo la sensación de haber regresado al colegio y estar bromeando a escondidas con un compañero. Cuando recobramos la compostura nos damos cuenta de que el resto de la mesa nos está mirando con sumo interés.

Capítulo 28

Tengo que reconocer que Matt y Lucy han ganado la batalla de la noche. Cada tema del que se ha hablado —trabajo, familia, vacaciones, casas— parecía venir con un listado de respuestas correctas e incorrectas, y en cuanto se han dado cuenta de que las mías estaban en este último grupo, han perdido todo interés en mi persona. Nunca he esquiado, jamás me he preocupado por el consumo de combustible de los distintos tipos de vehículos todoterreno, no he comido nunca en un restaurante con una estrella Michelin y no me he formado una opinión clara sobre el sistema impositivo que propone cada partido.

Ambos están rodeados, no ya de un aura de auto complacencia, sino de una espesa niebla. Tanta codicia me resulta extenuante. Me pregunto cuánto tiempo más seguirán con este juego y si terminarán en una residencia viendo quién tiene el botón más grande para llamar a las enfermeras.

Espero sinceramente que Lucy y Matt sean una de las pocas parejas que conocen en Manchester y que Ben y Olivia simplemente estén intentando ser educados con ellos. Todas las veces que he interactuado con Olivia me ha parecido una persona bastante agradable, aunque cuando está con Lucy tiende a comportarse como ella. Ben, sin embargo, está muy callado, yo diría que hasta taciturno.

Tras terminar el plato principal, y una vez que hemos recogido la mesa, me he excusado y he ido al baño.

—Usa el que está abajo. Antes de llegar a la cocina, a tu izquierda —me ha dicho Olivia.

El servicio está tan inmaculado como el resto de la casa y me ha producido una pequeña punzada de dolor al recordar que no tengo un hogar que pueda llamar mío. Ya no vivo en Sale y tampoco considero mi casa el lujoso apartamento de Rupa.

Mientras me lavo las manos con un jabón aromático que sale de un dispensador de porcelana blanca, me sorprendo al escuchar de fondo una conversación entre Ben y Olivia. Por el ruido metálico que los acompaña, me imagino que están poniendo el lavavajillas. Algo en el tono que usan me dice que se trata de una charla privada. Supongo que todavía no se han dado cuenta de cómo funciona la acústica en su nuevo hogar.

—Rachel es muy simpática —murmura Olivia, tras debatir con él acerca de cómo deben ir colocados los platos.

Me quedo paralizada, con la mano suspendida en el aire, a medio camino del toallero.

—Sí que lo es —comenta Ben.

Una pausa.

—Y guapa —agrega Olivia—. Decir que era pasable me ha parecido un poco duro por tu parte.

Esto último me deja sin respiración. Me miro al espejo y veo un rostro «pasable», con unos ojos ligeramente inyectados en sangre por el alcohol. «Esto era lo que querías, ¿no?», pienso, «lo que estabas buscando. Sabías que sucedería y aquí lo tienes. ¿Y sabes qué? Que no te está sentando nada bien». Empiezo a lavarme las manos por segunda vez.

—Sabes que nunca me fijo en otra que no seas tú, cariño —dice Ben con una galantería tan exagerada que su mujer resopla.

—A Simon se le ve interesado en ella —contempla Olivia—. Creo que la cosa pinta bien.

—Sí. Pero, Liv, intenta no forzar la situación, ¿de acuerdo?

—¡No lo estoy haciendo!

—Rachel acaba de salir de una relación muy larga y estará un poco sensible durante una temporada.

—¿Estaban comprometidos?

—Sí. En serio. —Escucho cómo continúa Ben—. Llevaba años con Rhys. Cuando la conocí ya estaba con él.

—Entonces puede que lo que ahora necesite sea una aventura.

—¿Por qué las mujeres siempre tenéis que entrometeros?

Capítulo 29

Transcurrido un rato el alcohol empieza a hacer mella en todos nosotros. Las risas de Lucy son cada vez más estridentes y las historias de Matt más subidas de tono. Simon está relajado, pero aguanta bien el alcohol, así que no habla más de la cuenta y me mira mientras recojo mi servilleta. Me vuelvo a sentar y lleno mi vaso de nuevo. Me siento tan vacía que necesito llenar ese agujero que tengo en mi interior con algo —no me importa que sea bebida.

Presto atención a lo que están hablando en este momento y me parece oír algo sobre la mejor edad para casarse (¿será por algún casual la misma en la que Matt y Lucy lo hicieron?).

—¿Entonces estás en contra del matrimonio? —pregunta Lucy a Simon, cubriéndose la boca con decoro para disimular el hipo.

—No está en contra de nada, lo que pasa es que todavía no ha encontrado a la mujer adecuada, ¿verdad, Simon? —sentencia Olivia. A continuación me lanza una mirada más que clara.

¡Dios!, acaba de decir eso por mí.

—No estoy en contra del matrimonio en sí mismo. De lo que estoy en contra es de la mayoría de los matrimonios —explica Simon—. O para ser más exactos de las razones por las que la mayoría de la gente dice casarse.

—¿Como el amor verdadero? —pregunta Lucy.

—Casi nadie se casa con la persona a la que realmente ama, sino con la que está cuando cumple los treinta —replica Simon—. Exceptuando los presentes, por supuesto.

191

Eso último me parece un insulto de lo más elegante, porque lo que de verdad parece estar diciendo es «especialmente los presentes». Es igual que cuando uno dice «con el debido respeto» y en realidad el respeto le importa un bledo.

—Escucha esto, lo que Simon está diciendo es que todos nos casamos con quien estamos cuando cumplimos los treinta sin que el amor tenga nada que ver con esa decisión —comenta Olivia, tirando de la manga de Ben cuando este termina de repartir los cuencos con el postre y se vuelve a sentar a la mesa.

—Yo no he dicho que al amor no tenga nada que ver. —Simon se cruza de brazos—. ¿Lo veis? Esto es lo que pasa cuando se discute sobre este asunto con las mujeres. Que al final terminan gritándote. ¿Qué es lo que realmente piensa una persona cuando decide casarse con alguien: «Es él/ella mi media naranja, la persona a la que estaba destinado» o «No tengo ganas de seguir buscando lo que hay por ahí fuera. Además te tengo mucho cariño»?

—Pero, aunque te hayas casado pensando esto último, ¿no crees que la verdadera pregunta es si vas a estar dispuesto a respetar o no los votos matrimoniales? —pregunta Ben.

—¡Oye! —su mujer le da una palmada en el brazo.

—No estoy diciendo que yo lo hiciera. Lo que quiero decir es que en este caso los motivos importan menos que las intenciones.

—Todas las relaciones dependen del momento —digo con cuidado de mirar solamente a Simon.

—Supongo que sí —acuerda él.

—A ver si lo he entendido —interviene Matt, poniéndose en modo consultor, como si un mayorista le hubiera cobrado demasiado por los cartuchos de tóner la impresora y estuviera buscando el error en la factura—. ¿Qué problema hay en casarse porque no tienes ganas de seguir buscando? ¿Cómo sabes que, como tú has dicho, «ahí fuera» hay algo mejor?

Simon se encoge de hombros.

—No lo sabes, si no lo buscas. Lo único que digo es que quiero ser yo el que escoja mi vida, no que la vida me escoja a mí. No hay que hacer lo correcto para recompensar a alguien por los largos servicios prestados, si ya has tenido suficiente de ella. Hay que apuntar más alto.

Matt pone los ojos en blanco.

—Incluso si quieres tener hijos y has alcanzado una determinada edad, ¿tirarías una relación estable por la borda porque no...?

—¿Estable? ¡Estable tiene que ser una estantería, no una relación! —señala con vehemencia Simon, deleitándose en su papel de provocador nato.

Lucy y Matt le miran horrorizados.

—Pero eso significa que crees en la existencia de las almas gemelas —asevera Lucy, aferrándose a un clavo ardiendo.

—No, querida, soy un intransigente. O como prefiero llamarlo, un adulto.

—¿Pero quién es esa mujer que puede estar «ahí fuera» si no tu alma gemela? —insiste Lucy.

—Parece que sufres una pequeña confusión entre el concepto de marketing de las comedias románticas con los hechos científicamente probados —replica Simon.

Empiezo a reírme, a pesar de que he intentando permanecer lo más seria posible.

—¿Qué te hace tanta gracia, Woodford? —pregunta Ben desde la otra punta de la mesa, obligándome a mirarle por primera vez desde lo de «pasable».

—Simon... Es incisivo y mordaz como cualquier buen abogado que se precie. —Sacudo la mano—. No te detengas. Perdonad. Estabais hablando de las almas gemelas.

—¿Quieres decir que no existen? —inquiere Lucy.

Él suspira.

—En todo el planeta hay un porcentaje de personas con las que puedes llegar a ser razonablemente feliz. El alma gemela es en realidad una entre seis mil. Depende de uno que se cruce en su camino y de cuándo se cruce. Ser miembro del club del cero coma cero, cero, cero, cero, lo que sea, por ciento entre los más de seis mil millones que poblamos la Tierra sigue siendo una suerte. Y cualquier mujer que no lo entienda es que tiene un problema de comprensión numérica.

—O no entiende lo afortunada que es de pertenecer a tu club de las seis mil —digo yo.

Intento hacer que Simon pique el anzuelo, pero él se lo toma como un apoyo hacia su postura.

—Naturalmente —concuerda él y me guiña un ojo.

Veo que Lucy se revuelve en su asiento. Ha debido de interpretar nuestro intercambio de palabras como una traición al género femenino. Tengo la sensación de que se cree el epicentro del universo y de que solo entiende las cosas a su manera.

—Creo que acabas de bajar muchos puntos en el ranking de popularidad, Simon —dice Ben.

—Sois una panda de cínicos —refuta su amigo—. De hecho, lo que estoy diciendo puede considerarse como una oda al romance.

—No creo que lo que estás comentando sea en absoluto romántico —dice Ben con aspereza—. Todo el mundo termina perdiendo el encanto de la novedad tarde o temprano. Uno tiene más posibilidades de ser feliz con alguien que conoce bien que con otra alternativa inalcanzable que haya puesto en un pedestal y que aspire a conseguir. Eso del amor a primera vista es una tontería. Es solo la emoción de la imaginación intentando procesar la falta de información. Ese momento en que alguien puede ser cualquier cosa, se desvanece muy pronto. Y en tu caso es mucho peor, porque tú mismo haces de la decepción algo inevitable.

Mis ojos se ven atraídos sin remedio por los de Ben, pero él se da cuenta enseguida y mira hacia otro lado al instante.

—Tener altas expectativas no significa que uno no esté nunca satisfecho, Benji, sino que rara vez lo está —dice Simon. Su voz ha adquirido una cierta fragilidad que me hace pensar que Lucy no es la única que entiende las cosas a su manera.

Siento la necesidad de romper el silencio en el que nos hemos sumido todos tras esta declaración.

—Eso es lo que no entiendo. Si te casas con alguien del que estás locamente enamorado pero la chispa termina desvaneciéndose y tomáis caminos separados, la gente dirá que tu matrimonio ha fracasado. Pero si seguís juntos durante décadas siendo unos desgraciados, de cara a la galería será todo un éxito, y solo por haber dejado las cosas tal y como están. Nadie en su sano juicio diría que el matrimonio de una persona viuda ha fracasado.

—Porque se supone que el matrimonio dura hasta que la muerte los separe. Y por definición, si la separación se produce estando ambos cónyuges vivos, entonces ha sido un matrimonio fallido —dice Ben, mirándome desapasionadamente—. O si uno mata al otro.

—Está bien. Pero no hace falta ser tan tajantes. Se podría decir que un matrimonio ha sido «todo un éxito durante un breve período de tiempo» en vez de hablar de fracaso, y «duradero» cuando ambos siguen juntos pero no son felices.

—Oh, señor —interviene Simon—. No me digas que eres una de esas personas que piensa que deberían suprimirse los deportes competitivos en las jornadas olímpicas de los colegios porque los niños se sienten demasiado presionados para ganar.

—Soy una de esas personas que piensa que lo que debería prohibirse son las jornadas olímpicas al completo.

—¿Estás segura de que no estás en contra del matrimonio porque ya no vas a casarte? —pregunta Lucy, revelando con ingenuidad que han estado hablando de más cosas de mí aparte de mi aspecto «anodino».

Me quedo sin palabras. A pesar de todo el alcohol que llevo en la sangre, esto es más de lo que puedo soportar.

—Yo no estoy en contra del matrimonio —digo con un hilo de voz.

—¿Alguien quiere más café? —canturrea Ben.

Capítulo 30

Al día siguiente tengo planificado otro importante evento social; uno mucho menos estresante: invitar a comer a mis tres mejores amigos. Normalmente, cuando llega la hora de cocinar, empiezo a arrepentirme de tener que estar pelando zanahorias —o lo que toque en cada ocasión— cuando todos nosotros podríamos estar cómodamente sentados en cualquier restaurante, pero la cena de anoche me ha recordado lo afortunada que soy al no tener amigos como Matt o Lucy.

A primera vista, el palacio de Rupa parece estar bien equipado, sobre todo por esa inmaculada cocina industrial, pero a medida que voy investigando me doy cuenta de que este apartamento es como esos hoteles modernos y súper elegantes en los que los armarios solo están de adorno y no hay ningún sitio donde colocar el neceser. La encimera es muy estrecha y en cuanto dejo sobre ella los ingredientes que he comprado para hacer la comida da la sensación de que no cabe un alfiler. Mientras lucho con las cacerolas y recipientes y abro la puerta del horno para comprobar si el pollo está dejando de tener mi tono de piel para adquirir un bronceado a lo Olivia, reflexiono sobre cómo la mujer de Ben parece flotar etérea allá donde esté. Anoche preparó y sirvió una cena para seis y sin despeinarse, sí señor, ni un solo pelo fuera de su sitio; es más, en todo momento se la vio segura de sí misma. Cuando soy yo la que tiene invitados, en cuanto veo que se ponen a masticar, no dejo de mirarles nerviosa, dispuesta a disculparme en cualquier momento. Mira que lo he intentado, pero soy incapaz de hacerlo sin estresarme. Con lo fácil que sería poner un gran cuenco de pasta en el centro de la mesa e invitar a todos a que se sirvan, o mejor aún, llevarlos a un restaurante... Veo mi reflejo en el entrepaño de vidrio de Rupa y empiezo a pensar en lo diferentes que somos la mujer de Ben y yo; tanto, que no parecemos de la misma especie, ni mucho menos del mismo género.

Rupa tiene una vajilla de lujo —blanca, cuadrada, ribeteada en plata— así que poner la mesa no me resulta nada difícil. Los utensilios de cocina son otra cosa; apenas tiene, y yo he dejado la mayor parte de los míos en mi antigua casa. Cuando Caroline llega me pilla troceando las zanahorias con un cuchillo para el pan y revisando la cocción del pollo con un palillo.

—Es fascinante observar a una consumada profesional trabajando en su hábitat natural —ironiza ella—. Es como ver a un alquimista en la cocina. ¡Oh, mira! ¡Espuma!

Llego a la sartén justo cuando su contenido se desborda.

—¡Perra desagradecida!

Caroline se ríe.

—¿Crees que Ivor se traerá ese ridículo sombrero tipo revisor de tren para que puedas servir en él el puré? —añade a continuación.

Suelta una perversa carcajada y se hace con una aceituna del plato que hay en la encimera. Mientras se la come me fijo en sus labios perfectamente pintados. Sí, se supone que cuando una va a comer un domingo con sus allegados se hace una simple coleta y se pone los pantalones más cómodos que tiene, pero no es el caso de mi amiga Caroline.

—Por ti —dice ella alzando su copa de vino y tomando un sorbo—. Oh, qué bien que me sienta salir de casa de vez en cuando. —Cierra los ojos y echa la cabeza hacia atrás.

—Podías haber venido con Graeme —comento, aunque en el fondo estoy contenta de que no lo haya hecho. Cuando sale de su territorio se muestra un poco inquieto. Si estuviera aquí, ya se habría puesto a examinarlo todo en busca de fallos. No es que Graeme sea un mal tipo, que no lo es, y está claro que mi amiga y él están hechos el uno para el otro. El problema es que está hecho justo para la parte de ella que menos se parece a mí. Tanto él como yo tenemos nuestro rol en la vida de Caroline, aunque a ambos nos desconcierta qué es lo que ella ha podido ver en el otro.

—Últimamente siempre está de mal humor —comenta, abriendo de nuevo los ojos—. Su trabajo es lo más importante. Se pasa todo el tiempo en el estudio o caminando de un lado a otro con el teléfono pegado a la oreja. El otro día estaba en el jardín, intentando hablar con alguien cuando se suponía que tenía que estar cortando el césped. Tuve que darle un grito antes de que se destrozara un pie con una de las cuchillas de la segadora.

—Bueno, ya sabes lo... mucho que le motiva su trabajo.

—Sí. Pero a veces me pregunto si algún día bajaremos el ritmo. Tenemos una casa enorme, varios automóviles, nos vamos de vacaciones a sitios estupendos... Pero lo único que hacemos juntos es ver la tertulia de turno que echan por la noche en la televisión mientras cenamos comida tailandesa para llevar. Creo que estoy preparada para dar el siguiente paso.

Caroline y Graeme se han puesto de acuerdo en tener un hijo para el año que viene, o por lo menos empezar a intentarlo. Como el par de organizados ejecutivos que son, tienen que tenerlo todo controlado al milímetro.

—Si te quedas embarazada desde luego que tendrá que bajar el ritmo.

Caroline hace un gesto de escepticismo ante lo que acabo de decir.

—Rach, ¿puedo preguntarte algo personal?

Meto las patatas en el horno, me acerco mi copa de vino a los labios y le doy un sorbo .

—Sí —digo con rotundidad.

Es agradable volver a estar entre personas que consideran educado preguntar primero antes de invadir tu intimidad.

—¿Cómo os iba a ti y Rhys en la cama?

—Hmm...

—No tienes por qué contestarme si no quieres.

—No, no. Es solo que... Da igual. Pues ni fu ni fa, era un poco rutinario. Cuando salía con sus amigos y llegaba tarde a casa, oliendo a tabaco cuando se suponía que había dejado de fumar, solía susurrarme: «¿Te apetece que echemos un polvo al aire?». Por supuesto yo le corregía y le decía que era «cana», no «polvo» y nos poníamos a ello.

—¡Qué bien! —Caroline pone los ojos en blanco.

—Te recuerdo que hemos roto.

—¡Ya lo sé! Estaba siendo irónica. De todos modos, vosotros que lo habéis dejado, lo hacíais más veces que Gray y yo.

—Caroline, Rhys y yo no hemos roto por el sexo, o la falta de él.

—Lo sé. —afirma mientras se dobla los puños del fino y suave suéter que lleva—. De un tiempo a esta parte mi novio tiene la misma libido que un panda.

—¿Y eso es mucho o poco?

—Bueno, los zoológicos los suelen traer de China y cuando una hembra se queda preñada el acontecimiento sale en las noticias de todas las cadenas de televisión. ¿Tú qué crees?

—Ah, tienes razón.

Ella asiente y se come otra aceituna. Cuando nos disponemos a continuar con la conversación nos interrumpe el timbre. Doy la bienvenida a Mindy e Ivor y les sirvo una copa de vino a cada uno.

—¡Por la nueva Rachel! —exclama Mindy. Mientras todos brindamos me acuerdo de cuando lo hicimos anoche por Ben y Olivia.

Desde que he conocido a la mujer de Ben, apenas me he parado a pensar en lo mucho que la envidio. Y no porque no lo haga, sino porque si empiezo no pararía nunca y terminaría consumiéndome poco a poco como una piedra caliza bajo la lluvia ácida. Lo que sí es cierto es que es una pena que no tenga mucho sentido del humor, ya que Ben sí lo tiene y hace gala constante de ello. Cuando Lucy dijo que creía que su hijo podía tener TDAH y Simon preguntó: «¿Por qué no le dices que me venda un poco? Pero que me haga un buen precio, ¿eh?», Ben y yo nos echamos a reír, pero lo único que hizo Olivia fue arrugar su encantadora nariz. Creo que Ben debería haberse buscado una mujer no solo con una nariz bonita sino con más sentido del humor.

Al final, aunque mis amigos han tenido que tomarse una copa de vino más de la que había previsto, he conseguido terminar el asado —incluso se puede comer— y lo sirvo en la pequeña y sencilla mesa estilo *Shaker* de Rupa.

—Cuéntanos cómo fue tu cita, Mind —la animo en cuanto tengo todos los platos listos.

—Pues me lo pasé muy bien. El jueves vamos a ir a ese nuevo restaurante que hay en Deansgate. Jake está haciendo un máster en negocios internacionales, así que estamos hablando mucho de mi empresa.

—¿Por qué no le ofreces un trabajo a tiempo parcial, para que lo pueda compatibilizar con sus estudios? —ironiza Ivor.

—Al menos yo salgo con alguien, Ivor, da igual que se acuerde del gobierno de John Major o no.

Ivor suelta un gruñido y se sirve otra patata.

—Oye, ¿y cómo te fue a ti con tu cena? —pregunta Caroline.

—Bien. No tengo mucha práctica con ese tipo de veladas pero no se me dio mal.

—Venga, cuenta, cuenta, ¿cómo es la mujer de Ben?

—Guapa...

—Por supuesto —acuerda Caroline.

«Sí, pero no todo es natural. Me da que le gusta mucho visitar las cabinas de rayos UVA.» El pensamiento ha venido a mi cabeza antes de que pudiera reprimirlo.

—... y simpática. Aunque tampoco pude hablar mucho con ella. También estaban unos amigos que le daban demasiado a la lengua.

Les cuento brevemente la conversación sobre los niños, entre otras cosas.

—¿La mujer de Ben te preguntó si querías tener hijos? —pregunta Mindy.

—Sí.

—Me parece algo fuera de lugar.

—¿Sí?

—Sí. Eso es algo que no se le dice a alguien que acaba de dejarlo con su novio. Imagínate que tienes problemas ginecológicos o algo parecido y esa es la razón por la que has roto.

Ivor emite un gemido entrecortado.

—¿Qué? —continúa Mindy—. Lo digo en serio. ¿Y si Rachel le hubiera contestado: «Mi cuerpo no funciona como debería» o «Tengo un cuello uterino que no sirve para nada»?

Estoy a punto de atragantarme con las coles de Bruselas.

—Seguro que desearían no haber oído algo así, como me está pasando a mí en este preciso instante —dice Ivor.

—Un cuello uterino que no sirve para nada es algo serio. ¡A mi tía le pasó! Cuando se quedó embarazada de mi prima Ruksheen tuvo que guardar reposo absoluto durante tres meses. Tener que pasar por un trauma así no merece la pena. Además, Ruksheen es una arpía de mala muerte.

—Esto es increíble —comenta un asombrado Ivor.

—¿El qué?

—Como has pasado de hablar de la cena de Rachel a un miembro de tu familia en menos que canta un gallo.

—Gracias por tu preocupación —le digo a Mindy cuando consigo dejar de reírme.

—La gente puede aprovecharse de tu sentido del humor —declara Mindy con total convicción.

—¿Y a ti cómo te va? —pregunto a Ivor.

—Bien, gracias. Katya se marcha por fin. Me lo dijo el otro día. Se va de viaje a Sudamérica a finales de mes.

—Adiós a la bruja vegetariana, ¡ya era hora! —exclama Mindy mientras se alisa la falda azul.

—Bueno, en realidad no era tan mala —dice Ivor, frotándose un ojo con fruición.

—¡Venga ya, Ivor! —se queja Mindy—. ¿Cuántas veces hemos tenido que aguantarte con «Katya esto», «Katya lo otro», «Katya ha tirado todas mis salchichas caseras a la basura», «Katya ha colgado un símbolo de fertilidad africano y me ha hecho un agujero enorme en la pared», «Katya me ha obligado a ver un documental entero sobre las granjas de zorro blanco para hacer abrigos de piel y no he podido pegar ojo en una semana»?

—No creo que dijera una semana —comenta él mirándonos a Caroline y a mí en busca de ayuda.

—Y ahora que se va «en realidad no era tan mala». ¡Eres una auténtica nenaza!

—Lo único que digo es que es más fácil de sobrellevar cuando hay un final a la vista.

—El final llegaría antes si... —Mindy se detiene porque Ivor está haciendo el gesto del parloteo incesante con una mano.

—¿Entonces vas a volver a ver a Ben y a Olivia? —me pregunta Caroline.

Una pregunta difícil. Es hora de dejar caer la bomba.

—Puede. Tengo una cita con Simon.

—¿El Simon que conocimos?

—Sí. El abogado amigo de Ben —añado para que Ivor y Mindy sepan de quién estamos hablando.

—¡Eso es fantástico! ¿Y a qué se debe el cambio de opinión? —A Caroline le ha asombrado tanto la noticia que casi se le cae el cubierto al suelo.

Me temo que la anticipación a esta reacción es lo que me ha hecho cambiar de opinión. Si todo el mundo está pendiente de lo que pasa con Simon, nadie meterá sus narices en otros aspectos de mi vida. ¡Tachán! Para mi próximo truco, necesitaré un voluntario.

—Me he dejado llevar por el espíritu aventurero —digo vagamente.

—Qué bien, Rach.

—¿Y cómo es? —quiere saber Mindy.

—Sí, por favor, cuéntanoslo todo, altura, peso, número de cuenta, si se hiciera una película sobre su vida qué actor lo interpretaría... —recita Ivor, mirando con guasa a Mindy.

—Alto, rubio, elegante, seguro de sí mismo, irónico. Hmm, tipo Christian Bale con el pelo más claro.

—Un buen partido —concluye Caroline a pesar de que tiene la boca llena de pollo. ¿De verdad quiero cazar a Simon? Estoy bastante segura de que no—. Sé que todavía es pronto pero no hay que dejar escapar ninguna oportunidad —continúa después de tragar.

—Sí, eso es lo que pensé.

En realidad no lo hice. Recuerdo cómo Simon me agarró del codo cuando me disponía a marcharme y murmuró: «¿Puedo volver a verte?». Y «sí» me pareció la respuesta más educada. Además, después de haber escuchado su discurso de «solo quiero lo mejor de lo mejor» me sentí halagada de que me pidiera aquello, aunque estaba convencida de que eran solo bravuconadas.

—¿Y cuándo habéis quedado?

—No lo sé. Me dijo que ya me llamaría. Sigo pensando que no somos en absoluto compatibles, pero supongo que no pierdo nada confirmando esta suposición.

—Ese es el espíritu. —Una satisfecha Caroline bebe un sorbo de su copa y mira a su alrededor con admiración—. ¿Sabes?, este lugar vale lo que cuesta. No todo, pero casi. Aunque Rupa tenga menos utensilios de cocina de los que teníamos en nuestra casa de estudiantes.

—Creo que ahora es el momento de preguntar por qué has servido la salsa en un florero —arguye Ivor.

Capítulo 31

El teléfono de pago que había en la residencia no fue la primera señal de que el encargado era un usurero. De modo que decidimos salir de allí. El anuncio que vimos en el que se promocionaba una maravillosa casa independiente para alquilar a estudiantes decía que se trataba de una vivienda con tres habitaciones —y en ese momento no contábamos con Ivor, que se había ido un año a hacer prácticas fuera.

—¿Qué hay ahí? —preguntó Caroline al final de la visita, moviendo el picaporte de una puerta que se encontraba en la planta baja.

El casero nos miró nervioso como si mi amiga fuera la nueva mujer de Barba Azul intentando entrar en su habitación prohibida.

—El dormitorio de Derek —dijo el hombre, como si todo contrato de arrendamiento viniera con un «Derek» incluido—. Seguirá aquí, por eso el alquiler es tan bajo.

Las tres intercambiamos una mirada. No era tan bajo.

—Derek. —El casero llamó con los nudillos. A los pocos segundos el susodicho abrió la puerta. Se trataba de un tipo corpulento y sudoroso que medio gruñó un «hola» a modo de saludo. Había terminado la carrera de astrofísica, lo que explicaba por qué tenía un telescopio en el alféizar de la ventana.

Pusimos pies en polvorosa y nos fuimos a tomar un café al bar más cercano, donde estuvimos de acuerdo en que no se nos pasaba por la imaginación el mudarnos a una casa que tenía un inquilino permanente tan raro. Un café y un pastel de zanahoria después, consiguieron que empezáramos a hablar de lo espaciosas que nos habían parecido las habitaciones, las otras casas con olor a moho que habíamos visto antes que esta y que Derek tampoco nos suponía un problema —siempre que cerráramos los ojos y nos tapáramos la nariz—. Al final volvimos a llamar al casero y le dijimos que nos la quedábamos.

Por suerte, Derek parecía llevar una existencia fundamentalmente nocturna y pasaba la mayor parte de los fines de semana en casa de su familia, en Whitby. Sí, donde desembarcó Drácula. No hay más preguntas, señoría.

Y también estuvo ausente la noche que tuvimos nuestro primer acontecimiento social importante después de mudarnos: una fiesta de Halloween en la asociación de estudiantes. Me había pasado todo el día con un virus estomacal y vomitando prácticamente cada hora, lo que me ayudó a comprobar de primera mano todos los rincones que se nos habían pasado a la hora de limpiar el baño. Estaba muy indignada por encontrarme en ese estado sin haber bebido una gota de alcohol, y porque veía que, tal y cómo iban las cosas, tampoco lo haría esa noche.

Bajé las escaleras y me encontré a una vampiresa muy atractiva y a una bruja de tez más oscura con medias a rayas que llevaba una gigantesca botella de sidra, mirándome mientras me tambaleaba hasta el vestíbulo para decirles adiós.

Caroline me tocó la frente con la mano. Llevaba las uñas pintadas de negro y agradecí lo fresca que sentía su piel contra la mía.

—«Estásfardiendo»

—¿Qué?

Se sacó de la boca los colmillos de plástico.

—Que estás ardiendo. ¿Quieres que me quede?

—No, no te preocupes.

—¡Nos tomaremos una copa a tu salud! —dijo Mindy, alzando la sidra y ajustándose el ala de su sombrero de bruja.

Las náuseas volvieron a apoderarse de mí.

—Gruuuacias —dije a toda prisa, como si también llevara unos colmillos falsos.

Una hora después volvieron a llamar a la puerta.

—¿Quién es? —grité sin abrir.

—Una visita que se está helando de frío aquí fuera —respondió una voz familiar.

Dejé pasar a Ben. Venía con el abrigo abotonado hasta la nariz, y se lo bajó unos centímetros para poder hablar.

—¿Cómo estás?

—Echa un asco —dije con cuidado.

Era consciente de que me estaba viendo con mi grueso pijama de algodón; el que llevaba unos sonrientes animales de granja tocando diversos instrumentos.

—¿Dónde está tu disfraz? —pregunté para desviar su atención.

—Ir disfrazado es una manera atroz de arruinar una fiesta. Me resulta divertido ver como todo el mundo está allí, intentando parecer lo más macabro y aterrador posible, y tú aquí, con pintas de estar más muerta que ellos.

—¿Has venido solo para decirme eso?

—No, he venido a ver cómo te encuentras. ¿Has tomado algún medicamento?

—Sí, hace un rato, dos paracetamoles.

Dos pastillas que encontré en el fondo de mi neceser, y una de ellas venía con un pelo pegado que tuve que quitar. El recuerdo vino acompañado de más náuseas.

—Bien —dijo Ben—. Voy a por los víveres. Hazme sitio en el sofá.

—Ben, no tienes por qué hacer esto.

—Ya lo sé.

* * *

—Aquí tienes —dijo Ben cuando regresó, pasándome unas pastillas con un vaso de agua—. Te vendrán muy bien, pero son un poco fuertes. ¿Estás tomando alguna otra medicación?

—Solo la píldora.

Hizo una mueca.

—No necesitaba saberlo.

Me metí las pastillas en la boca y me las tragué sin necesidad de beber un vaso de agua.

—Jesús.

—Tengo toneladas de saliva en la boca —expliqué.

—Genial —replicó él con una sonrisa forzada.

Terminó de sacar todo lo que traía en la bolsa del supermercado: agua mineral, Coca Cola, patatas fritas, un bote de galletitas saladas, un complejo vitamínico y más paracetamol.

Le miré de reojo.

—¿No te importa perderte la fiesta?

—Para que te hagas una idea, te daban la bienvenida con un cóctel que se llamaba «el brebaje de la bruja».

—¿Crees que funcionará con las brujas de verdad?

—Pues no sé qué decirte.

—Es fácil, ¿sabía a Georgina Race?

Ben me golpeó en la cabeza con la guía de la televisión.

—Caroline me dijo que parecías un lémur huérfano recién levantado un lunes por la mañana. Entonces pensé, oh, mierda, sé perfectamente a lo que se refiere, y mi conciencia me obligó a venir y quedarme.

—¡Un lémur huérfano! —solté una carcajada, emocionándome por el afecto que me estaba demostrando.

Me acomodé en mi parte del sofá y empezamos a discutir sobre lo que íbamos a ver, decidiéndonos al final por *El club de los cinco*.

—En pocas palabras, eres como ella —dijo Ben tras unos minutos, señalando al personaje que interpretaba Ally Sheedy, que en ese momento estaba escondida bajo la capucha de su *parka*.

—¿La mentirosa compulsiva? Pues tú eres el friki con el cuerpo del atleta, o sea, Anthony Michael Hall atrapado en el cuerpo de Emilio Estévez.

—Pero que maquiavélica eres. Por lo menos no crees que sea solo el atleta. ¿Sabes cómo me llamó el año pasado una alumna en el pasillo de la facultad? «Don Aburrido»

—¿Qué? ¿Por qué?

—Dijo que era... —Veo un ligero rubor en su rostro—. Que era como un maniquí, «un tipo agradable», que me llevaba bien con todo el mundo, pero que no dejaba de ser un insulso. Que te tilden de aburrido es lo peor que te puede pasar. Si alguien te llama imbécil puedes intentar mejorar y dejar de serlo, pero si alguien aburrido intenta hacerse el interesante... lo más probable es que termine siendo aún más aburrido.

—¡Vaya una tontería! —grité—. Seguro que le recordabas a algún compañero de instituto que le hizo algo y la estaba tomando contigo. No hay nada malo en ser una persona agradable.

—Sí claro, agradable —sonrió él, aunque acto seguido hizo una mueca de disgusto.

—De acuerdo, llamémoslo mejor «ser buena persona». Atento, pero no un imbécil. Que hace que la gente se sienta bien a su lado, pero no aburrido. Ella no te conoce lo suficiente como para saber que eres alguien que está por encima de las apariencias. Creo que estaba confundiendo aburrido por amable.

De pronto me di cuenta de que estaba hablando más de la cuenta así que clavé la vista en la televisión.

—Gracias. —Parecía satisfecho, y hasta un poco sorprendido.

Abrió la bolsa de patatas y me ofreció comerme algunas, pero en cuanto las olí salí disparada escaleras arriba, en dirección al baño. Después de lavarme tres veces los dientes, volví a salón, pálida y demacrada.

—Míralo por el lado bueno, al menos tus pulmones parecen funcionar a la perfección.

—Sí, igual que la capacidad de expulsión de mi estómago —repliqué.

Ben se puso una mano sobre la boca, dejó las patatas encima de la mesa y alzó un pulgar en señal de aprobación.

Media hora después, a pesar de que lo único que había pasado por mi garganta era un poco de agua mineral, volvieron a entrarme náuseas. En esa ocasión no me dio tiempo a subir las escaleras, así que me fui directa al baño que había en la habitación de Derek, intentando no mirar nada de lo que allí hubiera. Me retiré el pelo y me incliné sobre la taza. Cuando terminé me obligué a incorporarme y fui hacia el lavamanos a enjuagarme la boca. Oí cómo golpeaban suavemente la puerta con los nudillos y al segundo siguiente Ben asomó la cabeza.

—¿Mejor?

Hice un gesto de asentimiento sin importarme lo incómodo de la situación. No aguantaba más, me sentía agotada. Al borde de las lágrimas, sentí una especie de regresión a mi infancia.

—No quiero seguir estando enferma, Ben. Estoy muy cansada —gimoteé.

—Lo sé.

—Quiero a mi mamá —contemplé, medio en broma medio en serio.

—¿Qué es lo que haría tu madre en este caso?

Alcé los brazos, derrotada.

—Me daría un abrazo y me prepararía limonada caliente.

—Pues tendrás que conformarte conmigo y con el complejo vitamínico.

Se acercó a mí y me abrazó. Que me arropara de esa forma alguien más fuerte y sano que yo, hizo que me sintiera protegida. Apoyé la cabeza sobre su camisa y estuvimos así durante un rato. Dejé de ser consciente de mí misma, mientras permitía que me sostuviera por completo.

—Eres una buena madre —terminé murmurando.

—Siempre he mantenido la esperanza de que un día la mujer de mis sueños me dijera esto mismo —dijo, acariciando mi cabello manchado. Si hubiera tenido las fuerzas suficientes, le hubiera dado un golpe en las costillas.

Capítulo 32

El mayor golpe de efecto en los juicios de las películas no es el número de veces que los abogados gritan «¡protesto!» o las caminatas que se echan de un lado a otro frente al jurado, intentando tocar sus tiernos corazones. No. Es la intensidad y fluidez de los diálogos. Pues bien, olvidaos de todo eso. Los juicios reales están cargados de una pedantería que te nubla la mente y de explicaciones extremadamente detalladas de los hechos.

El fiscal del caso de la liposucción lleva la última media hora hablando de las minucias de la anestesia con una enfermera. Tengo un dolor de cabeza monumental y la absoluta convicción de que jamás de los jamases voy a someterme a una intervención quirúrgica como esta. Algunas causas judiciales van tan lentas que creo que terminaré jubilándome y tendré que pasarle la historia a mi sucesor. Tras otro rato más, el juez anuncia que hará un receso porque necesita examinar la última documentación aportada por las partes. ¡Ajá! Seguro que también quiere ojear alguna revista del corazón.

En la sala de prensa, abro el portátil y me pongo a mirar el correo electrónico. Veo algunos mensajes de mis compañeros de trabajo que llevan títulos como «Cuidado. No leer en el trabajo. Te vas a morir de la risa». Los voy comprobando uno a uno hasta que me encuentro con uno cuyo remitente es Ben Morgan.

El corazón empieza a latirme cada vez más rápido. Algo que me reprocho a mí misma.

Intento calmarme y lo abro.

¡Hola!
¿Qué tal te lo pasaste el sábado? Lo siento si Simon fue... demasiado Simon.

Ben.

Lo vuelvo a leer y contesto:

¡Hola! Me lo pasé muy bien, gracias por invitarme. ¿Cómo has conseguido mi dirección de correo electrónico?

La respuesta llega en menos de un minuto con el título de «Menos mal que no eres periodista de investigación» y reza:

Aparece debajo de todos los artículos que publicas en el periódico.

Suelto una carcajada y vuelvo a contestar:

En cuanto a Simon, es muy divertido.

Ben me responde:

No estábamos intentando tenderte una emboscada, disculpa si te lo pareció. Algunos invitados nos avisaron de que no podían venir y nos dimos cuenta de que podía malinterpretarse cuando ya era demasiado tarde.

Por la conversación que escuché me doy cuenta de que, de ser cierto, solo es aplicable a Ben, no a Olivia. Da la sensación de que Simon le ha dicho que tenemos una cita pendiente, aunque tampoco lo tengo del todo claro.

Tranquilo.

Me gustaría devolveros la invitación y que vengáis a la fiesta de inauguración de mi nueva casa.

¿De verdad estoy pensando en hacer una fiesta de inauguración? Menos mal que mi subconsciente ha tenido el detalle de avisarme.

¡Nos encantaría! Solo dime dónde y cuándo.
Ahora te dejo, que tengo que volver al duro trabajo.

B.

Me despido también y vuelvo a releer toda la conversación. Estoy en ello cuando Gretton irrumpe en la sala, destilando olor a tabaco por los cuatro costados.

Tararea por lo bajo mientras se acerca a una pila de periódicos sensacionalistas para ver si sale alguno de sus artículos. Como no forma parte de ninguna plantilla, la mayoría de los diarios publica sus historias bajo el nombre de alguno de sus empleados o directamente sin nombre. No obstante, le pagan por ello, y para él eso es lo más importante.

—Te veo contento —comento desconfiada.

—*Tengo el corazón contento, el corazón contento y lleno de alegría...* —me contesta cantando.

—¿Qué es lo que te has fumado hoy, Pete?

Se hace con un ejemplar de la prensa deportiva, lo abre de forma exagerada y desaparece detrás de él.

En ese momento me llega un correo de Simon con los detalles de la entrevista con Natalie Shale. Al final tiene una posdata que dice:

Cuando todo esto termine, saldremos a tomar una copa juntos. Ya sabes, la obligación va antes que la devoción.

Eso me hace reír. Simon es lo suficientemente inteligente como para no invitarme a salir antes de que hayamos cerrado nuestro trato. Pero, una vez que lo hagamos... no intentará entrar en mi casa en la primera cita, ¿no? No tiene pinta de ser de esos, aunque tampoco estoy muy al tanto de cómo se desenvuelven las citas de hoy en día. Tampoco estoy segura de querer relacionarme con alguien con el que no me vea entrando en mi casa, pero Caroline dice que esto es lo que debo hacer y mi amiga siempre ha tenido mucho sentido común.

Zoe entra en la sala y deja caer sus bocadillos envueltos en papel de aluminio y sus papeles sobre la mesa.

—Zoe. ¿Te puedes hacer cargo del caso de la liposucción este viernes? Tengo hecho casi todo el trabajo y si hubiera una sentencia antes de ese día te mandaría un mensaje.

—Sin problemas. Se lo mencionaré a los de redacción pero no creo que pongan ninguna pega. ¿Es para tener más tiempo para lo de tu entrevista?

—Sí.

—Muy bien. ¿Alguien quiere un café?

Hago un gesto de negación y ella se marcha. Me doy cuenta de que Gretton no la quita ojo hasta que desaparece de nuestra vista.

—¿Es que no tienes ni una pizca de orgullo, Woodford?

—¿Perdón?

—Es una roba historias. No esperes que respete tu trabajo.

—¿Qué te pasa? ¿Alguna vez has confiado en alguien y no te has visto recompensado?

Abre la boca y se relame como si estuviera meditando la respuesta.

—Pues no.

—Entonces eso debería decirte algo.

—Teniendo en cuenta que soy diez años mayor que tú, a la que debería decirle algo es a ti.

—¿Diez? Quince como mínimo.

Capítulo 33

La casa de Natalie Shale es uno de esos adosados de ladrillo de antes de la guerra que tanto se ven en las afueras de Manchester. Toco el timbre y oigo la melodía correspondiente. Me cuadro y me pregunto si los vecinos me estarán viendo desde detrás de las cortinas. Natalie abre la puerta y me quedo sorprendida de lo guapa que es al natural, incluso en un día normal y corriente como este y vestida así, con una camiseta de tirantes y unos pantalones de chándal.

—¿Rachel? —pregunta con cautela, como si por su puerta hubieran desfilado un sinfín de falsas Rachel Woodford esta mañana. De pronto me imagino a Gretton con una peluca negra, embutido en una falda tubo y con los pelos de las piernas transparentándose debajo de las medias y estoy a punto de que me dé una arcada.

—Sí. Soy yo, Simon lo arregló todo. Gracias por concedernos esta entrevista.

—De nada. Entra, por favor.

La sigo hasta el salón, me siento en el sofá y saco mi cuaderno de notas. Entonces me doy cuenta de que ha colocado una grabadora en la mesa de café.

—¿No quieres grabarla también? —pregunta, percatándose de hacia dónde estoy mirando.

—No, prefiero la taquigrafía. No me fío de estos aparatos.

—Oh. —Natalie mira el dispositivo confundida, como si fuera a morderla de un momento a otro—. Lo siento, Simon me dijo que era mejor que la grabara.

¿Por qué no me sorprende?

—Claro —digo yo. Eso hace que Natalie se tranquilice. No es mi intención generar en ella ningún tipo de malestar—. El fotógrafo vendrá a las dos —le recuerdo—. ¿Te viene bien?

—Sí —sonríe—. No te preocupes. Para entonces ya me habré cambiado de ropa—. ¿Te apetece un té?

—Gracias. Con leche y sin azúcar.

Mientras prepara la bebida, echo un vistazo al salón y tomo algunas notas mentales para darle una nota de «color» a la entrevista. Podía escribirlas en el cuaderno pero no me parece educado anotar cosas sobre la casa de una persona cuando esta está ocupada con la tetera. Veo que hay fotografías de sus hijas en casi todos los rincones. Si tuviera unos hijos tan guapos como sus gemelas también llenaría mi casa con sus fotos. La que parece ser más reciente es una en que las niñas salen vestidas con petos idénticos y llevan el pelo rizado recogido en coletas. En casi todas salen riendo, con sus boquitas abiertas, enseñando los dientes de leche. Sobre la repisa de la chimenea reposa un retrato enorme que muestra a Natalie con sus hijas, en fila, como si estuvieran sentadas en una canoa, con las manos de la madre apoyadas en los hombros de las niñas.

Es la típica imagen en la que todos salen descalzos, vestidos con *jeans* y sonriendo felizmente, pero que por alguna razón me recuerda a una de esas familias disfuncionales de Estados Unidos en las que el hijo adolescente termina disparándoles a todos en el garaje.

La televisión está encendida con el volumen muy bajo. En este momento hay un anuncio sobre un jabón importado de los Estados Unidos. En general el salón desprende un ambiente tranquilo. Uno nunca adivinaría el terrible trauma por el que están pasando las personas que viven aquí.

—Espero que no esté muy suave. —Natalie regresa con dos tazas en la mano—. Lucas siempre dice que parece que me tomo un té para bebés en vez de uno como Dios manda.

Me pasa una de las tazas y veo que tiene grabada la inscripción de «al mejor padre del mundo». Me pregunto si lo habrá hecho a propósito o si estaba tan concentrada preparando el té que ni se dio cuenta.

—No te preocupes —digo, dándole un sorbo.

A lo largo de mi carrera he visto muchas tazas de té —mejores, peores, con olor a leche rancia, limpias, mal lavadas... ofrecidas todas ellas por anfitriones que suelen fallar estrepitosamente a la hora de acompañarlas con unas galletitas—, y siempre intento beberme hasta la última gota. Al fin y al cabo vienen acompañadas de una noticia o un posible artículo.

—Tienes unas hijas preciosas —digo, señalando una de las fotos.

—Gracias. Ahora mismo están en la guardería, de lo contrario esto sería un caos y resultaría imposible hacer la entrevista. ¿Tienes hijos?

—No. —La respuesta tan categórica hace que parezca como si estuviera juzgando a los que sí los tienen, así que añado de forma cortés—: Aunque no lo descarto en un futuro.

Nos quedamos unos instantes en silencio mientras lo bebemos.

—Simon me ha dicho que podemos hablar de todo menos de las pruebas que se van a presentar en la apelación, ¿verdad? —pregunto.

—Sí. —Natalie deja su teléfono en la mesa de café, junto a la grabadora.

Paso las hojas de mi cuaderno hasta llegar a una en blanco y me dispongo a comenzar con la entrevista. ¿Qué debería preguntarle primero? ¿Cómo se conocieron Lucas y ella o paso directamente al meollo del asunto? Algunos entrevistados necesitan unas cuantas preguntas de calentamiento; otros, sin embargo, tienen una capacidad de atención limitada.

—Oh, mira, ¡ahí está! —exclama Natalie como una niña pequeña mientras alza el cuello para ver bien lo que hay detrás de la ventana. Este comportamiento me hace pensar que podría encontrarse entre el segundo tipo de entrevistados—. Lo siento, se trata de mi amiga Birdie. Acaba de llegar de vacaciones y tengo que hablar con ella sobre su gato. ¿Te importa?

—No, no —digo yo—. Adelante.

Veo cómo Natalie sale al porche y se encamina hacia la robusta y despeinada Birdie que va vestida de negro y parece la típica cliente de adivinos y gente que lee las cartas del tarot.

Natalie empieza a hablar y a gesticular, me parece que sobre el gato. La verdad es que resulta digno de admiración que una persona se preocupe por la mascota del vecino cuando tiene a su otra mitad en la cárcel por un crimen que no ha cometido. Dejo de mirarlas e intento concentrarme de nuevo en la televisión, que sigue con los anuncios. Supuestas entidades financieras que prometen salvarte de otras entidades de la misma calaña a base de cómodas cuotas mensuales y una cuchilla multiuso que asegura convertir en un juego de niños el arte de cortar frutas y verduras.

Si consigo sacar adelante esta exclusiva y le añado las suficientes florituras, puede que me lleve algún galardón de la prensa. Así Natalie podrá sentirse orgullosa al saber que su trauma me ha proporcionado una velada alegre, con sus consabidas palmaditas en la espalda, en Birmingham o Londres, en donde podré beber champán francés, conseguir mi ronda de aplausos y combatir la atención indeseada de los compañeros que estaban nominados junto a mí y que no se han llevado el premio.

Salgo de mi ensimismamiento periodístico y me fijo en que la mujer sigue hablando aún con su vecina. En ese mismo momento, suena un mensaje de texto en su móvil y en la pantalla se ilumina un icono circular de color azul.

Un perverso pensamiento cruza por mi mente; tan perverso que hasta yo misma me sorprendo. «Lee el mensaje. Estás tú sola, nadie te ve, ¿por qué no?». La mayoría de los reporteros que conozco no dudarían ni por un segundo. Ya utilizamos bastantes artimañas para colarnos en las casas de la gente como para que esto se considere un delito. Algunos periodistas incluso creerían que es mala praxis no leer el mensaje. ¿Soy uno de ellos?

Mi cerebro empieza a trabajar a toda velocidad. Si lo leo tendría que borrarlo, o si no se daría cuenta. ¿Y si se trata de algo urgente y no puedo contárselo sin confesar lo que he hecho? ¿O si la persona que lo ha enviado quiere saber por qué no le ha contestado, se lo comenta y entre ambos atan cabos y terminan descubriéndome?

«Oh, por Dios, Rachel, deja de ser tan miedica.» Casi todos los mensajes de texto son tan importantes como los que Rhys solía enviarme de manera encubierta cuando jugaba al Trivial en el *pub* y no se sabía la respuesta: «¿De qué año es la película *Dirty Dancing*? ¡Venga, date prisa!». O tan paranoicos como los de mi madre: «Cariño, ¿te has hecho ya la revisión anual con tu ginecólogo? A Wendy, mi compañera de trabajo, le han diagnosticado cáncer de ovarios». Cáncer, eso sí que es algo de lo que preocuparse, no de leer un mensaje que no es para ti.

Alargo la mano pero vuelvo a dejarla en su sitio rápidamente. ¿En qué estoy pensando? ¿Dónde están mis principios? Vuelvo a mirar por la ventana. Natalie sigue hablando. Los segundos van pasando.

Me imagino a Simon preguntándome cómo ha ido la entrevista. (Que lo hará seguro). ¿Me despreciaría si se llegase a enterar? Es un hombre con el que estoy planteándome salir. Y si esto termina dándome un indicio de lo despiadado o no que puede llegar a ser, me evitaría una angustia tremenda en el plano sentimental, ¿no? Creo que esto último acaba de inclinar definitivamente la balanza. Me convenzo de que lo que voy a hacer solo va un «poquito» en contra de mis principios y que Natalie nunca se va a enterar. Compruebo que sigue enfrascada en la conversación del gato y que se encuentra a una distancia prudencial, me hago con el teléfono y pincho en el icono que avisa de que tiene un mensaje nuevo. Me sudan las manos. Al segundo siguiente se despliega ante el mí el texto del pecado:

¿Cómo estás, N? Te echo mucho de menos. No puedo dejar de pensar en la otra noche. Besos.
P.D. ¿Cómo vas vestida?

Abro los ojos como platos. Miro hacia la ventana, al texto, a la ventana de nuevo, e intento procesar esta bomba en mi mente. La persona que lo envía no está añadida a la lista de contactos de Natalie porque no aparece ningún nombre, solo un número de teléfono.

Está claro que tiene que tratarse de su marido, razono, dejando el teléfono en la mesa. Seguro que tiene acceso a un teléfono desde la cárcel. ¿No estamos hartos de ver programas en los que se muestra el contrabando que hay dentro de las prisiones? Pues esto es un ejemplo de ello.

Pero ¿y la mención a la «otra noche»? Lucas no ha tenido «otra noche» con su mujer desde hace un año. De acuerdo, se han equivocado. Sí, debe de ser eso. No, espera. En el mensaje ponía «N» de Natalie.

Vuelvo a mirar por la ventana. Natalie sigue hablando. De pronto me doy cuenta de que se me ha olvidado borrar el mensaje y entro en pánico. Ahora sabrá que lo he leído. Me hago otra vez con el teléfono, dudo durante un instante, escribo el número, compruebo que no sea el mismo que el de Simon, borro el mensaje y lo vuelvo a dejar sobre la mesa, con cuidado de que esté en la misma posición que ella lo dejó. A continuación tomo mi taza y le doy un buen sorbo, no vaya a ser que cuando regrese examine el contenido y me diga: «¡Está demasiado llena!».

Después me quedo esperando, sin dejar de darle vueltas a lo que acabo de hacer.

—Lo siento. Le dije que me encargaría de dar de comer a su gato mientras estaba fuera y el animal se escapó. Ha sido una auténtica pesadilla —me explica cuando llega. Se sienta en el sofá y comprueba el teléfono. El corazón me va a mil por hora. Luego se vuelve hacia la grabadora y la pone en marcha—. ¿Por dónde quieres que empecemos?

Me aclaro la garganta.

—Cuando el portavoz del jurado leyó el veredicto de culpable, ¿qué sentiste?

Capítulo 34

La frágil apariencia de Natalie esconde la férrea determinación que se necesita para criar sola a dos hijas y coordinar la campaña a favor de su marido y, sobre todo, para mantener la fe de que pronto lo verá en casa. ¿Puede seguir confiando en un sistema que ha condenado a su marido, según ella, injustamente? La respuesta que nos da esta antigua auxiliar de óptica nos muestra cómo ha tenido que hacer un curso intensivo de derecho a marchas forzadas y empezar a ver las cosas desde un punto de vista positivo.

«Los tribunales no son infalibles, pueden cometer errores. De no ser así, no existiría la apelación», comenta. «El equipo jurídico de Lucas confía en que las nuevas pruebas serán suficientes para anular el veredicto anterior, y no pedirán que se celebre un nuevo juicio.»

Cuando visita a su marido, nos cuenta, nunca hablan sobre la posibilidad de que la apelación no prospere. «Hablamos sobre las niñas, si he pagado las facturas, y otros temas aburridos, pero Lucas dice que eso le mantiene cuerdo.»

Mientras que otros familiares y amigos se derrumbaron y lloraron cuando conocieron el fallo condenatorio, Natalie mantuvo la compostura. ¿Qué pasó por su mente en esos terribles momentos?, se preguntarán. «Supe que tenía que ser fuerte por mi marido», explica ella, «es inocente, eso es lo único que importa, y al final la verdad saldrá a la luz. ¿Cómo voy a ayudar a Lucas si me vengo abajo? Soy su principal apoyo. Depende de mí».

Alzo la vista de mis notas y siento que me mareo, como si el suelo que tengo debajo no parara de moverse.

Si al final lo que he leído en el teléfono de Natalie resulta ser lo que parece, eso quiere decir que está teniendo una aventura con otro hombre. Me pregunto si empezó antes de que a su marido lo encerraran. Hace un tiempo, esto me habría parecido un auténtico horror, pero ahora sé que los únicos que saben lo que realmente sucede en una relación son los dos miembros de la pareja. Y a veces, ni siquiera ellos, me dice una voz interior.

Una hora más tarde, estoy corrigiendo el artículo y preparándolo para enviarlo a redacción. No es que sea el mejor que haya escrito jamás, pero quiero terminarlo cuanto antes y pasar página, ya que no me apetece seguir pensando en el número de teléfono que no es el de Simon.

La respuesta de Ken, vía correo electrónico, me llega a los veinte minutos.

Buen trabajo. No lo sacaremos hasta la semana en que comience la vista para la apelación. También me han gustado las fotos.

Si lo tuviera al teléfono estoy convencida de que añadiría: «¡Está muy buena!». Pero por correo es políticamente correcto: no permite que le pillen metiendo la pata y nunca deja pruebas por escrito.

El fotógrafo me llama para comprobar que los nombres de las gemelas estén bien.

—Qué raro, no tiene ninguna foto del marido, ¿verdad? Va a tener que sacar alguna que podamos usar —me comenta.

—Seguro que le resulta demasiado doloroso tenerlas a la vista —replico yo, despidiéndome.

***

Todo trabajo tiene sus pequeñas alegrías y en el mío son las situaciones en las que la gente se libera delante del tribunal y cree estar en medio del Club de la Comedia, o si queremos llamarlo por su término formal, cuando se produce un desacato. Cada vez que sube al estrado algún desquiciado o una persona de carácter extravagante, se corre la voz al instante. Y no solo entre los periodistas, sino entre los abogados y ujieres. El susurro de «¡Sala 2! ¡Corre!» se propaga por el edificio como el fuego en verano, y de pronto la sala en cuestión se ve atestada de gente que alega tener una razón para estar allí. La mejor excusa es sentarte en los bancos de la última fila, hacer que estas estudiando la estancia, como si tuvieras que dar un mensaje urgente a alguien a quien no encuentras, y permanecer en silencio para no alterar el procedimiento.

En la lista de los grandes éxitos se encuentra una prostituta que le mostró una teta tatuada al juez y le dijo que se parecía a uno de sus clientes —Gretton no acudió ese día al trabajo porque tenía visita al dentista. No sé qué le dolió más, si la muela o perderse la teta—; un hombre que sufría de un trastorno de personalidad múltiple, que respondía a cada pregunta con un acento distinto, y un *DJ* que se quitó la camisa en pleno juicio para enseñar una camiseta que llevaba debajo con el lema de «solo Dios puede juzgarme» —el juez le miró con cara de pocos amigos, se bajó las gafas y le dijo secamente: «Por desagracia para ti, me ha encargado que sea yo el que dicte la sentencia.

De modo que, cuando el lunes a mediodía, un periodista joven y desgarbado de otro semanario asoma la cabeza en la sala de prensa y susurra un «¿te has enterado ya?», asumo que alguien le ha pegado una bofetada a un abogado o que hay una sala llena de altos cargos de la Cienciología dispuestos a revelar los secretos de nuestro universo.

Dejo de pasar mis notas de la entrevista con Natalie Shale.

—No. ¿Qué ha pasado? —digo.

En vez de decirme la sala en la que está teniendo lugar y salir corriendo, deja un ejemplar del *Evening News* en la mesa y lo abre por la sección de anuncios clasificados.

—Aquí —dice, señalando un anuncio escrito en negrita, con fuente tamaño dieciséis, enmarcado en un rectángulo negro.

Busco desesperadamente a mi amigo Verga:
Zoe Clarke, del Evening News, *lleva buscando a su amigo desde hace días sin ningún éxito. Si tienes cualquier información sobre el paradero de Verga, por favor, llama a este número —es el número de Zoe—. La señorita Clarke se encargará personalmente de recompensar como es debido a cualquiera que le ayude a encontrar a Verga.*

—Qué ingenioso y qué gran manejo de la palabra —ironizo yo—. ¿Quién ha escrito esto?

El periodista suelta una risita y se encoge de hombros.

—Me imagino que ha debido de tocarle las narices a alguien.

—Pues no era necesario hacer algo así. —Ya sé por qué Gretton estaba tan contento el otro día—. ¿Cómo te has enterado?

—Lo saben todos tus compañeros de redacción. Alguien llamó dando el chivatazo.

Doy la vuelta a la hoja y me encuentro con un artículo a doble página en el que se habla de la historia de la liposucción, en el que al final han condenado a los dos médicos aunque no a la enfermera. El artículo va firmado solo con mi nombre, y eso que los ocho primeros párrafos son obra exclusiva de Zoe. Vuelvo a mirar el anuncio y salgo de la sala de prensa en busca de la joven, a la que encuentro en la calle, justo al lado de la entrada principal de los juzgados.

—Por favor, no te rías. Estoy de las bromitas y de las llamadas jadeantes hasta la coronilla. —Le da una enorme calada al cigarro, como si fuera alguien que acaba de decidir volver a fumar después de un largo período de abstinencia.

—No me voy a reír, creo que lo que te han hecho no tiene nombre. ¿Te has quejado a redacción? Nunca se debería haber publicado algo así.

—Sí, Ken me ha dicho que llamó al departamento de publicidad y que les preguntó si en la cabeza tenían serrín, pero nada más. De todos modos, ¿qué más da? Todos sabemos quién es el culpable.

—Como sea Gretton voy a estar pateándole el culo hasta el día del Juicio Final.

—Es que es él.

Estoy a punto de decirle que puede que haya cabreado a alguien más, pero me lo pienso mejor.

—Sí, seguramente.

—Me alegra que alguien más, a parte de mí, no lo encuentre gracioso.

—No lo es. Gretton es un tipo vengativo y repugnante. Por cierto, gracias por poner mi nombre en el artículo de la liposucción. Deberías haber puesto el tuyo también, hiciste el trabajo más duro.

Zoe parece sorprendida, con la mente todavía en otro lugar.

—Bueno. Fue fácil, fuiste muy minuciosa con tus notas. Se ve que llevabas detrás del caso desde hacía tiempo.

—Sí. ¿Te apetece salir a tomar algo con una mujer mayor a finales de semana?

—Sí, por favor. Te mando un email con mi nuevo número de teléfono... en cuanto lo tenga.

—¿Nuevo número?

—No puedo seguir con este, todos los salidos de Manchester me están llamando.

Pienso en algo que la pueda animar.

—¿Quieres venir a la fiesta de inauguración de mi casa el próximo fin de semana? No seremos muchos.

Zoe sonríe. Ha funcionado.

—Sí.

Me despido de ella y vuelvo dentro. En mi mente tengo un solo objetivo: Gretton. Creo que es la primera vez que voy en su busca desde que trabajo aquí.

En cuanto le veo, voy a por él.

—¿Puedo tener unas palabras contigo, por favor? —Sin esperar su respuesta, le tiro de una manga y lo llevo hacia un rincón.

—¿Woodford?

—Lo que le has hecho a Zoe es asqueroso y está completamente fuera de lugar.

Él me ofrece una sonrisa lobuna.

—Quien siembra vientos, recoge tempestades.

—Es mujer, buena en su trabajo y más joven que tú. Y eso es algo que no puedes soportar.

—¿Entonces porque tú y yo no hemos discutido nunca?

—Porque yo simplemente te tolero, pero ella te ha plantado cara y tú has ido demasiado lejos.

—Deja que te diga algo, puede que desde que tu vida sentimental se ha ido a la mierda hayas estado en una especie de limbo... —Me cruzo de brazos y aprieto los labios. Eso ha sido un golpe bajo. Yo no he estado en ningún limbo, ¿verdad?—... pero lo que ella hizo no fue solo plantarme cara, me atacó, y la gente así necesita que de vez en cuando le bajen los humos. Deberías haberla visto en el juicio de la ballena, dándome codazos para que no me acercara a la familia. Y cómo me miraban ellos... Seguro que les dijo algo malo de mí.

—¿Te estás oyendo, Pete? El juicio de la «ballena». ¿Nunca te has parado a pensar en lo mucho que puedes ofender a Zoe con comentarios como ese?

—¿Por qué? Clarke no está gorda. Tiene cara de caballo, pero no es una bola de grasa.

—No sabes nada de ella o de su pasado... Mira, esa es una de las razones por las que las personas civilizadas no vamos diciendo por ahí cosas como «ballena» o «bola de grasa».

—Cierra el pico, cariño. Si quieres ser políticamente correcta deja el periodismo y vete al parlamento.

—Este estúpido anuncio pone punto y final al tema. No más juegos. Mantente alejado de Zoe. ¿De acuerdo?

—Si ella empieza con...

—Yo me encargo de ella. ¡Promete que no volverás a hacerle nada!

Gretton arruga la nariz.

—De acuerdo, pero lo hago por ti. No tengo nada en tu contra.

—Gracias.

—De todos modos a tu editor le hizo gracia.

—¿Perdón?

—Llamé a Baggaley, haciéndome pasar por un anónimo, le dije lo del anuncio y te aseguro que se moría de la risa.

Señoras y señores, les presento a mi guía espiritual.

—¿Te apetece que tomemos juntos una cerveza? —pregunta Gretton, demasiado amable.

Niego con la cabeza.

—Lo siento, pero tengo que ir a ver a un hombre que no sé qué problema ha tenido con un perro.

Capítulo 35

Pasado el mediodía, me abro camino entre los compradores y oficinistas que hay en la calle y veo a Rhys esperándome fuera de un supermercado de comida sana. Por el aspecto que tiene muy bien podría protagonizar un anuncio de medicamentos contra la depresión. Lleva un anorak azul marino y tiene el ceño fruncido. Recuerdo todas las veces que he tirado del cordón de esa capucha para ajustársela al cuello y darle un beso de despedida. Si tuviera que hacerlo ahora, puede que lo que quisiera fuera estrangularle.

Esperaba sentir cierto desagrado —llevo veinticuatro horas pensando en esta reunión—, pero ahora que estamos frente a frente no experimento un cúmulo de emociones, sino una mezcla de resignación y pena. Hemos pasado de ser dos almas que una vez nos quisimos a dos personas que simplemente se toleran.

—Hola —le saludo.

—Estaba a punto de irme. Dijimos a la una.

—Solo llego cinco minutos tarde. —Miro mi reloj—. Diez, perdón. El juicio se alargó más de lo esperado.

Rhys me entrega una bolsa de lona.

—Aquí tienes.

—Gracias. —La abro y echo un vistazo a lo que hay dentro. Libros, un collar, una tetera que ahora recuerdo que era mía. ¿Cómo se me pudieron olvidar todas estas cosas?

—¿Por qué te dejaste todo esto? ¿Qué se supone que tenía que hacer con ello?

—Creí que habíamos acordado que te quedarías con ciertas cosas.

—Sí, con los muebles. Pero no con el noventa por ciento de tus chorradas desperdigadas por toda la casa. ¿O acaso las dejaste para demostrar que querías salir de allí cuanto antes?

—No. —Detrás de toda esa máscara de perpetuo mal humor, sé que en el fondo está dolido—. Lo hice porque no quería dejar la casa tan vacía. Si quieres que me lleve más cosas, avísame y me acerco un día de estos.

Él se encoge de hombros. No sé si decirle que comamos juntos.

—¿Hoy no trabajas?

—Me he tomado el día libre porque quiero ir a un concesionario a comprarme un coche.

—¿No te vas a quedar con el viejo?

—Me apetece cambiar. Tú mejor que nadie deberías saber a lo que me refiero.

Nos quedamos callados durante unos segundos.

—Ahora vives en la ciudad, ¿no? —pregunta él.

—Sí. En Northen Quarter. Pásate cuando quieras.

Rhys hace una mueca.

—¿Para qué? ¿Para tomarnos unos Doritos y ver *Factor X*?

—No, para ser civilizados.

—¿Y cómo es?

—¿El apartamento?

—No, *Factor X*. Pues claro que me refiero al apartamento.

—Es... —Tengo la sensación de que si le digo que es increíble voy a hacerle más daño del que ya le he hecho, así que farfullo—. No está mal. Es un poco estrecho.

—¿Estrecho para una persona que apenas se ha llevado nada? Sí que tiene que ser pequeño.

Necesito cambiar de tema de conversación.

—¿Has comido?

—Sí —responde Rhys alzando la barbilla.

—Bien.

—No te ofendas, pero no voy a ir a comer contigo a ninguna parte como si no hubiera pasado nada entre nosotros.

—No te lo preguntaba por eso.

—Estoy seguro de que eso te haría sentir mejor.

—Venga, Rhys...

Miro hacia los rostros de los transeúntes que pasan a nuestro lado. Cuando me doy cuenta de que uno de ellos es el de Ben siento como si me hubieran pegado un puñetazo en el estómago. Él también me ha visto. Ahora no puedo hacerme la despistada. Como era de esperar se acerca para saludarme. Viene con una sonrisa que se congela en cuanto se da cuenta de quién me acompaña.

—¡Hola! —digo, intentando sonar lo más despreocupada posible. Mi ex novio alza la vista—. Rhys, ¿te acuerdas de Ben, mi compañero de universidad? Acaba de venirse a vivir a Manchester hace poco.

Creo que estoy disimulando bastante bien. Ben, en cambio, parece mortificado.

—¡Vaya! Hola, cuánto tiempo. —Ben le ofrece la mano.

—Sí. ¿Cómo te va? —dice Rhys, aceptándola.

—Bien. ¿Y a ti?

—También bien.

Está claro que esta conversación no va a ir más allá. Ben clava los ojos en mi bolsa y empieza a dar marcha atrás, tropezándose con los viandantes.

—Bueno, será mejor que me vaya. Llego tarde al trabajo. Me alegro de volver a verte.

—Adiós —me despido.

—Sí, adiós —añade Rhys.

Ben se une al tráfico peatonal a la velocidad del rayo.

—Qué incómodo que me he sentido —espeta Rhys.

Lo miro confundida y alarmada a la vez.

—¿Por qué?

—Porque no me acuerdo de él para nada.

Capítulo 36

Lo único bueno que tiene haber superado la barrera de los treinta y que tu vida se derrumbe es que te puedes encontrar con que pesas unos kilos menos antes de dar una fiesta. Aunque si encima estás a dieta, la pérdida puede ser un poco más drástica. De modo que cuando me pongo el viejo vestido rojo que he desempolvado para la fiesta de inauguración de mi nuevo apartamento, me llevo la grata sorpresa de que se ajusta perfectamente a mi cuerpo, y ya no parece que llevo un doble airbag frontal y dos laterales, como solía decirme Rhys.

Cuando Caroline y Mindy llegan con sus parejas, recibo silbidos de aprobación por su parte. Luego coloco detrás de las puertas sus pequeñas maletas. Caroline me pidió quedarse a dormir porque quería inscribirse en un gimnasio en el centro de la ciudad y había quedado en ir a las nueve del día siguiente para hacer el papeleo y una prueba para ver el nivel que tenía —hay cosas que nunca cambian—, y en cuanto Mindy se enteró dijo que ella también se quedaba.

—Mindy, vives a diez minutos en coche de aquí —le dije.

—Si ella se queda, yo también quiero —insiste—. ¡Será como en los viejos tiempos!

—Eso es precisamente lo que más miedo me da —comenté, recordando nuestras largas conversaciones hasta que llegaba el alba. Ahora necesitaba dormir. Ella resolvió el problema diciendo que en la cama de Rupa había sitio para las tres, y tenía razón.

—Rach, este es Jake —dice Mindy, presentándome a un hombre delgado, moreno, de aspecto nervioso, que va detrás de ella. No me gusta pensar que nos vamos haciendo mayores, pero es que Jake parece muy joven.

—Encantada de conocerte —digo. Él se ruboriza de la cabeza a los pies. Sí, demasiado joven.

Mindy hace un giro de trescientos sesenta grados para enseñarnos su vestido de lentejuelas negro.

—¿Parezco una *celebrity* de Studio 54 o una prostituta de cincuenta libras la hora?

Antes de que pueda contestar, interviene Ivor.

—Tú nunca podrías parecer tan barata, Mind.

Mindy hace un gesto con la lengua y se vuelve hacia él.

—Ya puedes esperar sentado.

—Se dice «cien libras la hora, más limpieza en seco y no en la cara».

—¡Por Dios!

—¿Dónde las dejo? —pregunta Ivor, levantando las bolsas que trae con botellas.

—Allí. —Señalo el frigorífico rosa.

—Ya estás un poco bebida, ¿verdad, Rach? Porque esos colores que llevas en las mejillas son debido a eso, ¿no?

—Es colorete. Me he maquillado estilo palacio de Versalles.

La única forma de lidiar con Graeme es seguirle el juego. O por lo menos la única si está casado con una de tus mejores amigas.

Graeme se asoma al fregadero.

—¿Qué coño has puesto aquí?

He puesto el tapón, lo he llenado de agua y lo he cubierto de peonías, lilas y rosas. Lo vi en la casa de una escritora de moda a la que entrevisté y siempre he querido copiarlo. Nunca pude hacerlo cuando vivía con Rhys, porque enseguida se habría quejado de que no podía tirar los restos de sus cervezas.

—¿Qué pasa? ¿Que te has quedado sin floreros? —pregunta Graeme.

—Gray —le reprende Caroline—. Para ya con las bromitas.

—Aquí los floreros se usan para servir las salsas —dice Ivor.

Graeme le mira desconcertado.

—Has hecho un trabajo estupendo —comenta Caroline, mirando a su alrededor. La verdad es que tiene razón. He colocado filas de velas en vasos pequeños por todas las superficies que había libres y gladiolos cayendo en vertical en cuencos, también de cristal, en diversos puntos de la estancia.

—Sí, parece que estamos en un funeral pero sin el cuerpo presente —dice Graeme, con lo que él imagina es un brillo travieso en los ojos que le puede eximir de toda por culpa por el comentario.

—Bueno lo del cuerpo lo podemos arreglar fácilmente —sentencia Caroline, cruzándose de brazos.

—Entonces, dime, «señora de los Gustos Caros», ¿cuánto estás pagando de alquiler? —me pregunta Graeme, mirándome fijamente.

—Lo que a ti no te importa. —Espero haber sonado lo más dulce posible.

—Solo estoy pensando en ti. Estás entrando de nuevo en el mercado inmobiliario pero ahora con una sola una fuente de ingresos, y me juego el cuello a que seis meses aquí arruinarán tu cuenta corriente.

Miro a Caroline con la esperanza de que lo haga callar, pero acaba de irse a servirse una copa.

—En este momento no puedo comprar nada.

—¿Por qué no?

—Porque acabo de romper con alguien con quien he pasado media vida y no sé ni qué tipo de vivienda quiero ni dónde la quiero.

—Bueno, lo que está claro es que siempre vas a necesitar un techo bajo el que vivir o, ¿te vas a unir a una tribu de beduinos?

—Uno no siempre puede hacer lo que parece de sentido común... —Veo que Caroline viene de nuevo—. Necesito beber algo, Caro, no te preocupes.

Ella asiente y le entrega un vaso, bajando la mirada.

—Vivir al día está muy bien cuando tienes veinte años, pero en algún momento tendrás que empezar a planificar tu futuro —continúa

Graeme. Sé a lo que se refiere, que nadie va a hacerlo por mi—. Las cosas no caen del cielo.

—Puede. —Al ver que va a empezar con otro monólogo de los suyos, corto por lo sano—. Graeme, te lo voy a resumir en una sola frase. La finalidad de esta reunión social es que nos divirtamos un poco, ¿entendido?

* * *

Ben, Olivia y Simon llegan mientras estoy limpiando un poco de bebida que se ha derramado en el suelo. Caroline les abre la puerta y los acompaña hasta la cocina. Cuando entran Simon le está diciendo:

—... unos cócteles en un bar de la calle Canal, o más bien debería llamarla calle Anal. Ben me había dicho que era un bar mixto, de homosexuales y héteros, pero la única mujer que había allí tenía una nuez de Adán más grande que una pelota de tenis. Todos tenían pinta de ser gente de esa a la que le gustan los cojines de corazones, te lo juro.

Me dan igual las nueces de Adán, solo espero que Simon esté bromeando.

—Como regalo por tu nueva casa te hemos traído un homófobo y esto —dice Ben mientras Olivia me da una flor de la paz en una maceta dorada.

Ben lleva uno de esos *jeans* que parecen viejos pero son nuevos y un suéter negro. Está impresionante, como siempre. Olivia luce un delicado vestido de corte cruzado gris. Parece que a estos dos les encanta el gris.

Ben se inclina y vuelve a cumplir con el ritual de los dos besos, y aunque en esta ocasión no me pilla tan de sorpresa, sigo poniéndome nerviosa. Menos mal que todos parecen estar mirando la flor.

—Este apartamento es increíble —le comenta a Olivia, enlazándole el talle y echando un amplio vistazo a su alrededor—. ¿A que sí, Liv?

—Tu casa es aún más bonita, y además sí que es vuestra —le digo a ella con total sinceridad.

La mujer me sonríe.

Capítulo 37

Me había olvidado de que aproximadamente un cuatro por ciento de las fiestas, así como un cuatro por ciento de las visitas nocturnas a una discoteca, son divertidas de verdad. Por eso se puede decir que el noventa y seis por ciento restante es una pérdida de tiempo, dinero, ropa y esperanzas. Sorprendentemente, y en contra de toda lógica, la fiesta de inauguración de mi apartamento está dentro de esa milagrosa minoría. La gente está hablando tan a gusto, la bebida fluye, la música es la adecuada, la decoración gusta y los aperitivos que he puesto —patatas cuadradas, redondas y esas que parecen tiras de bacón, entre otras cosas— están dando resultado, o por lo menos se los están comiendo.

Zoe parece haberse olvidado del anuncio de Gretton y se ríe sin parar con algunos de los invitados varones.

Siento como si después de llevar escalando una montaña durante mucho tiempo, por fin hubiera llegado a la cima y me hubiera sentado a admirar la vista y dejar que los rayos de sol me acariciasen la cara. He estado echando de menos a Rhys como si sufriera del síndrome del miembro fantasma, pero ahora mismo no le extraño en absoluto. Es hora de ir a por otra copa.

A medida que avanza la noche, Mindy toma el control de la música, que empieza a ser cada vez más estridente. Jake se despide de mí antes de irse y me explica que a la mañana siguiente tiene que levantarse temprano para estudiar para un examen; un comentario que hace que Ivor ponga los ojos en blanco. Y Caroline está manteniendo una larga conversación con Olivia. Al cabo de un rato estoy junto a la ventana con las vistas panorámicas, al lado de Ben y Simon.

—Natalie me ha dicho que la entrevista fue bien —comenta Simon.

—Sí, yo también estoy contenta. —Intento ignorar la incomodidad que me produce hablar de eso—. O eso creo.

—¿Y cuándo quieres que te lleve a cenar?

Ben nos mira sorprendido.

—Cuando quieras —digo yo.

—¿Te gusta la comida italiana? —pregunta él.

—Sí. En realidad me gusta todo tipo de comida.

—Rachel está aprendiendo italiano —explica Ben.

—Yo hablo un poco, estuve una temporada de intercambio en Pisa —dice Simon—. *¿Parli bene?*

—Pues... no.

—*¿Non?*

«¡Mierda, mierda! Tengo que cambiar de tema ya.»

—Hoy estaba leyendo algunos de esos consejos sobre cómo romper el hielo en una fiesta —digo de pronto—. ¿Puedo probar uno con vosotros dos? A ver... ¿Cuál ha sido el momento más embarazoso por el que has pasado este año?

—Hace una semana. La señora letona que viene a limpiar la casa me pilló desnudo —confiesa Simon.

—¿En serio?

—Sí, y no tuve más remedio que agarrar lo primero que vi que fuera lo suficientemente grande para tapar mis partes pudendas.

—¿Y qué fue?

—Mi nomina.

Suelto una sonora carcajada. Esto de reírme en contra de mi voluntad de las bromas de Simon se está convirtiendo en una costumbre.

Veo a Ben mirándonos fijamente un poco preocupado. No me cabe la menor duda de que está pensando sobre nuestra cita. Cuando llegue a una conclusión, estaré encantada de escucharla.

—Uno se prepara antes —dice Ben.

—¿Y la tuya? —pregunto.

—¿Aparte de no acordarme de tu nombre cuando nos encontramos en la biblioteca después de diez años? Hmm... Déjame que piense.

—¡No es verdad! —Me empiezan a temblar las rodillas.

—Pues claro que no, tonta.

La expresión de incredulidad de Ben me dice: «¿cómo has podido creértelo?».

«Porque la simple idea de que me hayas olvidado, como si fuera un archivo inservible, y me hayas arrastrado hasta el icono de papelera de reciclaje de tu cerebro, hace que tenga pesadillas que me producen la misma ansiedad que soñar que estoy desnuda en medio de la calle con todo el mundo mirándome.»

—El momento más embarazoso fue cuando le ofrecí mi asiento en el tranvía a una señora que de espaldas parecía mayor, y resultó ser una joven albina que tenía veintitantos. —Ben se muerde el labio ante el recuerdo, Simon se echa a reír y yo me limitó a parpadear dos veces.

—La falta de pigmentación puede afectar a las piernas —comenta Simon.

—Oye, que lo hizo con la mejor intención —digo yo.

—Sí, Simon. —Ben se mete una mano en el bolsillo mientras toma un sorbo de su copa.

De pronto tengo la impresión de que Ben y Simon están en una especie de competición. Pero ¿por qué? ¿Por captar mi atención? Seguro que no. Por lo menos no Ben. Está casado. ¿Parecerá que estoy flirteando con ellos por las risas que estamos compartiendo? Me imagino a Olivia, de camino a su casa, diciendo con amargura: «Qué divertida que es tu amiga, ¿no?».

—Voy a por otra copa, ¿os traigo algo? —pregunta Simon antes de irse a la cocina.

Cambio de postura para que los tacones no me rocen demasiado y me aclaro la garganta dispuesta a explicarle el asunto de la cita con Simon.

—¡Oh, Dios mío! Esos son los Teenage Fanclub, ¿verdad? —pregunta Ben, intentando escuchar la canción por encima de los murmullos de los invitados—. Tendrías que habernos visto a Liv y a mí la primera vez que bailamos juntos. Te habrías muerto de risa.

«Pues risa, lo que se dice risa, seguro que no», pienso.

—¿Por qué lo dices?

—Porque en el primer gran compromiso de la vida matrimonial la dejé elegir la música. —Vocaliza en silencio «Coldplay» y yo sonrío de oreja a oreja.

—Ah, bueno, yo también estaba con los preparativos de la boda hace poco. Me alegro de que supierais resolver la encrucijada entre escoger a un *DJ* o a una orquesta en directo sin tener problemas. Para Rhys y para mí fue como estar en la franja de Gaza.

Me doy cuenta de que necesito contarle urgentemente lo que pasó, que quiero hablar de mi vida real con un amigo de verdad, y no discutir sobre chorradas como qué hacer para romper el hielo en una fiesta.

—La idea de casarnos nos llevó a un punto crítico —empiezo a explicarle. Ben asiente—. Dicen que el día de tu boda es el más feliz de tu vida, y eso también funciona en el sentido contrario. Cuando descubres que no eres feliz, es difícil seguir actuando como si no pasara nada.

—¿Fue de repente o ya llevabas un tiempo sin ser feliz?

—Hmm... Creo que conseguimos pasar de puntillas la década de los veinte. Teníamos unas buenas válvulas de escape: yo, mis amigos; él, su banda. Pero con los treinta llegan las grandes decisiones: el matrimonio, los hijos... Me di cuenta de que no éramos lo suficientemente felices como para dar el siguiente paso. ¿Crees que tiene sentido lo que te estoy contando?

—Algo. —Ben vuelve a asentir—. Pareces estar llevándolo bastante bien.

—Sí y no.

Me ofrece una triste y dulce sonrisa y baja la mirada al suelo.

—¿Qué canción de Coldplay? —pregunto, intentando animarnos un poco—. Oh, no. No me lo digas. Deja que lo adivine. Era esa de... *tun tun tun tan tan tun tun...* «Lo sentimos, en este momento todos nuestros operadores están ocupados. Por favor, manténgase a la espera hasta que podamos atenderle.»

Ben se ríe y yo me fijo en las atractivas patas de gallo que le salen en los ojos cada vez que lo hace.

—¡No has cambiado! Sigues siendo igual de gansa...

—Tienes que reconocer que me has azuzado un poco.

—¿Azuzarla cómo? —pregunta Olivia. Simon y ella se nos unen.

—Se estaba burlando vilmente de la canción que escogimos para nuestro primer baile —explica Ben.

—¡No! Tú dijiste que... —No puedo explicarle que fue él quien empezó con la broma porque echaría más gasolina al fuego. Sé que, por su carácter, Olivia no se lo va a tomar bien. «Gracias, Ben»—. En realidad, algunas canciones de Coldplay no están mal... —comento sin mucha convicción.

—¡Claro! —ironiza Ben, empeorando aún más las cosas.

—¿Que habrías elegido para tu primer baile? —pregunta ella de sopetón.

Ben la mira fijamente. Lo más seguro es que quiera comunicarle mentalmente que uno no le hace una pregunta así a alguien que acaba de romper con su novio cuando estaban a punto de casarse.

—Rhys dijo que quería *What Have I Done To Deserve This* (Qué he hecho yo para merecer esto) de los Pet Shop Boys, pero yo quería evitarla a toda costa.

—¿Pero qué canción habrías elegido tú? —insiste Olivia.

—Liv... —advierte un consternado Ben, sin entender por qué su mujer está siendo tan insensible. Sin embargo Olivia y yo nos estamos entendiendo perfectamente.

—Tal y como iban las cosas, deberíamos haber elegido *At last* (Por fin) de Etha James, y que algunos de los invitados más jóvenes nos ayudaran a salir a la pista. —Nadie se ríe—. Habríamos escogido *May You Never* (Ojalá nunca) de John Martyn para nuestro primer baile —reconozco.

—Bonita elección —asiente Ben, impresionado.

—Nunca la he oído —reconoce Olivia con brusquedad.

«Ah, bueno, entonces debe de ser una basura.»

—Aunque quizá tenga un ritmo ligeramente rápido para el baile de apertura de una boda —dice Ben—. Si hubiera tenido que escoger una canción de él me hubiera decantado más por *Couldn't Love You More* (No podría amarte más).

Asiento también. Después de algo así no hay mucho más que decir, salvo dilatar mis pupilas y seguir bebiendo hasta que mi hígado parezca un filete de solomillo a la pimienta.

—¿Y por qué no lo dijiste en su momento? —le pregunta, mordaz.

—Porque quería que tuvieras lo que quisieras —responde Ben.

—Creo que uno debería abrir su baile con una canción que le guste de verdad, no con algo que piense que va a gustar —comenta ella sin dejar de mirarme. Está claro que no me va a perdonar tan fácilmente.

—Nadie puede acusarte de haber elegido Coldplay porque fuera a gustar —se ríe Ben. Se está metiendo en un buen lío, y el pobre ni siquiera se da cuenta.

Olivia se cruza de brazos y no me quita los ojos de encima. Yo clavo la vista en el hielo de mi vaso.

—Mira, esta me la sé —dice Simon, ladeando la cabeza hacia el equipo de música—. *Unfinished Symphony* (Sinfonía sin fin).

—*Unfinished Sympathy* (Pésame sin fin) —le corrijo.

—Pues lo que he dicho.

Capítulo 38

—¿En qué lado sueles dormir? —pregunta Caroline, después de haber tumbado a un muy deshecho Ivor en el sofá. Cuando íbamos a pedirle un taxi por teléfono, nos dimos cuenta de que estaba sumido en una especie de coma etílico, así que decidimos que lo mejor era que se quedara en casa. Pusimos una toalla sobre el tapizado, lo acomodamos lo mejor que pudimos, le pusimos unos cuantos paños de cocina alrededor de la cabeza y dejamos un barreño a su lado, por si acaso. Antes de meternos en la habitación le echamos un último vistazo. Entre lo pálido que estaba y que tenía los brazos cruzados sobre el pecho, parecía un faraón egipcio venido a menos en su lecho de muerte.

—Todavía no tengo un lado para dormir. No llevo tanto tiempo aquí. —Lo que realmente quiero decir es que, ahora que no tengo a Rhys no hay ningún lado que escoger.

—Entonces te toca en el medio —sentencia ella, echando hacia atrás el edredón—. Yo dormiré aquí, y Mindy en el otro lado.

En ese momento Mindy viene de lavarse los dientes del baño. Lleva uno de esos pijamas estilo chino de un precioso tono escarlata. Entre eso, y que Caroline lleva un camisón de tirantes negro con encaje de flores, me alegro de haber dejado atrás la camiseta de Rhys con manchas de pasta de dientes.

—Ivor se ha levantado —anuncia Mindy—. Ha hecho tres *arghhhh arghhhh arghhhh* y se ha ido directo al baño.

—¿Ha manchado algún mueble?

—No, fui detrás de él y le empujé para que fuera más rápido.

—Bien, bien.

Nos tumbamos sobre la cama y apagamos la luz.

—¿Cómo conseguiría Rupa meter un colchón tan grande por las escaleras tan estrechas que tiene el edificio? —pienso en voz alta.

—Creo que lo metió por la ventana —aclara Mindy.

Siento cómo mis músculos se van relajando poco a poco.

—¿Qué está pasando entre Ben y tú? —inquiere Caroline.

«Adiós relajación, hola tensión.»

—¿A qué te refieres? —Intento sonar lo más asombrada posible. Sé que no puede verme sin luz, pero estoy segura de que se ha dado cuenta de la capa de sudor frío que ahora cubre mi cuerpo.

—Buenooooo.... —continúa Caroline— Ha sido un poco raro.

—¿El qué? —Estoy más tiesa que un palo, como si me hubiera convertido en un signo de admiración entre comillas. Lo negaré todo. Hasta el final.

—Cuando se fundió esa bombilla y tú te subiste a la silla para cambiarla mientras Simon te sujetaba por las piernas para que no te cayeras, Ben tenía los ojos clavados en ti.

—Porque estaría pendiente de que no me electrocutara.

Silencio. Por lo visto las bromas no me van a servir para nada.

—Te estaba mirando intensamente, muy serio. Y cuando Simon te ayudó a bajar y aprovechó la ocasión para tocarte el culo, te juro que Ben casi se estremeció.

—Porque no es el mayor fan de Simon. Además, tengo la impresión de que no cree que sea buena idea que su amigo y yo salgamos a cenar. —Espero que con esto consiga zanjar el tema.

—Sí. Esa es la cuestión. Que si no supiera de qué va la cosa, lo habría visto como el típico caso de celos masculino —contempla Caroline—. Y exactamente, ¿por qué no quiere que salgas con él?

—Menos mal que tú sí que ves bien que lo haga —digo—. De todos modos lo que estás diciendo es una tontería, porque Ben está felizmente casado.

—¿Y aunque esté felizmente casado no puede sentir algo por ti?

—No.

—Está bien. Primero, los matrimonios felices no existen...

—¡Oh, Caroline! —gimotea Mindy—. ¡No sigas!

—Aún no he terminado.

—Ya lo sé, pero todavía tengo la esperanza de que lo hagas —dice Mindy.

—No existen, si por matrimonio feliz nos referimos a un matrimonio invulnerable. Toda relación tiene sus debilidades y sus malas rachas.

—No hace falta estar casado para saber algo así —comento yo.

—Lo sé, lo sé —dice Caroline, intentando tranquilizarme—. No te lo tomes como si me estuviera refiriendo a ti y a Rhys porque no es así. Pero tienes que reconocer que tu ex novio solo salía con los amigos de su grupo, que nunca tuviste que preocuparte porque tuviera una amiga.

—Sigo sin ver a dónde quieres llegar.

—Que si tengo razón y Ben siente algo por ti, debes tener cuidado. Puede que no quieras causar problemas, pero quizás, inconscientemente, lo estés alentando. ¿No erais muy amigos en la universidad? ¿Nunca sospechaste nada?

—¡No! Además, él nunca tendría una aventura fuera del matrimonio. —Al menos eso sí que puedo decirlo con total convicción.

—¿Cómo lo sabes?

—Lo sé. Igual que sé cómo me llamo. Ben jamás haría algo así. Es completamente leal. Por otro lado, yo tampoco me acostaría con un hombre casado. Espero que no penséis lo contrario.

—Noooo —añade Caroline rápidamente, sin tener ni idea de lo angustiada que me siento con esta conversación—. Pero sí que creo que puede que termines encontrándote en medio de una situación que no te apetece sin darte cuenta. Antes, mientras estabais hablando solos, parecíais dos árboles de Navidad de la luz que desprendíais. Nadie piensa que va a terminar con cáncer de pulmón cuando se fuma su primer cigarrillo.

—No soy tan falsa como para poner cara de buena a Olivia, invitarla a fiestas, y mientras tanto, intentar ligarme a su marido.

—No estoy diciendo que quieras ligarte a nadie.

—Mira —continúo con la boca seca y no precisamente por el alcohol—. Ben y Olivia están casados, él no está interesado en mí de ese modo, no voy a ligármelo y voy a salir con Simon. Punto.

—No estoy tan segura de que a Ben y Olivia todo les vaya tan bien. Tengo la impresión de que para ella ha sido muy estresante mudarse aquí. Está a más de trescientos kilómetros de su familia y amigos y creo que echa de menos su antiguo trabajo.

Nos quedamos calladas unos segundos.

—Si quieres mi consejo, Rach, deberías empezar a preocuparte cuando te diga que las cosas en casa son complicadas —dice Mindy—. «Nunca son complicadas» a «son complicadas» solo significa una cosa: «Sí, bueno, hay alguien más, pero te sigo queriendo».

—¿Tú te has enterado de algo? Creo que lo que quiere decir es que no es tan complicado como le gustaría que fuera —se ríe Caroline.

A mí no me hace ninguna gracia.

—Oh, lo siento, no era mi intención molestarte —prosigue Caroline—. Lo más probable es que si Ben siente algo, sea debido a la nostalgia que todos sentimos por nuestra juventud. Lo que quiero decir es que si hubierais estado hechos el uno para el otro, lo que tuviera que haber pasado, habría pasado.

—Cierto —digo con voz aguda, agradecida de nuevo por estar a oscuras.

—De vez en cuando a todos nos da un ataque de «y si...».

—Sí.

Nos damos las buenas noches y al cabo de un rato Caroline y Mindy duermen plácidamente.

Yo, sin embargo, sigo despierta sin dejar de darle vueltas a la cabeza.

Capítulo 39

Si te movías entre la gente más chic, las noches de los viernes implicaban salir a alguna discoteca de moda, meterte algo de droga de la cara y bailar, o si preferías las cervezas y la música en directo, tu lugar era la Quinta avenida o la calle 42. Si eras un estudiante más normal, pero con cierto poder adquisitivo, te metías en alguno de esos mercados de carne llenos de tiburones en donde te prohibían ir con *jeans* y zapatillas de deporte y se escuchaba música que ocupaba los primeros puestos de las listas de grandes éxitos. Y si no tenías apenas dinero, te ibas a la universidad, bebías sidra en vasos de plástico y bailabas en un aula que servía tanto para hacer de bar-comedor por el día, como de discoteca por la noche.

Teniendo en cuenta que a partir del segundo curso, solo con el alojamiento se te iba la mayor parte del dinero, muchos estudiantes terminaban escogiendo esta tercera opción. Entre ellos la docena que estábamos en la universidad, incluyendo a Ivor, que había venido a pasar el fin de semana, y Ben y su última novia, Emily. Llevaban juntos unos meses, lo que era todo un logro tratándose de mi amigo.

Emily era una muchacha súper moderna, algo que yo nunca podría ser. Llevaba zapatillas *hip-hop,* mini falda vaquera con los bordes deshilachados, el pelo teñido a dos colores y recogido en una coleta alta... En definitiva, un *look* muy depredador, pero combinado con una belleza clásica que parecía decir: «lo sé, soy guapa, cualquier cosa que me ponga me sienta bien, incluso esto». Me había dado cuenta de que a Ben siempre le gustaban rubias. No había tenido muchas oportunidades de conocerla y me sentí un poco decepcionada al ver que estaban sentados en el otro extremo de la mesa, donde solo podía saludarles con un gesto de la mano. Si quería conocer a su novia tenía que darme prisa, porque no solía mantener relaciones muy duraderas. «La mujer que consiga que siente la cabeza tendrá un enorme desafío por delante», pensé.

Cuando vi que Ben se levantaba para pedir otra ronda aproveché la ocasión para hablar con él, así que me levanté dispuesta a echarle una mano con las bebidas.

Mientras me aproximaba a la barra vi que había entablado conversación con un grupo de jugadores de rugby. Ben jugaba al fútbol y tenía cromosoma XY, por lo tanto lo veían como un ser humano en vez de como un objeto sexual al que silbar cuando pasaba por delante de ellos.

—Vaya, hola. ¿Sabes cómo te llamamos? —dijo uno de los jugadores cuando me uní a ellos—. Él sí que lo sabe. ¡Venga, Ben! Di a Rachel como la llamamos.

Mi amigo parecía estar tremendamente incómodo y yo le miré frunciendo el ceño.

—Rachel «La Manoplas».

—Pasa de ellos —masculló Ben.

A diferencia del día del reto o verdad, no sabía muy bien cómo reaccionar, así que le hice caso, agarramos cada uno tres pintas de cerveza y nos dispusimos a llevarlas a la mesa.

Al pasar junto a los jugadores, noté sus ojos clavados en mí y me arrepentí de haberme puesto aquellos pantalones negros nuevos que me marcaban demasiado el culete.

Cuando fui a la barra para llevar la segunda tanda de cervezas sentí cómo me daban un doloroso pellizco en el trasero. Me volví al instante.

—¡Eh!

—Ha sido él —dijeron todos al unísono, señalándose los unos a los otros.

Como no podía hacer mucho, puesto que tenía las manos ocupadas, les lancé mi mirada más hostil. Y al regresar de nuevo a por más bebidas, decidí que no me dejaría intimidar por esa panda de imbéciles y les miré con desprecio. Craso error. Lo único que conseguí fue otro coro de risas.

—No te lo tomes a mal, pero es que nos gusta mucho verte la espalda —dijo uno con un aspecto particularmente desagradable: bajo, rechoncho y con la cara llena de acné. El típico que para esconder sus inseguridades se hace el gallito delante de los demás.

—¿Por qué no os vais un poco a la mierda? Tocadme otra vez el culo y os suelto una torta.

No creía que eso fuera a hacer que salieran despavoridos, pero necesitaba plantarles cara y hacerme de valer.

—No lo volveré a hacer —dijo el jugador con aspecto de *hobbit*—. ¿Y esto? ¿Puedo o no puedo?

Extendió una mano y me apretó el pecho izquierdo como si fuera una bocina. El resto de jugadores se echaron a reír.

—¡Oye, gilipollas!

—Lo siento, lo siento, veo que no puedo. En realidad quería hacerlo con la derecha. —E hizo lo mismo con mi otro pecho.

Hirviendo de furia, me dispuse a darle una bofetada, pero agarró mi muñeca en el aire antes de que mi mano impactara en su cara. Había visto hacer ese gesto muchas veces en la televisión, aunque nunca creí que alguien fuera lo suficientemente rápido para evitar el golpe. Estaba claro que me equivocaba, y ahora tenía a un jugador asqueroso que me estaba sujetando con tanta fuerza que me estaba haciendo daño. Intenté zafarme, y al ver que no podía, empecé a asustarme de verdad.

—¡Suéltame! —grité. Sentía sus dedos clavados como garras en mi piel. Estaba tan aterrorizada que me costaba respirar.

De pronto fui consciente de que alguien venía corriendo y se situaba a mi lado. Un segundo después mi muñeca fue liberada y yo me volví a tiempo para ver cómo Ben se lanzaba sobre el jugador y le daba un puñetazo tan fuerte en la mandíbula que oí un crujir de huesos.

—¡Joder, Ben! Te has...

No le dio tiempo a terminar la frase porque Ben volvió a propinarle otro puñetazo que le tiró al suelo. Por un instante temí que los demás jugadores se pusieran de parte de su amigo y fueran a por Ben, pero dieron un paso atrás y se limitaron a ver cómo el *hobbit* se revolvía en el suelo. ¡Qué majos!

—¡Discúlpate ahora mismo! —rugió Ben.

Se respiraba tal tensión en el ambiente que me entraron ganas de vomitar. Parecía que estábamos en un tugurio de mala muerte en vez de en el bar de la universidad.

—Lo siento, lo siento —dijo el susodicho, frotándose la mejilla y mirando a Ben con miedo de recibir otro golpe.

—A mí no, ¡a ella!

—Per...perdón —vaciló, echando un rápido vistazo en mi dirección.

—¡Idiota! —escupió Ben con total desprecio. A continuación agarró las dos pintas que quedaban y yo le seguí hasta nuestra mesa.

—Ben, lo siento, ¡no sabía que era tu novia! —gritó el *hobbit* a todo pulmón, de manera que llamó la atención de toda la gente de la barra, o por lo menos de los pocos que todavía no se habían enterado del incidente— ¡NO SABÍA QUE ERA TU NOVIA! —volvió a gritar, aún más fuerte.

En ese momento quise que la tierra me tragara, y estoy absolutamente convencida de que a Ben le pasó lo mismo. Cuando llegamos a nuestra mesa, todos nuestros amigos quisieron saber qué había pasado.

—Son unos imbéciles —masculló Ben, sentándose al lado de Emily.

—¡Ese tipo me ha agredido, me ha manoseado! —gemí, intentando disimular lo incómoda que me sentía, gesticulando melodramáticamente.

—¿Cómo que te ha manoseado? —quiso saber Caroline.

—Me ha tocado las tetas —dije, sintiendo que tenía que explicar que la reacción de Ben estaba dentro de los límites razonables.

—¿Y tú le diste un puñetazo? —preguntó una sobrecogida Caroline a Ben. Por su mirada supe que el platónico enamoramiento que mi amiga sentía por él había subido a once puntos en una escala del uno al diez.

—Felicidades —repuso Ivor—. No sabes lo mucho que he esperado que alguien les hiciera algo así.

—Sí, felicidades, eres todo un héroe —dije yo, agradeciéndole por primera vez el gesto. Ben parecía no querer mirarme, ni tampoco a los demás, simplemente se dedicó a beberse la cerveza de un trago.

—¡No sabía que eras tan fuerte! —declaró Mindy—. Creo que de ahora en adelante seré tu admiradora secreta.

—No soy fuerte. No te puedes ni imaginar lo que me duelen los nudillos —dijo, dejando la jarra en la mesa y frotándose la mano—. Ni siquiera sé si lo he hecho bien.

—Vaya un novio tan fantástico que tienes —le dijo a Emily una estudiante de nuestro grupo. Ahí fue cuando me percaté de la expresión de asombro que tenía. Era como si hubiera sido a ella a quien le hubieran dado un puñetazo. «Seguro que estaba aterrorizada de que pudieran darle una paliza.» A pesar de que yo no había pedido que me manosearan los pechos o que Ben saliera en mi defensa, me sentí extrañamente culpable y muy ansiosa.

Una semana después, me enteré de que mi amigo y ella habían roto.

Capítulo 40

Cuando Mindy y yo nos levantamos y vamos al salón, Ivor ya está despierto. Por lo visto se desveló por el ruido que hizo Caroline cuando se fue al gimnasio. Está sentado en el sofá, con las gafas puestas, el torso desnudo y envuelto con la colcha.

—¿Qué esperabas, que nos pusiéramos a admirar tus músculos y nos olvidáramos del vómito? —digo.

—Mi camiseta está algo sucia —comenta Ivor—. Dios, ¿me puse muy mal?

—¿Se puso muy mal, Rach? —Mindy se dirige a mí en tono sarcástico y con una mano en la cadera—. ¿Se puso muy mal? —repite.

Me rasco la cabeza y bostezo.

—¿A ver cómo te lo digo para no herir tus sentimientos? Digamos que echaste por tierra toda tu dignidad.

Preparo unas tazas de té con azúcar y cuando regreso al salón para dar una a cada uno de mis amigos, me encuentro a Mindy metida bajo la colcha, junto a Ivor.

—Me dijeron que estabas intentando enseñarle al veinteañero cómo aguantar el alcohol —digo, cuando regreso con la mía, y me siento en un sillón.

—Sí, hicimos una competición de rusos blancos, ya sabes, esos chupitos que llevan vodka, licor de café y nata. Aunque con todo el licor que le metimos más bien eran rusos marrones. Joder, siento como si estuviera en el puto infierno. En vez de lengua tengo una lija.

—Supongo que ganó Jake, ¿no?

—Qué va —responde Ivor—. Gané yo. —Se señala con un dedo—. Señoras, a esto huele el éxito. El perfume de la victoria. Inhalen profundamente.

Mindy y yo nos echamos a reír.

—Creo que me puse a beber para olvidar —dice, dejando la taza de té sobre la mesa y frotándose los ojos bajo las gafas. El movimiento hace que estas le suban y bajen por la nariz, como si estuviéramos en un espectáculo de variedades. Ivor sin gafas no tiene muy buen aspecto que digamos—. La otra noche cometí un error imperdonable.

—¿Dejaste que te ganara algún adolescente belga al *World Of Warcraft*? —pregunto yo.

—No... —Ahora se frota la cabeza—. Se trata de Katya.

Mindy alza la cabeza que tiene apoyada en el hombro de Ivor.

—No la habrás dejado que se quede más tiempo del que dijo, ¿no? De ser así, no sé que se te habrá pasado por la cabeza.

—No. Se va el mismo día que me dijo.

—¿Entonces? —inquiero yo.

—Nos emborrachamos con su licor casero de ciruela.

Ivor me mira con ojos traviesos y esboza una tímida sonrisa que creo interpretar correctamente.

—No la engatusarías para que comiera carne, ¿no? —comenta Mindy, que vuelve a apoyarse en su hombro.

Él suelta una carcajada y hace una mueca.

—No me hagas reír que con la resaca que tengo me duele.

—¿Por qué te hace tanta gracia?

—Porque teniendo en cuenta lo que hicimos la frase puede tener un doble sentido.

Cuando Mindy se da cuenta de por dónde van los tiros se aleja de Ivor como si le hubiera dado un calambre.

—¡¿QUÉ?!

Ivor se queda estupefacto por lo anormal de su reacción y durante un segundo es incapaz de articular palabra.

—¿Te la tiraste? —inquiere Mindy, cerniéndose sobre él.

—Esto... Un poco.

—¡No tiene gracia, Ivor! ¡Es asqueroso!

—Habíamos bebido. Fue un hecho aislado. No voy a dejar que se quede ni nada por el estilo.

—No se trata de eso, se trata de lo que hiciste... ¡pero si la odias!

—No es tan mala... —murmura.

—No has parado de quejarte desde que entró en tu casa, y a la primera oportunidad, ¿te acuestas con ella? ¿Qué dice eso de ti, Ivor?

—Bueno, tampoco ha sido a la primera oportunidad, lleva haciendo ese licor desde hace mucho tiempo.

—Cuando te dijimos que ya iba siendo hora de que le enseñaras tus cojones a Katya, ¡no lo dijimos en sentido LITERAL!

Me tomo un sorbo de café para evitar reírme, pues veo que Mindy está fuera de control y que no le hace ninguna gracia nada de esto. Ivor tampoco se ha reído. Está rojo, no sé si por vergüenza, por ira, o por ambas cosas.

—Vaya, ahora recibo lecciones de Miss Superficial 2012, ¿no?

—¿Qué se supone que quieres decir con eso?

—¿Acaso los hombres insustanciales con los que sales son mejores que Katya? ¿Debería haberla conocido por Internet y pasar por alto sus cualidades personales siempre que fuera lo suficientemente fotogénica?

Ivor tiene razón. Me mira en busca de apoyo, pero no pienso tomar partido en un asunto que está adquiriendo tintes tan feos.

—Eso es lo que hace la gente normal —chilla Mindy, que con su pijama rojo parece un dragón escupiendo fuego—. ¡Tienen una cita! Uno no se aprovecha de la gente que está borracha y que además tiene que pagarle un alquiler. ¿Qué vas a hacer ahora? ¿Perdonarle la última mensualidad como compensación por los servicios prestados?

—Mindy... —digo nerviosa.

—¿Que me he aprovechado de ella? ¿Estás dando a entender que soy una especie de violador? —grita Ivor.

—Lo único que digo es que esto es lo más sórdido que he oído en mucho tiempo.

Él se pone de pie, enseñándonos los calzoncillos. Está tan cabreado que le da igual el pundonor.

—Sórdido es una palabra que no existe, ¡CABEZA HUECA!

—¡Vete a l infierno! —Mi amiga se pone a llorar como una histérica y se va corriendo al dormitorio.

Ivor se deja caer en el sofá con la boca abierta.

—Jesús —dice al cabo de unos segundos con la mano en la cabeza—. ¿Qué coño le ha pasado?

—¿Una bajada de azúcar?

—No estoy orgulloso de lo que hice, ¿pero tan malo es? Se ha comportado como si hubiera violado a Katya. Si cree eso de mí... —Ivor hace un sonido de incredulidad—. No quiero pasar más tiempo con alguien que piensa que soy capaz de hacer una cosa así. Por lo que a mí respecta se puede ir a la mierda.

—Necesitamos un momento para calmarnos. Solo eso. Ya sabes que Mindy es una persona muy emotiva.

Me alegro de que no me pregunte por qué creo que es emotiva, porque no sabría qué contestarle.

—¿Y qué diría si me viera salir con mujeres de veintitrés años? ¿Es que su vida sentimental es un ejemplo a seguir como para insultarme de ese modo?

—Tomémonos otra taza de té...

—No. Me largo de aquí, Rachel —dice, buscando la camiseta que tiene tirada en el suelo—. Lo siento, tú no tienes culpa de nada.

—De acuerdo.

Voy en busca de Mindy y me la encuentro tumbada en la cama, bocabajo, y con la cabeza enterrada en la almohada.

—Eh —digo, dándole una palmadita en la cadera—. Ivor se va. Creo que los excesos de anoche nos han puesto de mal humor.

Mindy se sienta sobre la cama. Tiene todo el pelo enredado.

—Despídete del maníaco sexual de mi parte.

Me acerco hasta la puerta y la cierro.

—Creo que no. ¿Qué te pasa?

Se sorbe la nariz pero no dice nada.

—¿No te está yendo bien con Jake?

Mi amiga se encoge ligeramente de hombros.

—¿Quieres que hablemos sobre eso?

Niega con la cabeza.

—¿Te apetece un desayuno inglés como Dios manda?

Vuelve a negar con la cabeza.

—Bueno, pues entonces iré a despedirme de Ivor.

Cuando llego a la altura de la puerta, ella me detiene diciendo:

—Sí que me gustaría tomar algo... cuando se vaya.

A lo lejos oímos como se cierra la puerta de la entrada.

—Vaya —digo.

—¿He sido demasiado dura con él?

Ladeo la cabeza y abro la boca para ofrecer alguna respuesta diplomática que no sea «bueno, a mí me has dejado acojonada y eso que solo era un mera espectadora libre de toda culpa», pero me doy cuenta a tiempo de que no espera una respuesta.

—¿Sabes lo que te digo?, ¡que me da igual! —gimotea Mindy—. Lo que Ivor ha hecho...

—Es lo que hace todo el mundo —la interrumpo—. Que conste que no quiero decir que haya tomado la mejor decisión del mundo.

—Lo que hace todo el mundo, no. Lo que hacen los hombres sin escrúpulos. Nunca pensé que fuera de los que se acuestan con la primera que se les cruza por delante. En cuanto a Katya. Lleva sandalias. Con calcetines. ¡Sandalias con calcetines! Creo que también la he visto llevar unas chanclas Reebok como si fueran zapatos de verdad. ¿A quién se le puede levantar con una tiparraca así?

—Puede que se sintiera solo.

—¿Por qué iba a sentirse solo? Nos tiene a nosotras.

—Por muy maravillosas que seamos, no creo que cubramos todas sus necesidades. Lleva sin salir con nadie desde hace tiempo. Desde esa que se mudó a Copenhague. ¿Cómo se llamaba?

—Hannah. —Mindy vuelve a sorberse la nariz y se limpia los ojos—. Puntas abiertas, malos modales en la mesa. Hmm... «¡hola, tapas»! Que le gustaran las raciones para compartir no le daba vía libre para zamparse todos los boquerones.

Me siento en la cama a su lado.

—¿De qué va todo esto?

—Va de lo que va.

—Está bien.

Permanecemos en un tenso silencio durante un rato. Al final Mindy se decide a hablar:

—No lo sé. Jake es muy simpático, pero... Vas marcando todas las casillas y cuando crees que has encontrado al hombre ideal, no lo es tanto. Uno no elegiría a sus amigos de ese modo. Fíjate por ejemplo en Caro y yo. Somos totalmente diferentes, si hasta fue a ver un concierto de Simon y Garfunkels a Hyde Park.

—Garfunkel —la corrijo—. Sí. Sé a lo que te refieres. —Puede que este no sea el momento más adecuado para sugerirle que se plantee quedar con hombres que no cumplan con su teoría de la atracción física instantánea.

—Todo el mundo dice que a partir de los treinta es cuando empiezas a verle el sentido a la vida. Ya sabes, si te lees una entrevista de alguna actriz seguro que dice: «Oh, no volvería a los veinte por nada del mundo. Es una edad muy difícil, y ahora estoy tan... bien conmigo misma, sé que ropa me queda mejor y bla bla blá». De los veinte a los treinta estás en el aperitivo de la vida. Pero a partir de los treinta viene el plato principal, y puede que sea lo único que vas a tener. No he conocido a nadie con quien merezca la pena entablar una relación seria. Y tengo treinta y un años. ¿Quién me asegura que a los cuarenta y uno no voy a seguir igual?

—Oh, venga. Mindy, estás en la flor de la vida y aún tienes muchos años por delante para conocer a tu príncipe azul. —Soy un poco hipócrita porque no creo que esta parrafada funcionara conmigo.

—Lo digo en serio, Rachel. ¿Y si eso no me pasa a mí? ¿Y si todo el mundo madura, avanza en su vida y se vuelve más serio y yo no? Puede que sea por eso por lo que salgo con un muchacho de veintitrés años. Porque siento que es la edad en la que me tengo que quedar.

—Sí, conozco esa sensación de saber que no eres feliz pero no saber qué hacer para remediarlo.

—Pero tú por lo menos tuviste a Rhys durante trece años. Estuviste comprometida.

—Estar con la persona equivocada puede hacer que te sientas más sola que si no estuvieras con nadie. O provoca otro tipo de soledad, pero soledad al fin y al cabo. Confía en mí. Yo no estaba citándome con nadie, ni buscando, como haces tú. A veces me pregunto si no he perdido el tiempo que tenía para encontrar a otra persona, esperando a que lo mío con Rhys se solucionara.

—¿Te soy sincera? Nunca lo sabremos. Parecías feliz.

—Lo cierto es que ni yo misma sé cómo me siento. Es como si no fuera capaz de desentrañar mi propio secreto.

Otro silencio.

—Al menos tienes un trabajo que has conseguido por ti misma. Ivor piensa que yo soy una niña de papá, la princesita mimada hindú que consigue todo lo que quiere. ¡No soy como Rupa!

—Ivor no piensa eso de ti.

—Ya le has oído, me ha llamado «cabeza hueca».

—Estaba devolviéndote el golpe, pero no quería decir algo así.

—Sí. La gente dice lo que realmente piensa cuando discute.

—No, dice lo que creen que puede hacer más daño.

Otra pausa.

—Necesito que Ivor sea una buena persona, Rachel. Si termina siendo un mierda. Entonces me doy por vencida.

—Es buena gente. Ha hecho algo que no te ha gustado, eso es todo. Y a la luz del día, creo que a él tampoco le ha parecido bien.

Mindy apoya la cabeza en mi hombro y yo la rodeo con un brazo.

—Y cuando hagáis las paces —continúo—, si te apetece ser un poco mezquina, puede que quieras decirle que, aunque no se usa mucho, «sórdido» sí que es una palabra que existe.

Se separa de mí y sonríe.

—¿De verdad? Le voy a dar en toda la boca —se ríe.

Capítulo 41

Al anochecer, mis tacones resuenan estrepitosamente sobre el asfalto, «tac tac tac tac» y, cuando compruebo lo tarde que se me ha hecho, el sonido se convierte en «tactactactac». He descubierto que lo bueno de vivir en el centro es que puedes ir andando a todas partes y que lo malo de vivir en el centro es que no te queda más remedio que ir andando a todas partes.

Esta cita con Simon me tiene nerviosa, pero, siendo sinceros, no puedo decir que sea porque me dé miedo perder la cabeza por él, ni siquiera creo que vaya a perder la ropa. Es atractivo, eso no lo voy a negar. Le aprecio a distancia, con pensamientos objetivos insensibles tipo «habrá mujeres que pensarían que es guapo». Pero Caroline tiene razón, me conviene empezar a actuar como una soltera, lanzarme de cabeza al mundo de las citas y no suspender mi vida sentimental durante un año. Salir con hombres ya me hace sentir fuera de lugar, posponerlo no lo hará más fácil.

A veces pienso que me hace falta llevar un GPS para la vida amarrado al cinturón que me dé órdenes con voz autoritaria. «A la primera oportunidad, cambie de sentido.»

Llego a la esquina del restaurante y disminuyo la velocidad, alisándome instintivamente la parte trasera del vestido para asegurarme de que no se me ha quedado metido en las bragas. Tras menearme hasta aquí con los andares patizambos propios de un humorista de Monty Python disfrazado de pescadera, intento moverme con algo más de fluidez, poniendo un pie delante del otro.

Una vez leí que las huellas que deja una debutante en la arena son líneas rectas, no dos líneas paralelas. No hago caso al dolor intenso en el talón izquierdo, que me comunica que las aceras de Manchester no son una playa y que yo no soy una belleza que ande sosteniendo libros en la cabeza. Intento que mi cara adopte una expresión beatífica que indique que he venido flotando en una brisa perfumada.

Tras decir que estaba disponible y que no me importaba a dónde fuéramos a cenar, me di cuenta de que no quería ir con Simon a algún local con precios exorbitantes y elevar las expectativas. Había sugerido un restaurante italiano cerca de Printworks que es poco más que un Pizza Hut glorificado; pensaba que Simon discutiría para demostrar su buen gusto, pero había accedido sin protestar. Quizás en el código de comportamiento del caballero inglés dice que uno nunca debería discutir la elección de una dama. O quizá le habían gustado los precios.

Veo que Simon está esperando en la puerta; obviamente, el código del caballero inglés también indica que uno no entra en un local sin su dama. Podría haberme oído llegar, he venido con unos zapatos de tacón que levantan tal repiqueteo que parece como si fuera un perro al que no le han cortado las uñas.

—Buenas noches. Estás fantástica. ¿Procedemos? —me saluda.

Ni siquiera me aproximo a su nivel de elegancia recién planchada, serena y tan apropiada para una primera cita —lleva una camisa blanca y lo que podrían ser, oh, Dios, pantalones con pinzas—, pero agradezco el comentario y concedo que sí, que podemos proceder.

Mientras preparan nuestra mesa, nos conducen a un sofá que se encuentra junto una palmera en un tiesto gigantesco. En el restaurante se oye una sinfonía de tintineos de vasos, cubertería sobre los platos y conversaciones. Los camareros, vestidos de negro, revolotean por el local en una coreografía de servicio atento al detalle. Aquí es donde la sociedad ha estado pasando las noches de sábado; no recostada en la cama a las diez leyendo libros de bolsillo comprados en las rebajas mientras su novio le grita a la televisión cuando dan los deportes.

Un camarero le entrega la carta de vinos a Simon.

—Bueno, ¿cómo de bien conoces a Ben? —pregunta, mientras pasa las páginas de falso pergamino con aire dictatorial.

«¿Tú también, Simon?»

—¿Qué quieres decir?

—¿Salisteis juntos o qué?

—No, somos viejos amigos. ¿Por qué lo preguntas?

—Ben dijo lo mismo. Me soltó un sermón sobre ir con cuidado de no hacerte daño, etcétera, etcétera. Como si yo fuera el lobo feroz y quisiera meterle mano a tu cesta.

Este comentario me sorprende y me conmueve, pero intento que no se note.

—Tiene una hermana pequeña. Es muy típico; por extensión, los hermanos mayores siempre quieren proteger a sus amigas.

—Ya. ¿Así que nunca has subido a bordo?

—¿Qué?

«¿Es su primera pregunta aquello que nadie preguntaría jamás?». Si fuera un cómic infantil, la Rachel dibujada tendría la boca fruncida como el culo de un gato y en su bocadillo de pensamiento pondría «UGH».

—¿Nunca has saltado sobre nuestro Benji?

Estoy tan sorprendida que me echo a reír ante el descaro de la pregunta. Debería responder algo cómo «mírame a mí, mira a Ben. Mira a Olivia. ¿Te parece probable?», pero el camarero anuncia que nuestra mesa está lista.

Simon se levanta y se abrocha la americana, como si nos estuviéramos dirigiendo al podio en una ceremonia de entrega de premios, con la lista de vinos bajo el brazo.

—Adelante.

Una vez tenemos los menús, me inclino sobre la mesa.

—No, no le he saltado encima —susurro indignada—. Además, es tu amigo, ¿por qué no le preguntas a él?

—Es mejor preguntar a la gente por separado.

—Ah, por supuesto. ¿Tal vez preferirías tener esta conversación en la sala de interrogatorios, con un sargento detrás?

—La iluminación no es tan sutil como aquí —contesta Simon, sonriendo—. Me gusta saber cómo están las cosas.

—Ya veo.

—La verdad... —empieza a decir. Se le ve incómodo, lo cual es una novedad—. La verdad es que la última mujer de la que me enamoré estaba casada. Digamos que ahora me ando con cuidado para evitarme complicaciones.

—¿Qué pasó?

Simon hace como si no me oyera, mientras se quita una pelusa imaginaria de la camisa.

—No tenía previsto hablar de esto antes de que llegara el vino.

—Improvisa. En cualquier caso, no me conozco las normas para las citas de hoy en día.

—Me gustaba mucho. Resultó que estaba casada. El marido lo descubrió. Ella se quedó con él. Fin de la anécdota.

—Te prometo que no estoy casada.

—Eso, por lo menos, ya lo sé. ¿No hay ningún otro secreto terrible que cargues sobre tus hombros y quieras confesar?

—Solo que no entiendo de vinos.

—Permíteme —dice él, de vuelta en su elemento—. ¿Qué pedirás de plato principal? ¿Carne o pescado? No eres una alborotadora, ¿verdad?

—¿Una alborotadora?

—Vegetariana, pescetariana, vegana... o cualquier otro eufemismo de «intolerante a todo lo bueno».

—No como nada que tenga cara —digo, haciéndome la devota.

—Oh, tranquila. A todo lo que voy a pedir se la han cortado.

***

Me había preocupado que la naturaleza antagonista de las conversaciones con Simon se convirtiera en un problema cuando saliéramos, pero no había sido así. Mantiene la conversación fluyendo, saltando de un asunto a otro con una ristra de preguntas educadas. Me habla de clientes interesantes y yo de casos curiosos del juzgado. Intercambiamos historias sobre abogados y jueces que ambos conocemos. Se queja de los periodistas entrometidos y chapuceros, así que yo lo hago de los abogados poco amables y reservados en exceso para igualar las cosas.

Parece estar de veras entretenido e interesado en la conversación y, tras un rato, me doy cuenta de lo que me gusta que me escuche. La atención que me presta resulta embriagadora, pero no tanto como el vino tinto que ha pedido.

Rhys estaría allí sentado, refunfuñaría, se dedicaría a mirar las salidas de reojo, a golpear el suelo rítmicamente con el pie y a recibir todos mis comentarios con impaciencia. Dejando de lado los ensayos del grupo, a mi ex novio le gustaba moverse siguiendo un patrón triangular consolidado: los tres puntos eran nuestro apartamento, el trabajo y el bar, y desviarse del patrón le convertía en un ser inquieto y casi resentido.

Aunque aprecio el cambio, se me ocurre que Rhys era como un camino accidentado, pero que Simon es como una superficie pulida y resbaladiza. No ofrece ningún punto de apoyo sobre el que hacer presión para empezar a conocerle. Hay un momento en el que le falla de pronto la compostura, cuando menciono a un colega suyo que tiene a todas las mujeres de los juzgados suspirando.

—¿En serio? —suelta Simon, como si aquello fuera incomprensible. Cambia de tema de inmediato y me pregunto si será un tipo celoso.

La conversación se desvía hacia una pareja que trabaja en el mismo departamento que él y en cómo los empleados se ven absorbidos en su vida doméstica.

—Siempre he pensado que es mala idea tener una pareja que trabaja de lo mismo que tú. Hay demasiada cháchara sobre el trabajo y rivalidad.

—A Ben y a Olivia parece irles bien —digo.

—Tienen sus altibajos.

—Ah, ¿sí? —contesto. No estoy segura de lo que quiere decir e intento disimular la curiosidad que siento. Él sirve lo que queda del vino.

—Liv es la que lleva los pantalones, de eso no hay duda. Creo que esto de mudarse aquí arriba es la primera discusión en la que Ben se ha puesto firme, ella todavía se está acostumbrando. Ya se lo dije; nunca te cases con una mujer que es mucho más rica que tú, pensará que es la manager del matrimonio. Y ahora, sorprendentemente...

—¿Tanto dinero gana Olivia?

—No es lo que gana, es de dónde viene. Su padre vendió su compañía de transportes y se retiró cuando rondaba los cuarenta. A Olivia no le hace falta trabajar.

«Santo cielo, con la de cualidades que tiene y, encima, es rica.»

—Quizá lo que le gusta es ser independiente —comento.

—Oh, sin duda. No me malinterpretes, que las mujeres derriben las barreras laborales me parece estupendo.

—La mayor parte de lo que dices es broma, ¿verdad?

—No soy machista. De lo único que culpo al género femenino es del éxito de James Blunt. ¿Quieres ir a tomar una copa? —me pregunta. A continuación, le hace un gesto a la camarera para que nos traiga la cuenta.

—Me gustaría ocuparme de la cuenta —digo con decisión, gesticulándole a la camarera.

—Me alegra saberlo.

La camarera evalúa el duelo y le entrega la cuenta a Simon en una bandejita. Él deposita la tarjeta encima y se la devuelve.

Capítulo 42

Cuando Simon había dicho que «conocía un sitio», me había imaginado un lujoso club inglés de caballeros con sillones orejeros, papel pintado a rayas de color vino y chimeneas con fuegos chisporroteantes. Me había imaginado que mostraría su carné de miembro o intercambiaría con el portero uniformado un apretón de manos masónico, y las puertas se abrirían de par en par.

En vez de eso, nos metemos en un callejón mal iluminado y entramos en un cubil cochambroso ideal para el tipo de alcohólico profesional que huele a distancia los locales con permiso para servir alcohol hasta tarde.

—He aquí el Yack —anuncia Simon, como si fuera un guía turístico. Me agarra del codo y me guía alrededor de un charco de vómito del tamaño de una rueda. Lo único que indica la presencia del local en el callejón es un anuncio iluminado de una marca de cervezas. A poca distancia, una pandilla de indeseables nos da la espalda de manera instintiva, no vaya a ser que luego recordemos detalles para el retrato robot.

—Tú sí que sabes cómo deslumbrar a una mujer, ¿eh? ¿Traes aquí a los clientes?

—Venga, va. A la Rachel que empiezo a conocer no le hacen falta tapetes de encaje bajo el vaso.

Me abre la puerta. De repente siento una atracción inesperada hacia él, al tiempo que me doy cuenta de lo alto que es y de lo borracha que estaré muy pronto, y pensando que me gusta que me sorprenda.

El exterior mugriento revela un interior aún más mugriento; un sótano con taburetes de bar y una gran máquina de discos tipo Wurlitzer que parece un juguete kitsch enorme o, tal vez, un decorado que sobró del plató de *Doctor Who*. La luz ambiental ilumina tanto como el anochecer y el aire está perfumado con las notas ácidas inconfundibles de una letrina sucia.

—Bebes vodka con tónica, ¿verdad?

—Gracias —digo asintiendo, aunque eso es lo que bebe Caroline, no yo, y no sé si este error es significativo. Encuentro una mesa; Simon deja los vasos encima y se desliza sobre el asiento delante de mí, lo que hace que sus pantalones chirríen contra el vinilo del asiento.

—Está claro que este lugar no es demasiado propio de ti —digo—. Estás intentando descolocarme para ver cómo reacciono.

—Después de una cita... —Se aparta el puño de la camisa para mirar lo que parece ser un reloj Breitling, hecho que parece confirmar lo que acabo de decir (lo más probable es que alguien le arranque el brazo para robárselo), o para comprobar que llevamos dos tercios de cita. Mientras, se estará preguntando cómo sabré lo que es propio de él.

—Venga ya, está claro que tengo razón —digo, y me quedo callada un instante—. Oye, ¿a qué vino todo aquello sobre la hipocresía del matrimonio en la cena de Ben y Olivia?

—Me preguntaba cuándo saldría este asunto a colación —contesta Simon, con una sonrisa de suficiencia.

—No te lo estoy preguntando porque me moleste —digo secamente, pero sonriendo.

—Entonces ¿por qué?

—Normalmente, los invitados procuran no ofender a sus anfitriones.

—¿Acaso decir que la mayoría de gente está rindiéndose al sentar la cabeza es controvertido? Seguro que estaban de acuerdo conmigo. Al fin y al cabo, no se puede ser muy honesto sobre tal asunto cuando tienes a tu cónyuge sentado al lado.

—¿No estabas pensando en alguien en concreto?

—Voy a seguir mi propio consejo y contestar «sin comentarios» —responde Simon, alzando una ceja—. ¿Por qué no me cuentas algo sobre ese compromiso del que escapaste?

—¿Es necesario?

—Bueno, lo habitual es descubrir algo personal sobre la otra persona en la primera cita, y a mí me gusta ir primero a por las preguntas difíciles. Hasta ahora solo he averiguado que no te entusiasma la remolacha.

—No hay mucho que contar. Estuvimos juntos mucho tiempo, nos comprometimos, resultó obvio que ninguno de los dos se moría de ganas de casarse y fui yo la que lo dijo.

—¿Él no quería terminar la relación?

—No.

—¿Alguna posibilidad de que os reconciliéis?

—Lo dudo.

A pesar de mis mejores esfuerzos, se me empaña la voz.

—¿Cuánto tiempo estuvisteis juntos?

—Trece años.

—Au. Imaginaba que debía de haber sido una buena temporada.

Estoy segura de que Ben ya le ha contado todo esto a Simon, pero le sigo la corriente y le pregunto por qué.

—Tienes el aspecto atormentado y receloso del monógamo en serie que se ha encontrado de repente en la selva de los solteros y se ha olvidado el machete.

Me echo a reír.

—Es más difícil para las mujeres —añade—. Un tipo soltero a los treinta da la impresión de ser exigente; a las mujeres les preocupa parecer víctimas de dichas exigencias. —Ahogo un grito y él se apresura a continuar—. Incluso cuando no es así para nada. En cualquier caso, hay cosas peores. Como Matt y Lucy. Menudo par de cansinos.

Me echo a reír, asintiendo con entusiasmo.

—Cuéntame, ¿tenía Ben mucho éxito en la universidad? —pregunta.

—Tuvo unas cuantas novias, sí.

—Me sorprende que tú no fueras una de ellas.

—¿Por qué? —replico. Vuelvo a estar nerviosa. Espero que Simon no quiera implicar que es porque resulto demasiado irresistible; eso sería como ir a la tienda de cursiladas y pedir seis kilos. Además, dudo que lo dijera sinceramente.

—Eres mona y cuando estáis juntos se nota que os lleváis bien.

—Trece años, ya te lo he dicho. No estaba soltera en la universidad —digo.

—A mucha gente le habría dado igual.

—¿Qué pretendes? ¿Obtener material para cotillear en la oficina?

—Dios, mis compañeras de trabajo están tan obsesionadas por él que resulta nauseabundo —contesta, entre risas.

—Sí, parece que se trata del efecto Ben —digo riendo. Espero que haya sonado como si lo hubiera dicho a la ligera—. ¿Por qué me has pedido una cita? —pregunto para desviar la atención; en cuanto pronuncio las palabras, me arrepiento de ello—. Es decir, pensaba que no soy tu tipo.

—¿Y cuál crees que es mi tipo?

—Esto, ¿un miembro poco escandaloso de la familia real? Una aficionada a la hípica y un poco pervertida, pero no tanto como para que no se la puedas presentar a tu madre.

Tras escucharme, Simon estalla en carcajadas.

—Estás convencida de que soy un idiota de la jet set, ¿verdad? No encasilles a la gente tan a la ligera.

—¡Ja! ¿Quieres que crea que tú no has hecho lo mismo conmigo?

—Por supuesto que no. Me gusta la gente que creo que guarda algún misterio —contesta Simon, haciendo girar su vaso entre las manos.

—¿Guardo algún misterio?

—Oh, sí. Es obvio que hay algo que no quieres contarme.

Por una vez, no se me ocurre nada que replicar.

***

Tras dos bebidas en el tugurio, las paredes empiezan a moverse. No quiero perder el control y él no se resiste cuando anuncio que es hora de volver a casa.

Insiste en acompañarme a mi apartamento y menciona que le cuesta lo mismo pedir un taxi desde allí que desde donde estamos, por si pienso que está intentando llevarme a la cama.

Me gusta la ciudad por la noche, los estallidos de música y los charcos de luz que provienen de los bares que siguen abiertos, multitudes de discotequeros con ropa llamativa, los taxis tocando el claxon y el olor a carne y cebollas, grasiento y delicioso, que despiden los chiringuitos de hamburguesas. Andamos rápido, esquivando los grupos de gente que bloquean la acera de vez en cuando; gracias al alcohol, me parece que hemos llegado a mi casa en un tiempo récord. Me da la sensación de que, al salir de casa, he tardado tres veces más en recorrer la misma distancia.

—Buenas noches, pues. Gracias por la encantadora velada —digo. Me sorprende descubrir que no he consumido el suficiente alcohol para que esta situación no resulte incómoda. Maldito aire fresco.

—Ven aquí —dice Simon en voz baja mientras me acerca hacia sí. Pienso que es muy propio de él dar órdenes en vez de decir algo dulce.

Si me hubiera preocupado por imaginar cómo besaría Simon, habría acertado de lleno: es firme, casi avasallador, como si fueran a declarar un vencedor cuando terminemos. No es desagradable, pero decido que la noche no incluirá lenguas y me aparto. Pensaba que el primer beso post-Rhys resultaría abrumador, pero es más bien... ¿Cuál es la palabra? Prosaico. Como si los últimos trece años no hubieran transcurrido.

—¿Cuál es el veredicto, periodista? ¿Volveré a verte? —pregunta en voz baja, de manera claramente insinuante.

Me siento halagada y beoda. Y, para mi sorpresa, perdida. Una parte de mí quiere decir que sí; la mayor parte de mí sabe que no es lo que quiero, es solo lo que tengo delante.

—Esto, Simon....

—«Esto, Simon» —me imita, subiendo la voz—. Oh-oh.

—Me lo he pasado muy bien. Mejor de lo que pensaba.

—Este cumplido depende de cómo pensaras que iría la noche, ¿no?

Me pregunto si hay quince minutos de descanso en los que Simon sea menos discutidor y elocuente. Debe de haber pulido esas características en sus batallas diarias con los tribunales.

—Es demasiado pronto para mí, con lo de Rhys y todo eso. ¿Podemos ser amigos, de momento? No sé muy bien lo que busco, no sería justo mezclar a alguien en mis problemas.

—De acuerdo. Bueno, obviamente, yo preferiría que estuviéramos dándole al asunto como si no hubiera un mañana, pero como quieras.

Me echo a reír, sintiéndome aliviada por haber evitado una situación íntima con un hombre que usa la frase «dándole al asunto como si no hubiera un mañana».

—Gracias.

Silencio.

—Buenas noches, entonces —añado.

—Buenas noches.

Saco las llaves del bolso.

—¿Sabes por qué no me molesta esta situación, Rachel? —exclama Simon a mis espaldas mientras me alejo.

Me vuelvo hacia él y sacudo la cabeza.

—Porque vale la pena esperar por ti —dice, levantando una mano—. Buenas noches.

Mientras realizo varios intentos de meter la llave en la cerradura, me pregunto si lo que ha dicho es más una suposición que un cumplido.

Capítulo 43

Tras mucho —bueno, un poco— debatir internamente si es apropiado, le mando un mail a Ben contándole cómo fue la cita con Simon. No quiero que piense que solo acepté salir con él para cenar gratis. Escribo:

Hola,
Ha sido un poco raro, me lo pasé bien con Simon pero no sé si volveremos a salir. Demasiado pronto y tal. Espero que Olivia y tú no os sintáis en medio.

Al volver de un descanso en el juzgado, encuentro su respuesta:

Bueno, Olivia y yo solo pretendemos que os caséis para que nos resulte más fácil sentaros en futuras cenas. ¿Acaso es demasiado pedir?

Me río como una tonta al leerlo. Entonces, veo que hay una post-data.

Estoy intentando hacer vida sana, así que voy a ir a por un bocadillo y un paseo por Platt Fields a la una, para escapar de la oficina… ¿Quieres venir conmigo y charlar? No pasa nada si no quieres, se me da mal dar consejos sentimentales.

Contesto ipso facto diciendo que sí. Me subo al autobús; no me resulta tan increíblemente fácil llegar a Platt Fields como le diré a Ben si me pregunta. Me vendrá bien airearme.

273

Cuando llego a la entrada del parque, veo que Ben está sosteniendo dos bolsas de papel, arrodillado y hablando con una niña pequeña vestida con un abrigo oscuro. Una mujer de unos cuarenta años y aspecto alarmado se une a ellos mientras me acerco.

—¡Aquí está mi amiga! Hola, Rachel —exclama él, con voz de presentador de programa infantil.

—¡Hola! —digo, intentando sonar alegre. No sé si estoy saludando a los adultos o a la niña.

Mientras nos alejamos, Ben empieza a murmurar.

—Hoy en día le hablas a un niño perdido y es más fácil que te arresten que que te den las gracias. No sabes lo que me he alegrado de verte.

—Quizás han pensado que era tu cómplice, como la familia de Charles Manson.

—Olvidaba lo que me estaba perdiendo al no poder disfrutar de tu sentido del humor —dice Ben, riendo. Mientras estoy decidiendo si me preocupa que se haya olvidado de mí, o si debería alegrarme de que piense que se estaba perdiendo algo, Ben sigue hablando—: ¿Has traído algo de comer? —pregunta. Me doy cuenta de que con las ansias por venir, se me ha olvidado la comida—. Te he comprado esto. ¿Te siguen gustando los bocadillos de jamón dulce y pepinillo?

Me entrega una de las bolsas de papel marrón. Echo un vistazo al interior y veo un bocadillo de chapata envuelto en servilletas de papel.

—¡Gracias!

Nunca se me habría ocurrido salir a admirar la naturaleza en pleno día frente a los juzgados, pero me impacta la belleza primaveral del parque, la luz que se refleja en el lago.

—Bueno, ¿así que Simon y Rachel no ha funcionado? —dice Ben.

Me dedica una sonrisa traviesa con la boca llena y seguimos mordisqueando los bocadillos de pan chapata. Siempre pienso que las barras de chapata son buena idea, pero, en la práctica, comerse una es como masticar un ladrillo cubierto de polvo. Me rindo y empiezo a sacar pedazos de jamón del bocadillo, que sigue en la bolsa, para que Ben no me vea con aspecto de haber metido la cara en un saco de harina.

—Salimos a cenar y fue sorprendentemente agradable...

Me apago, sin saber cómo poner en palabras la situación.

—Vaaaale —dice Ben. De repente, parece un adolescente al que están obligando a escuchar la historia de su propia concepción—. No me vas a hacer un informe, esto, apto para menores...

Al ver su cara de angustia, no puedo contenerme.

—Me temo que no, porque cuando un hombre y una mujer se gustan mucho, mucho, se abrazan de una manera especial...

—¡Ah! ¡Basta ya! Dios, solo de pensar en Simon golpeando el cabecero de la cama y gritando «¡Bravo! ¡He alcanzado mi conclusión! Preparando para desacoplar miembro en tres, dos, uno... —Ben se estremece—. Búscate a otro confidente para estas cosas.

—¡Es broma! —exclamo entre grandes y, a la vez, tensas carcajadas—. Fue una cena para dos, cama para uno.

Ben finge enjugarse la frente con una servilleta.

—Simon me lo ha contado de manera más enigmática, claro. «Oh, una mujer remarcable, Ben» —dice, imitando su voz y levantando una ceja como Simon. Ben no tarda en cambiar de expresión y poner cara de asco.

Nos echamos a reír.

—No sé si estamos hechos el uno para el otro, supongo —digo—. Es muy inteligente, sarcástico, mordaz y todo eso. Creo que somos muy diferentes. Estoy segura de que sería todo un desafío. Me da un poco de miedo, para serte sincera.

—Hmm, no lamento del todo oírte decir eso.

Me acuerdo de los comentarios de Caroline en la fiesta de mi apartamento. Que Ben admita algo así de una manera tan franca me hace pensar que sus intenciones son intachables. Siento alivio y cierta, poquísima, decepción.

—¿No?

275

Ben sacude la cabeza al mismo tiempo que mastica y acaba de tragarse el bocadillo.

—Me llevo bien con Simon, pero no me fío de él. Tendría mala conciencia si le aconsejara a una amiga que saliera con él.

«Una amiga.» Vuelvo a ser una amiga.

—Liv cree que me estoy comportando de manera ridícula y que haríais una pareja estupenda. Así que supongo que no soy un experto.

Espero que, en lo que se refiere a mí, sea más experto que su mujer, pero no digo nada.

—Me sorprendió un poco que aceptaras salir con él, si te digo la verdad —continua Ben.

Extraigo otro trozo de jamón del bocadillo.

—Después de trece años, ¿cuándo es el momento adecuado para volver a tener citas? ¿Cómo sabes cuál es la persona adecuada? Caroline dijo que debería intentarlo y me pareció que tenía razón.

—Tendrías que confiar más en tus propios instintos. Caroline es fantástica, pero sus decisiones son las suyas.

Aquello me llega al corazón.

—Un comentario muy considerado. Eres lo que llaman «lo suficientemente gay» —suelto.

Ben sacude la cabeza.

—Solo pretendía apoyarte —dice, con la boca llena de pan—. ¿Alguna vez te han dicho que eres una bruja sin corazón?

—Sí, una vez, un tipo de mi universidad —digo, sacudiendo la mano en gesto desdeñoso.

«He retrocedido demasiado», pienso. Ben se traga lo que tenía en la boca y sonríe un poco. Una punzada de dolor de la antigua herida nos recuerda que, a pesar de la rehabilitación, es mejor no pasarse, no deberíamos ponerle demasiado peso encima.

¿Qué significamos Ben y yo el uno para el otro? No hay una palabra para lo nuestro. No somos ex pareja y, pese a lo que ha dicho y a lo que me gustaría creer, tampoco somos exactamente amigos. No me extraña que la gente siempre pregunte. Me muero de ganas de hablar de ello, pero no quiero fastidiar el momento.

—Entonces, ¿una segunda cita con Simon es poco probable o imposible? —pregunta Ben, supongo que por decir algo.

—Poco probable, pero no imposible.

—Le diré a Liv que es un «tal vez». Así dejará de insistir y, si se lo dice a Simon, no le ofenderá.

—Buena idea —digo, agradecida—. Tiene unas opiniones interesantes, eso lo reconozco.

—¡Ja! ¿Como el discursito de la cena, diciendo que todos nos habíamos casado con la persona equivocada? Sí, por lo que he visto y escuchado, no siente demasiado respeto por las relaciones ajenas, en general —dice Ben.

—Creo que sé a qué te refieres. Si es que estás hablando de su pasado, claro. Me lo mencionó el otro día.

—Oh. ¿Qué te contó?

—Qué había tenido algo con una mujer casada y ella había vuelto con su marido.

Ben asiente.

—A mí me dijo lo mismo. Ya sabe lo que pienso. Aunque lo suyo fuera la mayor pasión del mundo, ni siquiera tendría que haberlo intentado.

«¿Ves, Caroline? —pienso—. Estamos hablando de Ben. Puede que disfrutara de la libertad cuando éramos más jóvenes, pero ni aprueba ni emula los líos de faldas.»

—Pero es amigo tuyo, ¿no?

—Conoce a Liv desde la universidad y siempre se ha portado bien conmigo en el trabajo —contesta Ben, encogiéndose de hombros—. No quiero que sea tu novio —añade, frunciendo el ceño—. Me siento mal por hablarte así de él. Fórmate tus propias opiniones; nunca se sabe, quizá seas tú la mujer que le cambie. Pero es que no veo qué podrías sacar de la relación, eso es todo.

—¿Aparte de no tener que morir vieja y sola?

—Como si eso fuera posible —dice Ben, riendo—. ¿Puedo preguntarte tu opinión sobre otra cosa?

—Claro.

—Liv quiere volver a mudarse a Londres dentro de un año.

—Oh.

«No voy a darle consejos subjetivos. Menuda patada en los dientes.»

—Si acepto mudarme, en Londres no podremos permitirnos una casa como la que tenemos aquí. Los padres de Liv quieren comprarnos una gigantesca, cerca de la suya, y me pide que acepte su oferta. Creo que solo nos lo han propuesto para que su niña vuelva al sur con ellos. Me he negado. ¿Estoy siendo poco razonable?

—¿Cuáles son tus motivos?

—Dejando de lado que viven en San sabe-Dios-dónde del monte, en las afueras que conforma Surrey, es demasiado. No quiero deberles una fortuna a mis suegros. No me malinterpretes, son bellísimas personas, pero no me gusta que me hagan un favor que no les puedo devolver. Cuando nos casamos ya sabía que eran una pareja tremenda; ahora, esta muestra de generosidad tan oportuna me hace pensar que los subestimaba.

—¿No podéis invertir esa fortuna en instalaros aquí?

—Oh, no —dice Ben, con una sonrisa forzada—. Que tampoco lo aceptaría, pero no. Ese no es el trato.

—¿Y qué piensa Olivia?

—Cree que soy un egoísta, que estoy arriesgando su felicidad y la seguridad de nuestros futuros hijos por un capricho abstracto. Dice que, en cualquier caso, el dinero de la casa lo heredaría igualmente. Si fuera por ella, nos mudaríamos mañana. Dice que ha intentado acostumbrarse a vivir aquí por mí y que no le gusta; fin del experimento, ha hecho todo lo posible. Mientras que yo nunca he sido más feliz.

Es patético, pues ya sé que yo no pinto nada en todo esto, pero este último comentario me da ganas de abrazarlo.

—Difícil.

Soy consciente de que todo lo que diga puede llegar a oídos de Olivia y de que nada de esto me concierne. Hace pocos minutos me estaba diciendo que era más sensata que Caroline, pero esto se parece sospechosamente a lo que nuestra amiga común me advirtió. Ben no tiene a nadie más con quién hablar en Manchester, me aseguro a mí misma. No hay nada de malo en esto. Somos dos viejos amigos, charlando. Aunque «amigos» no cuente la historia entera.

—Entiendo por qué te sientes así. ¿Podríais llegar a un acuerdo y devolverles el dinero dentro de unos cuantos años?

—Estamos hablando de una suma de dinero que nunca podría devolver, Rachel. El plan no incluye un reembolso. Una vez allí, de lo único que nos tenemos que preocupar es de llenar las habitaciones...

Ben no añade nada más. El asunto de los niños. Ni loca voy a preguntar sobre eso.

—Creo que haces bien al querer mantener cierta autonomía. En cuanto a la seguridad... —digo—. Tampoco es que Didsbury sea una favela de Río de Janeiro, ¿no?

—No —dice Ben, sacudiendo la cabeza.

—Olivia cambiará de opinión en cuanto empiece a pillarle el gusto a Manchester —añado.

Ben levanta una ceja y, con la mirada perdida en la distancia, emite un «ejem» ambiguo.

Noto que le gustaría seguir hablando pero que ya se siente desleal a su mujer. Nos quedamos en un silencio incómodo.

—¿Cómo es la familia de Simon? —pregunto, por decir algo.

—¿No sabes lo que pasó?

—¿No?

—Sus padres murieron en un accidente de tráfico cuando tenía siete u ocho años. Su tío y su tía eran sus tutores legales, pero no eran exactamente aficionados a jugar a las familias felices y le mandaron a un internado. Creo que lo pagaron con el dinero del seguro de vida.

—Oh, no, qué horror —digo. Yo sí que soy un horror. Me estremezco al acordarme de meterme con Simon diciendo algo sobre su «mamá»—. Puede que le haya dicho algo sobre ser un esnob...

—No podías saberlo —dice Ben, encogiéndose de hombros.

El sol se esconde tras una nube. Contemplo el agua del lago, plana como el asfalto, en la que el viento dibuja pequeñas ondas.

—Y por eso no tendría que haber dicho nada.

El ambiente ha decaído. Arranco un pedazo de pan del bocadillo.

—¿Te importa si comparto con los patos?

—Adelante.

Los patos se abalanzan sobre los fragmentos de chapata en un frenesí de color verde botella, crema, amarillo y negro.

—¿Y aquel tan pequeño y debilucho que nunca consigue un trozo? —pregunta Ben.

—¿Dónde?

—¡Allí! Al fondo. Pobre miserable.

Le entrego a Ben un buen pedazo de chapata y él me sonríe; no cualquier sonrisa, una de esas ligeramente conmovedoras, de película del domingo por la tarde. Una sonrisa de filtro amarillo en la cámara, sentimentaloide, «mira como tenemos que vernos». Empieza a arrojar trozos de pan con más vigor que yo.

—¡Ahora sí! Aquí tienes, amigo. La vida no es tan injusta como pensabas.

—¡Ja! Claro que lo es —digo.

Ben me mira de soslayo. Siento que estamos teniendo un momento especial.

—Por supuesto, lo que estamos haciendo en realidad es matar a los peces —explico—. Parece ser que el pan que sobra se pudre y entonces hay demasiado nitrógeno en el agua, o algo así.

—Caramba, teniente Aguafiestas —dice Ben—, y yo que pensaba que lo estábamos pasando bien.

Capítulo 44

Agarrada a la barra del autobús, me quedo ensimismada pensando en Simon el huérfano, de repente merecedor de ternura y comprensión pese a sus escarceos con una mujer casada. Aunque confío en Ben, no puedo evitar preguntarme cuál sería la versión de Simon. Pienso en la actitud que he tenido con Natalie Shale y en mi debate con Caroline, y sospecho que debería ser más dura y dejar de nadar entre dos aguas, como diría Rhys.

El teléfono móvil canturrea como un pájaro en las profundidades de mi bolso. Me lo apoyo en la cadera y encuentro el aparato. Es Ken. Mala señal.

—¿Hola?

—¿Woodford? ¿Qué te parece Zoe Clarke?

—¿Que qué me parece? ¿Como profesional?

—No, a la luz de las velas. ¡Claro que como profesional!

—Esto, es... —Me meto el dedo índice en la otra oreja para aislarme de las conversaciones y los ruidos del tráfico a mi alrededor—... es fantástica. Es una reportera estupenda y no ha necesitado que le haga de canguro. Me ha apoyado en varias ocasiones y sé que, si confío en que cubra algo, siempre se hace con la historia.

—De acuerdo. He hablado con el editor y nos gusta el trabajo que está haciendo en los juzgados.

Oh-oh. ¿Acabo de convencerle de que le dé mi trabajo a Zoe?

—Así que queremos probar con algo nuevo, diferente, hacer un experimento...

Todos mis músculos se tensan. Será inútil discutir; cuando Ken ha tomado una decisión, y más si ya ha discutido los detalles con el editor, no hay quien le detenga. Tendrías más posibilidades de desviar un petrolero cargado de una patada.

—Vamos a enviarla a los juzgados a tiempo completo...

Esto no puede estar pasando. No acabo de descubrir que tengo que volver a las oficinas, a hacer de periodista de temas generales, con reuniones del ayuntamiento, ir a visitar a familiares de muertos y turnos hasta las tantas. No, me niego. Dimitiré. «Ah, sí... ¿y entonces quién pagará tu ridículo súper piso que ya se está comiendo tus ahorros?»

—...bajo tu mando. Así tendrás más tiempo para dedicarte a reportajes como el artículo de Natalie Shale. Eso también nos gustó. Buen artículo, directo. Sin exageraciones.

—Oh, vaya, gracias... —balbuceo.

—¿Empezamos la semana que viene? —pregunta Ken.

—Perfecto.

Cuelga el teléfono sin decir adiós; Ken Baggaley es la única persona, fuera de las películas, que hace eso.

Las puertas del autobús se abren con un siseo hidráulico y salgo a la calle, respirando hondo el aire cargado de monóxido de carbono del centro de Manchester y dejando que el horror y el pánico de minutos antes de disipen.

Alguien bajo mi mando. Tendré tiempo de dedicarme a fondo a los artículos más importantes y, quizá, redescubrir la pasión por mi trabajo. Sabía que la primicia de Natalie Shale me apuntaría un tanto, pero no anticipé que fueran a darme un ascenso. Sonrío mientras echo a andar hacia el trabajo.

Caroline sugirió que acercarme a Ben de nuevo solo me traería problemas, pero, hasta ahora, solo me reportado cosas buenas.

* * *

Me gustaría ir a algún sitio elegante a celebrar nuestro doble ascenso, pero el alquiler me tiene atada. Aunque le hayan subido el sueldo, dudo que Zoe esté nadando en dinero, así que terminamos en el Castle, maldiciendo lo predecibles que somos. Zoe va a por las bebidas mientras yo examino un panfleto lleno de juegos de palabras sobre el Club del Curry de los jueves: «¡*Tikkate* de encima la responsabilidad de cocinar!». Zoe vuelve con dos copas de vino blanco del tamaño de dos peceras y propongo que brindemos por nuestra colaboración en los juzgados.

—Por el trabajo en equipo —digo, levantando la copa—. Y Por Pete Gretton, gracias al cual tuvimos algo en común desde el primer día: un enemigo.

Bebemos.

—¿Sabes? Todo esto ha sido gracias a ti, Rachel.

—No seas tonta, ha sido gracias a que eres la polla en vinagre a una edad temprana.

—No, en serio. Me acuerdo del primer día, no tenía ni idea de lo que hacía. Te agradezco que tuvieras tanta paciencia.

Nos ponemos a cotillear sobre el trabajo y, cuando vamos por la segunda ronda de copas, decido que necesito quitarme un peso de encima.

—Zoe, ¿puedes guardar un secreto?

—Oh, me encantan los secretos. No diré nada.

—Cuando fui a entrevistar a Natalie, leí un mensaje de texto de su teléfono. Pensé que podría ser sobre mí. Fui a una cita con su abogado. Aunque claro, eso no es excusa.

—¿Y? —pregunta Zoe, abriendo de par en par sus ojos grises.

—Y era de un amante, creo.

—¡No jodas! Su marido en la cárcel y ella por ahí dándose alegrías. Escándalo sobre escándalo.

—Pensé que quizás era este tipo con el que salí. No era su número.

—¿Te apuntaste el número?

—Sí —digo, incómoda—. Solo para ver si era el de Simon.

—¿No llamaste?

—Tampoco es que vaya a sacar mucha información por escuchar una voz.

—¿Tienes el número aquí?

—¿Por qué? ¿Qué pretendes?

—Básicamente, llamar sin decir quién soy.

—¿Y qué preguntarás? ¿«Es usted el tipo que se está beneficiando a Natalie Shale»?

—No.

—¿Una llamada en la que no le dices nada y le preguntas menos? Diría que es un esfuerzo fútil.

—Ya veremos.

—¿Me prometes que no corremos ningún riesgo?

—Ninguno en absoluto. Confía en mí.

Rebusco por el bolso hasta sacar la libreta y la abro. Una voz interior me dice, a un volumen considerable, que si no fuera porque he dado buena cuenta de media botella de vino con el estómago vacío me pensaría esto un poco más. Ahí está el número, garabateado en el anverso de la portada de cartón, al lado de las palabras «fontanero serio» como medida de precaución, por si Gretton empieza a copiar números anónimos de mi libreta con la esperanza de dar con el de Natalie.

—Díctamelo —dice Zoe, con el bolígrafo listo para apuntarlo en el dorso de la mano. Leo el número en voz alta y ella lo escribe a toda prisa, llenándose la mano de tinta azul corrida.

—De acuerdo, sígueme —dice Zoe, bajando de su taburete y buscando el teléfono público del bar con la vista. Dejo el abrigo en el asiento, me echo el bolso al hombro y voy tras ella. Zoe echa unas monedas al aparato y marca el número mientras yo vigilo a sus espaldas, aunque no sé muy bien por qué.

Zoe hace una mueca como si estuviera emocionadísima cuando oye la señal de llamada, lo que le da el aspecto de necesitar ir al baño desesperadamente. La encargada del bar nos dedica una mirada de sospecha. No me sentía así de culpable desde que tenía quince años y me salté la clase para ir a una tienda de discos.

—¿Hola? ¿Está Liz? —pregunta Zoe al teléfono—. Vaya, lo siento. Me he equivocado de número —dice, y cuelga el teléfono—. Es un hombre.

—No creo que esto nos cualifique para la medalla al periodismo de investigación de Woodward y Bernstein.

—Paciencia —me amonesta, y me pregunto desde cuándo se ha convertido Zoe en mi mentora.

Vuelve a marcar el número.

—¿Qué estás haciendo? —susurro. Ella se lleva un dedo a los labios para hacerme callar.

Esta vez no dice nada, solo cuelga.

—Bingo.

—¿Qué?

—Casi nadie responde dos veces si te has equivocado de número. Ha saltado el contestador.

—¿Y?

—Y Natalie Shale se está trajinando a un tipo llamado Jonathan Grant, que ahora mismo no puede responder al teléfono, el muy mentiroso. Lo único que tenemos que hacer es descubrir quién es este tal Jonathan —explica Zoe—. La lista electoral podría ser de ayuda. ¿Sabes qué te digo? Tenía acento de clase alta, no sonaba a gorila mafioso... ¿estás bien?

—Zoe, creo que sé quién es —digo.

—Coño. ¿Quién?

—Es el antiguo abogado de Lucas Shale.

Nos miramos la una a la otra. Zoe tiene la boca abierta.

—¡Sí, la ostia! —grita un chaval cerca de nosotras, mientras la máquina tragaperras escupe monedas como si fuera una ametralladora.

Capítulo 45

—Necesito pensar con claridad —digo, y refuerzo mi declaración llevándome la tercera copa de vino llena a los labios. Zoe asiente con seriedad.

—Por otro lado, no hay duda de que de esto podría salir un artículo —anuncio innecesariamente.

—Por este lado —dice Zoe, mostrándome el lado lleno de tinta de su mano—. Podría ser un artículo impresionante —añade. Le brillan los ojos, que de repente parecen más claros y alegres—. Eres una maldita leyenda.

A pesar de sentirme como si hubiera levantado una roca y hubiera encontrado un bicho asqueroso, estoy orgullosa. Por lo menos he conseguido que Zoe se lo pase bien.

—No será gracias a mis conocimientos periodísticos, pero gracias.

—¿Por otro lado...?

—Por otro lado, a Natalie Shale se la comerán viva. La apelación de Lucas podría verse comprometida por la mala prensa. Imagínate estar encerrado por un crimen que no cometiste y descubrir algo así.... Lo más probable es que Jonathan Grant pierda su trabajo. No sé cómo funciona la ley en estos casos. Creo que una vez has hecho algo tan poco profesional, pierdes la licencia.

—Cierto. Natalie decidió echar un polvo con el abogado de su marido y viceversa. No es responsabilidad tuya.

—Ya lo sé, pero no lo habría descubierto si no hubiera metido las narices en su teléfono cuando me invitó a su casa.

—¿Dónde estaba ella cuando leíste el mensaje de texto?

—Estaba fuera, hablando con una vecina.

—Pero tienes que pensar que esto es un bombazo —dice Zoe—. Cuando te jubiles y te hagan una fiesta, esto es algo que saldrá en el discurso de despedida. Siempre podrías llamar a Natalie y preguntarle si quiere hablarte de ello.

—No sé por qué, pero creo que no es ni remotamente posible. Y no puedo dejarlo caer sin causar un escándalo. Soy amiga del abogado actual de su marido —digo. «Y tal vez algo más que amigos»—. Los dos se pondrían histéricos y exigirían que dejara solo lo que les interesa en la entrevista. Te lo garantizo.

—Si no hubiera llamado, ahora no tendrías que preocuparte por esto —dice Zoe, mordiéndose el labio.

—No pasa nada —digo, algo achispada—. Voy a ir al baño y, cuando vuelva, tendré la respuesta.

Mientras arranco toallas de papel del dispensador con una fuerza desproporcionada, una idea aromatizada con vapores etílicos se abre camino en mi mente, como un gusano en la manzana podrida que tengo por cabeza. Deja que Natalie siga con su aventura, déjalos a todos porque ¿quién eres tú para decidir quién ha encontrado la felicidad, al fin y al cabo? Apenas sé nada sobre Lucas, podría ser un marido tiránico. Quizá Jonathan le robó el corazón de revista de decoración. Quizá todo haya terminado cuando Lucas salga a la calle. Puede que hubiera sido un «momento de locura» del que Natalie se arrepiente, igual que los políticos dicen siempre. Lo que importa de verdad no es la moralidad de la situación, ni la historia de primera página. Lo que importa es el hombre que hay en Manchester sur. Quiero actuar de una manera que le haga sentir orgulloso, aunque nunca se entere de lo ocurrido. ¿Hay alguna manera de publicar este escándalo sin que Simon se enfade o que Ben se sienta alienado? Y si existiera ¿la publicaría, traicionando a Natalie y siguiendo con mi vida? Hago una bola con los papeles, intento lanzarla a la basura desde cierta distancia y cae fuera.

Vuelvo a unirme a Zoe, que espera ansiosa en la mesa.

—¿Y bien?

—Bueno, no se han abierto los cielos. Lo cual es frustrante, porque suelo tener todas mis epifanías en los baños del Castle.

Zoe se echa a reír. Yo me siento borracha.

Es el momento de dejar de fingir, sé de sobra lo que voy a hacer.

—Voy a olvidarme de esto, Zoe —digo—. No es la decisión más arriesgada que he tomado en mi vida, pero al menos dormiré tranquila.

—¿De verdad? —pregunta.

—Sí. No puede salir nada bueno de lo que hice. Fue un error. Todos mis instintos me están gritando que no me meta.

—Creo que, probablemente, acabas de tomar la decisión correcta.

—¿Sabes qué? No me cabe ninguna duda de que tienes razón. Lo intuyo.

—Santo cielo, ¿te imaginas lo que haría Gretton si algo así cayera en sus manazas pegajosas? —dice Zoe, riendo—. Creería estar en el cielo.

—Gretton no va a ir al cielo, ese se va a pasar a calor —digo—. Y hablando de calor, ¿te apetece acompañar todo este vino con un curry?

Capítulo 46

Celebré mi veintiún cumpleaños con una comida en un restaurante indio en Rusholme. Era nuestro sitio favorito de entre todos los que preparaban curry; los camareros nos conocían, nos mimaban y nos traían *kulfi* gratis, caramelitos de menta y la bandeja de toallitas calientes enrolladas que olían a limón.

Cuando reservé la mesa expliqué que celebrábamos mi cumpleaños y, al llegar, vimos que habían tenido el detalle de decorar la mesa con banderitas, que acabaron siendo arrastradas por la salsa de mango. No fue una gran fiesta, para ser la de los veintiuno, pero cayó justo antes de los exámenes finales y todos estábamos exhaustos, tensos y desgastados.

Como Ben no conocía demasiado a mis amigos, se trajo a su novia más reciente, Pippa, de la que me habían dicho que llevaba prendada de él desde mucho antes de que empezaran a salir juntos. Me preguntaba si Ben también estaba enamorado de ella. Un amigo de él la había descrito con admiración, diciendo que «lo tenía todo». Resumió todo lo que me incomodaba sobre la menuda Pippa. Ben había pasado por muchas novias, pero nunca había dado con una tan amable. El pelo del color del caramelo, el cuerpo con las proporciones de una princesa Disney a lo porno y, lo peor de todo, belleza interior a conjunto con la exterior.

—Estás guapísima —me había dicho muy en serio con su dulce acento de Dublín, que hacía que sonara aún más sincera.

—¡Gracias!

No lo estaba. Me había pasado una hora creando un peinado de Shirley Temple con un rizador eléctrico. Había imaginado grandes tirabuzones brillantes, del tipo que aparece en los anuncios, tan definidos como el cable del teléfono. En vez de eso, tenía un aspecto ligeramente psicótico, como el retrato policial de una reina del baile de fin de curso desacreditada a la que han encontrado confraternizando con el rey en el aparcamiento.

Mientras Rhys se ocupaba de repartir las cervezas Cobra, Caroline quiso saber qué me había regalado por mi cumpleaños.

—Cosas de mujeres, ya sabes. Perfume, ropa interior. Aunque eso último es más bien para mí.

—¿Te travistes a menudo? —preguntó Caroline, amontonando cebolla morada sobre una rebanada de pan *poppadum*.

—No, pero me gustará vérsela puesta. Tendrías que ver lo que lleva normalmente... ropa de monja.

—Cállate —le solté, tapándome la boca para evitar rociar la mesa con trocitos de aperitivo frito.

—Hay hombres a los que eso les gusta —dijo Caroline.

—No, hablamos de cosas sólidas, como si fuera a jugar a fútbol.

—¡Rhys!

—Oh, te sorprendería lo que le gusta a algunos —comentó Caroline, aliñando su plato con una cucharita llena de salsa de menta.

—A uno de mis novios le gustaba que le llamara maharajá —aportó Mindy. Los presentes intentamos no hacerle caso educadamente.

—Hasta tiene braguitas con personajes de los dibujos animados —continuó Rhys—. ¿Cómo se llama aquel bicho lanudo con una tapa de cubo de basura por gorro de *Barrio Sésamo*?

Con las mejillas ardiendo, y no gracias a la comida picante, le di una buena patada a Rhys por debajo de la mesa.

—¡Joder! ¡Me has hecho daño!

Miré a Ben de soslayo para ver si había oído la conversación. Le vi fingiendo estar absorbido por el menú para ahorrarme la vergüenza, lo que me abochornó aún más.

—Oscar el gruñón —aportó Caroline.

—¡Gruñona es poco! Me va a salir un buen moratón —dijo Rhys.

—No, el bicho de *Barrio Sésamo.*

***

Al volver de una visita al baño, mientras me recolocaba el vestido, me di cuenta de que Ben ya no estaba. Lo encontré fuera, con la espalda apoyada a la ventana. En la mesa, la bebida fluía animadamente. Mis invitados seguían atacando los platos de *jalfrezi* pardo, *dhansak* y *korma* y haciendo montañas de arroz amarillo maíz repleto de clavo. Me escabullí del comedor sin que me vieran y salí a la calle.

—¿Qué pasa?

Ben se sobresaltó al oírme.

—Necesitaba un poco de aire fresco. ¿Qué haces aquí fuera?

Me llevé una mano al estómago lleno, bajo el encaje de mi vestido.

—He alcanzado la frontera del espacio-tiempo de carne *tandoori.*

Ben sonrió.

Un Toyota con el tubo de escape trucado pasó por delante de nosotros, con música de imbécil de discoteca surgiendo a todo volumen por las cuatro ventanillas bajadas. No dijimos nada hasta que el ruido se alejó, nos quedamos temblando ligeramente por el clima de una tarde típica del norte de Inglaterra. El aire olía a fuego de leña y a los efluvios de un quiosco que vendía alitas de pollo picante y que se encontraba junto a nosotros.

—Veintiún años, ¿eh, Dan? Al borde de la vejez.

—Ja. Así es.

—¿Tienes un plan? ¿La vida bien organizada? ¿Trabajo, matrimonio, niños y todo eso?

—La verdad es que no.

—Pero ¿estás segura de que vas a volver a Sheffield?

—Hombre, pues sí, ya que me han admitido en el curso de periodismo allí.

La pregunta me sorprendió un poco. Había presentado mi solicitud, me habían aceptado y no había hablado de otra cosa durante semanas, ¿qué iba a hacer si no?

—¿Y tú qué? ¿Vas a terminar tu gran vuelta al mundo en Irlanda? —pregunté.

Ben y su amigo Mark habían estado planeando un viaje para trotamundos de seis meses desde que tenían quince años. El formidable sentido de la responsabilidad de Ben le había llevado a acumular unos ahorros considerables. Hacía poco que habían comprado los billetes y me había mostrado, ilusionadísimo, la ruta que harían sobre un mapa de Asia que había desplegado sobre la mesa del comedor de la universidad.

Su partida inminente me obligaba a enfrentarme a algo en lo que no había querido pensar: ¿Cómo íbamos a seguir en contacto, en el sentido de continuar siendo parte el uno de la vida del otro, más allá de una postal de Pascuas a Ramos? Cuando tuviera relaciones serias, ¿ no se molestarían sus novias por mi presencia? ¿Empezaría Rhys a contar chistes sobre mi «otro hombre» que nos incomodarían a todos?

Pero Ben y yo habíamos formado un exclusivo club de dos, con el conocimiento tácito de que nadie más podría unirse. Esta exclusividad sería, con toda probabilidad, lo que lo llevaría al fracaso. Por mucho que tuviéramos buenas intenciones, no veía una manera de continuar con la amistad a través de vastas distancias geográficas, ya resultaba bastante difícil tener un amigo del sexo opuesto. Si alguien me hubiera preguntado si pensaba que Ben y yo seguiríamos siendo amigos, habría dicho que sí; pero si me hubieran metido en una celda de castigo, me hubieran enfocado la luz en los ojos y alguien hubiera exigido que confesara la puta verdad, no me cabía duda de que habría admitido que las probabilidades eran muy remotas. No iríamos a matar el rato a su casa una vez hubiera pasado el tiempo y nuestras acciones tuvieran que ser aprobadas por parejas celosas. Las cartas y las llamadas contendrían invitaciones que ambos sabríamos falsas, y la incomodidad de la situación haría que el contacto fuera cada vez más escaso. Ante diversos pragmatismos, multiplicados por los años, la amistad mermaría y, lo que es peor, los dos dejaríamos que ocurriera, porque sería lo más fácil.

—¿Crees que debería mudarme a Irlanda? —preguntó Ben.

—Pippa parece una muchacha encantadora —dije con toda honestidad.

Los dos miramos al interior del restaurante; Rhys, muy animado, estaba haciendo una figura cómica con un globo alargado para entretener a Pippa, que se reía con él.

—Eso no es una respuesta.

—Tú eres el único que sabe si deberías mudarte o no, Ben.

—Eso es verdad. Y no lo sé.

«Di algo profundo —pensé—. Dile que seguiréis siendo amigos y que la distancia no importa.»

—De todos mis amigos en el instituto, yo era el único que nunca se estresaba por nada —dijo Ben—. Pensaba que todo pasaría cuando tuviera que pasar. He cambiado de opinión. Si no haces nada, no ocurre nada. La vida es cuestión de decisiones. O las tomas, o alguien las toma por ti, pero no puedes evitarlas.

—No tienes que hacer nada que no quieras hacer.

Su tristeza era casi palpable, como la humedad en el aire antes de la lluvia. Aunque estábamos en Manchester, así que lo más probable era que estuviera a punto de llover en cualquier caso. Con Ben tan decaído, deseé que la velada hubiera sido mejor.

—Siento lo de antes, con Rhys. A veces va demasiado lejos —dije.

Hubo un silencio donde esperaba que él objetara, pero no lo hizo.

—¿Por qué lo aguantas?

Me dio un vuelco el estómago, con toda su carne *tandoori*.

—¿Qué?

Ben no criticaba a Rhys. Si alguna vez le hablaba de nuestras discusiones, siempre se ponía del lado de mi novio. Yo fingía enfadarme, pero era un gesto tranquilizador, considerado. Igual que los amigos más sensibles saben que no pueden criticar a tu familia, por mucho que tú pongas verdes a tus parientes.

La vergüenza que sentía se cuajó en enfado. ¿Qué cojones? ¡Era mi cumpleaños!

—Me meto con él tanto como él se mete conmigo, lo que pasa es que yo no lo hago en público y punto. Mira, puede que estés alicaído, pero no te desfogues con nosotros.

El «nosotros» fue deliberado. Estábamos unidos, aunque Rhys se dedicara a crear globos en forma de perro para otra mujer. Ben frunció el ceño y no dijo nada, mirando hacia delante con determinación. Nunca le había visto así. Me pregunté si le conocía tan bien como pensaba.

—La verdad es que es raro de cojones tener a Óscar «El Gruñón» con su cubo de basura en las bragas —dijo Ben, al fin—. ¿Qué mensaje estás mandando? ¿«Hazme guarradas»?

La tensión se aflojó. Acepté la rama de olivo.

—Era Fozzie «El Oso».

—Ah, Fozzie. Eso tiene mucho más sentido dentro del contexto de la seducción. Retiro todo lo que he dicho.

—Llevan impreso «wocka wocka wocka» sobre el trasero.

—Caramba. Lo único que puedo decir es que, si fueras mi novia, estaría desesperado por que te las quitaras —dijo Ben, deslumbrándome al fin con su sonrisa cautivadora. Aunque ya me había cautivado bastante con aquel comentario insinuante tan impropio de él.

—Tendríamos que ir volviendo —dije, algo nerviosa.

Al entrar nos envolvió el cálido olor de especias y el tañido de las cítaras, y un coro de voces desafinadas estallaron en versos de «feliz cumpleaños». Dos camareros aparecieron con una copa helada cubierta de nata con un puñado de velas encendidas encima. Ben retornó al lado de Pippa y mis invitados empezaron a aplaudir. Apagué las velas, hice una reverencia y volví a mi asiento.

Rhys se levantó, sujetando su pinta de cerveza.

—Me gustaría pronunciar algunas palabras...

—Rhys —dije—. ¿Qué... qué?

—Sé que esto es un poco formal para una celebración así, pero os graduaréis pronto, así que puede que sea la última vez que salgo a cenar con todos vosotros. Quería decir no solo que Rachel es la mejor novia del mundo —dijo, y calló un momento para que pasara la oleada obligatoria de suspiros entre las mujeres de la mesa. «¿La mejor novia? ¿Eso pensaba?»—, sino que desde que empecé a visitarla en Manchester hace tres años, me habéis hecho sentir como si también fuerais mis amigos. Quiero que sepáis lo mucho que ha significado para mí. Incluso me he enterado de que Ben fue más allá del deber en una ocasión y le pegó un puñetazo a un tipo de mi parte.

Pippa ahogó un grito de admiración y rodeó a Ben con el brazo, lo que era un gesto bienvenido comparado con la reacción completamente opuesta de una ex novia suya. Mi amigo solo tenía cara de sorpresa.

—Eres un tipo estupendo —continuó Rhys—. Y aquí estaba yo, pensando que odiaba a los estudiantes, a la gente del sur y, sobre todo, a los estudiantes del sur. Está claro que eres mi *kriptonita*.

Carcajadas. Rhys levantó el vaso hacia Ben y él le devolvió el gesto, todavía algo sorprendido.

—Por mi chica, Rachel. Felices veintiuno. ¡Chin-chin!

—Chin-chin —murmuré. Todos levantamos los vasos, brindamos y bebimos.

Percibía el murmullo medio adorador, medio celoso de la conciencia colectiva del grupo: «¿A que tiene suerte? ¿A que es encantador? ¿A que es todo maravilloso?». Tenía suerte. Rhys sonrió con descaro y me guiñó un ojo al sentarse; el crimen de Fozzie «El Oso» había sido eliminado del acta. Le devolví la sonrisa, agradecida, sorprendida y algo abrumada. Una foto tomada en aquel instante me mostraría con la vida por delante y con todo lo que siempre había querido: un novio leal, grandes amigos, planes de futuro, pan *naan* de ajo.

Pero algo no iba bien. Alguien que me importaba no era feliz. Cuando empezó la discusión sobre cómo pagar y a dónde ir a continuación, miré a las caras satisfechas de mis amigos sentados a la mesa, esforzándome por memorizar la escena. Me obligué a incluir a Ben en mi barrido visual. Tenía el ceño fruncido y contemplaba, absorto, los escombros de un plato de cordero *bhuna* del que apenas había comido.

Pensé en lo cierto que es aquello de que no sabes lo que tienes hasta que lo pierdes. Echaba de menos su optimismo. Estaba claro que aquella característica suya se había ido de la universidad antes que él.

Capítulo 47

Miro el reloj mientras me apuro hacia el cine y descubro que, gracias a algún tipo de broma con el tiempo medio de Greenwhich, diez minutos han desaparecido entre la calle Sackville y este lugar. Otra desventaja de vivir en el centro e ir andando a todas partes es que no puedes echarle la culpa al tráfico cuando llegas tarde.

Caroline me da unos golpecitos en el hombro y se cruza de brazos.

—Ahórrate el discurso —dice, cuando me ve tomar aire para disculparme—. Puedes invitarme a golosinas para compensarme.

Hemos trasladado nuestra cita de los viernes al centro, puesto que Graeme se ha despertado con conjuntivitis y necesita descansar. Caroline ha dicho que bebería demasiado si nos quedábamos en mi apartamento, cosa inaceptable porque sus suegros vienen a visitarla al día siguiente.

Cruza con paso decidido el vestíbulo del Odeón, alta y esbelta con sus *jeans* de color índigo, y empieza a llenar una bolsa de chucherías con una pala. Me hago con tres litros de refresco sin azúcar y entramos en el auditorio en tropel. Apenas un tercio de los asientos están ocupados y la pantalla sigue en blanco.

—¿Por qué no ha empezado todavía? —pregunto, amoldando la mano al peso húmedo de mi cubo de cartón lleno de refresco.

—Porque te dije que empezaba media hora antes de lo que empieza en realidad. Vamos a sentarnos hacia allí.

Abro la boca para protestar y me doy cuenta de que el fin ha justificado los medios. Sigo a Caroline y nos acomodamos en las butacas.

—¿Qué tal fue la cita con Simon, la semana pasada? —dice, metiéndose una espiral de regaliz rojo en la boca.

—Estuvo bastante bien. Entretenida. Cena, copa y beso de buenas noches, nada más.

Caroline mastica con cierta dificultad, algo comprensible al considerar que lo que está comiendo se parece más a plástico que a comida.

—¡Estupendo! —dice, con la boca llena de goma—. ¿Cuándo volverás a verle?

—Pues... no lo sé.

—¿Se está haciendo el estrecho?

—Me estoy tomando las cosas con calma. No quiero lanzarme.

—¿Lanzarte a otra cena entretenida? Ay, sí, no aceleres tanto.

—Ya me entiendes. Todavía no sé cómo me siento.

—Pero ¿te gusta? —pregunta Caroline.

—Sí, supongo. Es ameno. Aunque me dé miedo y sea un excéntrico.

—Necesitas a un excéntrico. Tú eres una excéntrica.

—¡No es verdad!

—Obvio que no te consideras una excéntrica. Nadie se considera raro. Igual que nadie cree tener mal gusto.

—¿Tengo mal gusto?

—No.

Sorbo mi refresco haciendo mucho ruido y remuevo los cubitos de hielo con la pajita.

—Olivia dice que Simon le ha preguntado a su marido sobre ti, que se le ve interesado en conocerte.

Que Caroline use las mismas palabras que oí pronunciar a la mujer de Ben en la cena me hace pensar que está repitiendo fielmente esa parte de la conversación. Olivia debe de saber que Caroline me pasará el mensaje, así que no hago mucho caso y lo considero propaganda. Lo que sí que me interesa es que mi amiga haya visto a la mujer de Ben. Me invade una horrible sensación de inseguridad.

—¿Has quedado con Olivia?

—Salimos de compras por la tarde. Quería un sombrero pequeño para una boda, así que me la llevé a Selfridges.

—¿Cómo es que tienes su número? ¿O viceversa?

Sé que estoy haciendo preguntas de persona celosa. «¿Qué autobús tomaste? ¿Fuisteis a tomar algo al terminar? *Tell me girl, where did you sleep last night?"*, en palabras de Nirvana.»

—Nos apuntamos los teléfonos en la fiesta que diste en tu apartamento. Ya te lo dije, creo que anda corta de amigas por aquí arriba. Tendríamos que ir a comer un día con ella.

—Uf —digo, acordándome de las flechas envenenadas que me disparaba con los ojos durante la conversación sobre música nupcial.

Pausa.

—Dice que nota a Ben algo distante —añade Caroline.

—Ya.

Hay otra pausa, pero esta se convierte en una de esas que exige que insertes una explicación.

—Ben no me ha contado nada, si es lo que piensas.

—¿No os habéis visto?

Tengo la nítida impresión que Caroline ya conoce la respuesta.

—Fuimos a tomar un bocadillo a la hora de comer. El tema de conversación fue mayormente Simon.

—Olivia me preguntó por vuestra etapa universitaria, sobre cómo erais por aquel entonces.

—Ah ¿sí? ¿Qué le dijiste?

Disimulo mis nervios hurgando en su bolsa de golosinas, de la que extraigo, tras revolver mucho, un ratón blanco relleno de un pringue rosa casi radioactivo.

—Que erais amigos.

—Eso ya lo sabía.

—Ya. Me pregunto qué ha hecho que se lo replantee.

Me meto el ratón en la boca.

—¿Me estás diciendo que está preocupada de verdad?

—No... —retrocede Caroline, rebuscando por la bolsa—. Creo que solo sentía curiosidad por el pasado de su marido. Como cualquier pareja normal.

—Pues ahí lo tiene.

—Han empezado a ver las cosas de otra manera desde que se mudaron aquí arriba. Se suponía que sería un cambio positivo y ahora Manchester les ha dividido. Olivia dice que Ben está siendo muy poco comprensivo con ella, que no entiende que echa de menos a su familia y que quiere planear un futuro a largo plazo en el sur.

—¿Se mudó aquí arriba solo para hacer un *lobby* para volver abajo? —digo con tiento.

—Si tienen hijos, es obvio que querrá estar cerca de su madre.

—No parece algo propio de Ben, la verdad. Es tan acomodadizo.

—¿Acaso no lo somos todos, cuando no tratamos con nuestra pareja? —dice Caroline. Se la ve inequívocamente irritada mientras devora un montón de golosinas en forma de botellas de cola.

—Uf —digo. Intuyo que los ruidos evasivos son mis mejores amigos, mientras que tener opiniones y expresarlas sería una mala idea.

—Por cierto, les pregunté a Ivor y a Mindy si querían venir con nosotras y los dos dijeron lo mismo: «No voy si has invitado a Ivor barra Mindy» —dice Caroline—. Siguen cabreadísimos sobre lo de Katya. La verdad es que a veces Mindy tendría que pensar un poco antes de abrir la boca.

—Ya, esa pelea fue una locura. Ella se puso hecha una fiera. Pensaba que no era más que mal humor por la resaca, pero no parece que lo hayan resuelto. Ivor dice que se siente mortalmente ofendido y amenaza con no volver a salir con los tres nunca más. Tenemos que encerrarles en una habitación y que lo resuelvan a puñetazos. Los dos son igual de testarudos.

—Tengo una teoría —dice Caroline.

—¿Cuál?

Las luces se apagan y empiezan los anuncios. Una hora y media de payasadas hilarantes más tarde, se me olvida repetir la pregunta.

Capítulo 48

No convenzo a Caroline de que venga a tomar algo conmigo («Los padres de Gray son capaces de detectar una resaca a kilómetros de distancia, y pensar que tendré que aguantarles me da muchas ganas de beber; mala combinación.»), así que toma su tranvía y yo camino de nuevo hacia mi piso, preguntándome qué voy a hacer durante lo que queda del fin de semana. La vida tendría que llenarse a medida que uno se hace mayor, convertirse en una cafetería de Renoir en vez de en un paisaje desolado de Lowry. Pero aquí estoy, a mitad de la treintena, y es probable que tuviera una vida social más intensa de adolescente.

Cuando estaba con Rhys lo teníamos todo organizado: los viernes los pasaba con mis amigos y los sábados los pasaba con él, cuando terminaba de ensayar con el grupo. Salíamos a cenar a algún restaurante del barrio, íbamos al *pub* o, lo más habitual, pasábamos la velada en casa; Rhys cocinaba alguna barbaridad con chili y dábamos buena cuenta de unas cuantas botellas de vino, demasiadas. No es que quedarme soltera haya destrozado mi vida social, pero estar con tu pareja es una coartada social en la que todo el mundo asume que estás invirtiendo tu tiempo libre en algo. Barajo la posibilidad de reservar un fin de semana en París para mí sola en la fecha de la boda cancelada. La ciudad del amor... tal vez no sea la mejor opción. Lo más probable es que vea a una pareja besándose, como en una de aquellas fotografías de la guerra, y me tengan que sacar del Sena con una red.

El teléfono móvil empieza a sonar y espero que Caroline se haya arrepentido de su abstinencia y esté de vuelta en el centro. Veo que la llamada entrante es de Simon y, sin poder evitarlo, sonrío con anticipación.

No se molesta en decir hola.

—¿Acaso tengo que mandar a un cuarteto de barbería a que te canten *Take A Chance on Me*?

—Hola, Simon. ¿Para qué quieres mandarme un cuarteto de barbería?

—Para procurarme una segunda cita.

—¡Ja! Un gesto así liquidaría todas tus posibilidades.

—¿Así que tengo posibilidades?

—Nunca digas de este agua no beberé.

—¿Amigos, por lo menos? ¿Pueden un hombre y una mujer ser amigos? ¿O «la tensión sexual lo estropearía todo» y otros clichés?

Un grupo de hombres con camisas por fuera de los pantalones en todos los colores del H&M pasa junto a mí, montando el escándalo obligatorio que indica que se han percatado de que soy una mujer.

—¿He interrumpido el té con tu abuelita? —pregunta Simon.

—Voy de camino a casa, acabo de salir del cine.

—¿Tú sola? Entonces tendré que seguir hablando contigo hasta que llegues a tu apartamento sana y salva.

—Muy amable.

—Si no te importa que te lo pregunte, ¿Ben no habrá estado contándote mi vida, por casualidad?

Me cambio el teléfono de oreja.

—¿Cómo?

—He pensado que quizá te hubiera llamado para hablarte de mí. Puede que me equivoque. Pero, si es así, preferiría que me juzgaras según tus propias impresiones.

—¿Sería un problema si hubiera hablado con él?

—Es muy protector en lo que a ti respecta, ¿recuerdas?

—Pero Ben no me hablaría mal de ti, ¿no? —digo. «Si no fuera porque ya lo ha hecho, claro», pienso.

—Cuando me preguntó cómo había ido la cita, me sentí como si estuviera mirándome desde la mecedora del porche, acariciando una escopeta. ¿Estás absolutamente segura de que Ben y tú nunca habéis chocado desnudos?

Esto me descoloca tanto como me molesta. Siempre escarba que te escarba. Ben parece ser un asunto recurrente en nuestras conversaciones y no sé por qué. Estoy empezando a plantearme el preguntarle porqué siempre está sacando el tema de Ben, pero eso sería como admitir que yo también pienso demasiado en él. Ni en broma. «Es mejor preguntar a la gente por separado.» No me sorprende que vayan a hacerle socio del despacho.

—Estoy segura, Simon, creo que lo recordaría.

—Soy abogado, Rachel. Seguimos insistiendo hasta que encontramos la respuesta que nos convence.

—Es curioso que lo digas, porque los abogados que yo conozco suelen optar por la respuesta que convence al sargento que está de guardia.

—Se te da muy bien desviar la conversación para no hablar sobre ti misma, ¿verdad?

—¿Por qué todas nuestras conversaciones son como debates?

—Tú dirás.

—Ajá. Bueno... ya he llegado a casa, gracias por la compañía.

—Disfruta de la velada —responde Simon, muy diplomático.

Estoy a tres calles de mi apartamento, pero la conversación había llegado lo suficientemente lejos.

Capítulo 49

El domingo por la mañana me despierto atontada, con los débiles rayos del sol invernal en la cara. Las ondulantes cortinas de gasa color magenta de Rupa llegan hasta el suelo y son increíbles en todos los aspectos menos en el de bloquear la luz.

Pasé la noche del sábado ajetreada viendo DVDs y bebiendo vino yo sola, sin un compañero bebedor que ayudara a disimular lo consumido. He dormido tantas horas que me siento los huesos blandos. Imagino brevemente que está saliendo el sol, ya que oigo el canto de los pájaros, pero gradualmente me doy cuenta de que se trata del tono de llamada de mi teléfono móvil, que está sumergido bajo una montaña de ropa. Me levanto de la cama, me aparto el pelo de la cara y maldigo a quien sea que esté osando perturbar mi descanso.

El teléfono deja de sonar en cuanto lo encuentro. Miro la notificación de llamada perdida: Pete Gretton. ¿Qué diablos quiere? No recuerdo cuándo ni por qué nos dimos el número de teléfono, pero seguro que fue bajo el entendimiento tácito de que nunca me llamaría. Veo que es la cuarta vez y no ha dejado mensajes. Mientras contemplo el tamaño de la colleja que le soltaré mañana, vuelve a llamar.

—¿Qué, Pete?

—¿Te he despertado? —pregunta, indiferente.

—Sí, sí que me has despertado.

—¿Has visto los periódicos?

—Obviamente no, puesto que todavía estoy en la cama —respondo. Puaj, acabo de hablarle a Gretton de estar en la cama.

—Ve a por el *Mail*.

—¿Por qué?

—No voy a decírtelo. Tú ve y luego llámame.

—Mira, me estoy cagando en tu madre. ¿De qué me estás hablando, Pete?

—Ve a por el *Mail*.

Con el corazón algo más acelerado de lo que me gustaría, me pongo una sudadera sobre el pijama y busco unos zapatos.

De camino al quiosco decido que no leeré el periódico hasta que llegue a casa, para poder absorber el horror que sea en privado. La persona que hay delante de mí compra un rasca y gana y tabaco, y procede a tomarse una cantidad de tiempo atroz contando el cambio. Cuando me hago con el periódico, prácticamente corro hasta el apartamento, cierro la puerta de golpe, dejo el *Mail* en el suelo y me arrodillo para leerlo. Las páginas se pegan mientras las voy pasando. Quizás ha habido un nuevo y grotesco giro en la historia de la liposucción.

Llego a un artículo a doble página con el título *Se acuesta con el abogado de su marido encarcelado*.

Hay varias fotografías tomadas a distancia que muestran a Natalie Shale con un sombrero de fieltro tapándole la cara, como si fuera una estrella de pop, mientras entra en una casa que no es la suya. La puerta la abre la silueta delgada y confiada de Jonathan Grant, el abogado veinteañero que tantas veces se ha pavoneado por los juzgados, lleno de bravata, tonteando con el personal femenino. Han incluido el retrato policial de Lucas Shale y una fotografía en la que Natalie espera recatadamente detrás de Grant mientras este hace declaraciones ante un grupo de periodistas, frente a los juzgados.

No soy capaz de concentrarme en el artículo y solo leo algunas frases: «Revolcones secretos en el nidito de amor de doscientas mil libras en la zona de Chortlon-cum-Hardy...»; «en público, Natalie Shale era una esposa y madre leal, que defendía la inocencia de su marido; en privado, sus amigos dicen que estaba "cada vez más desesperada" y

Grant le proporcionó un hombro sobre el que llorar...»; «Grant, de veintisiete años, tenía un futuro brillante en la empresa...».

Entonces lo veo. El detalle que hace que todo esto sea cien veces peor. El primer nombre que firma el artículo es un conocido periodista del *Mail*. Pero hay un segundo nombre.

***

Paso más rato del que sería respetable para una persona a la que nunca le han diagnosticado problemas mentales preguntándome si hay otra Zoe Clarke.

Sin saber qué más hacer, llamo a Gretton.

—¿Lo has visto? —pregunta.

—Sí.

—Lo siento por ti, Woodford, de verdad. Lo que te ha hecho es una puta ignominia. ¿Asumo que esto es algo que estabas preparando y la tipa te ha robado la historia?

—No —digo. Noto un mareo febril; Gretton no será el único que piense que he tenido algo que ver con esto. Ni de lejos.

—Pues ¿cómo ha conseguido echarle las zarpas?

—No lo sé.

—Bueno, no hay duda de que te lo ha quitado de debajo de las narices y te ha dejado bien jodida.

—No me lo puedo creer... no puedo creer que haya publicado esto. Podría cargarse la apelación de Lucas Shale... A Jonathan Grant lo van a echar a la calle...

—Hay que reconocerle a Clarke que debe de tener unos cojones como pelotas de fútbol si ha usado esto para negociarse un trabajo.

—¿Qué?

—Parece ser que llamó a la oficina el viernes por la noche diciendo que no volvería.

—¿Dimitió el viernes? ¿Por qué no me avisó nadie?

—Intenté llamarte, pero tenías el teléfono apagado. Te dejé un mensaje de voz.

La película. Cuando terminé de hablar con Simon me di cuenta de que tenía un mensaje, pero decidí que podía esperar. Hay que joderse.

—No dio ningún motivo para irse —continua Gretton. Me doy cuenta de que está disfrutando como un tonto con un lápiz—. Les dijo que, según su contrato, no estaba obligada a avisarles con antelación; se despidió saludando con un dedo. Supongo que habrías recibido las malas noticias el lunes.

Oigo la señal que anuncia otra llamada. Sospecho de quién se trata. Me despido de Gretton.

—¿Has visto el *Mail*? —pregunta Ken.

—Sí —chirrío. Me gustaría haber dispuesto de más tiempo para planear cómo enfrentarme a esta situación.

—Entonces más vale que la explicación que estás a punto de darme sea poco menos que jodidamente milagrosa.

—No sé lo que ha pasado.

—¡Eso no me vale! —grita Ken, a tal volumen que tengo que apartarme el teléfono móvil del oído—. ¡Me vale tan poco que no puedo usarlo ni para comprar arena en el desierto! ¡Inténtalo de nuevo! ¡Tienes una entrevista en exclusiva con esta mujer y tu amiguita de los juzgados se lleva este titular a una publicación nacional! ¿De verdad pretendes decirme que es una coincidencia? ¿Te crees que me chupo el dedo? ¿Acaso tengo cara de idiota?

Cuando este hombre empieza a echar mano a su repertorio retórico, sabes que estás con la mierda al cuello.

—Te juro que no he tenido nada que ver con esto.

—¿Y de dónde ha sacado la historia?

—No lo sé.

—Si valoras no ser una desempleada, échale más ganas.

—Había rumores —digo, intentando desesperadamente pensar tres pasos por delante, mientras oigo el palpitar de mi corazón y el teléfono se me resbala por el sudor—. Cotilleos por los juzgados, hace una semanas; se murmuraba que a Natalie y a su abogado se les veía muy juntos y que tal vez por eso le apartaron del caso Shale. Nada más. Zoe se arriesgó y le salió bien.

—Diría que le salió más que bien, sí. ¿Le llevó al *Mail* algo tan poco sólido como un rumor y a ti no te mencionó nada?

—Supongo que lo mantuvo en secreto porque sabía que destrozaría mi artículo y que te avisaría —digo. «Mejor, ¡buena excusa, Rachel!» Nadie sabe nada del mensaje de texto. Dios mío, ¿y si Zoe ha revelado lo que hice y Ken solo quiere ver si admito mi error? «Mierda, mierda.»

—¿Por qué no te tomaste el rumor en serio?

—Nadie lo hizo.

—¿A excepción de la novata?

—Eso parece —digo débilmente.

—He aquí lo que creo yo. Creo que Natalie Shale te confesó que se estaba beneficiando al abogado en una charla femenina confidencial contigo y, en vez de traernos a nosotros la exclusiva, se lo cantaste todo a una principiante que, por mucho que nos haya apuñalado por detrás y nos la haya jugado, por lo menos se ha comportado como algo remotamente cercano a una puta periodista.

—¿Por qué me iba a contar nada Natalie Shale? La entrevista que me concedió no era más que un intento de mejorar su imagen. No querría algo así en los periódicos.

—Y esto nos ha jodido la entrevista exclusiva con todas las de la ley, ¿sí o no?

—Sí —admito muy triste.

Mientras el chasco inicial empieza a disiparse y asimilo que esto ha sucedido de verdad, una cantidad importante de humillación ocupa el lugar de la sorpresa. Y pensar que confié en Zoe. Pensar que fingió estar de acuerdo con mi decisión de olvidar lo descubierto. Lo más probable es que ella estuviera todo este tiempo pensando que soy una tonta, mientras yo jugaba a ser la voz de la experiencia.

—Tengo que darle explicaciones al editor y me has dado básicamente una mierda pinchada en un palo de información —continua Ken—. Me quedan muchísimas cosas por decirte y, si sabes lo que te conviene, encontrarás algo que decirme a mí. Quiero verte mañana a primera hora.

Cuelga el teléfono sin despedirse. Al menos eso era previsible.

Camino de un lado al otro del apartamento intentando aclararme las ideas, asimilar lo ocurrido. De acuerdo, de acuerdo, inspira y espira. «A primera hora.» Probablemente no perderé el trabajo. Si Ken quisiera echarme necesitaría más tiempo, para deliberar con el editor y comprobar que no hubiera riesgos legales. Pero si Zoe le cuenta a alguien lo del mensaje de texto, no habrá posibilidad de redención.

En resumen, lo que hice es ilegal. Hago un esfuerzo por acordarme de mis cursos, en el pasado distante, sobre derecho y periodismo. Creo que la ley dice que está permitido echarle un vistazo a un documento que esté a la vista y cerca de ti, pero darle la vuelta para leer el anverso o pasar de página constituye una violación de la privacidad. Agarrar el teléfono móvil y leer un mensaje de texto lo es sin ninguna duda, Natalie podría demandarme. Muchos periodistas han cruzado la línea, conozco a algunos que se han llevado fotos en el bolsillo. La diferencia está en que te descubran. Ken Baggaley no tendría ningún reparo en abandonarme a mi suerte, no me cabe duda, como castigo por el auténtico crimen cometido: haber dejado pasar aquella noticia.

Con la vista borrosa por la indignación, llamo a Zoe, seleccionando su número de la lista de contactos con rabia; camino a zancadas por el piso mientras espero a que se establezca la llamada. «El número al que ha llamado está fuera de servicio.» Recuerdo que decía que se cambiaría de teléfono tras el lío del anuncio en el periódico, pero no había encontrado el momento. Que oportuno que este fin de semana haya podido organizarse al fin.

Antes de que se me ocurra una excusa para no hacerlo, busco entre la agenda de contactos y llamo a Simon.

—¿Sí? —dice. Suena altivo e inescrutable, pero, al fin y al cabo, siempre suena así. Quizás esté con alguien.

—Simon, tienes que leer el *Mail,* han publicado algo sobre Natalie. Te prometo que no he tenido nada que ver con...

—Ya lo he visto.

—¿En serio? —pregunto. Gracias a Dios, ya lo ha leído y no parece que haya perdido los estribos—. Simon, no...

—Ya he hablado de trabajo lo suficiente este fin de semana. Ven mañana a la plaza de Saint Ann a la una en punto.

—Claro, allí estaré.

Oigo el pitido que indica que ha colgado. Seguro que estaba con alguien del trabajo, por eso ha sido tan abrupto. O eso espero.

Tras un poco más de pasear por el apartamento, tirarme de los pelos y mascullar palabrotas, llamo a Caroline, lo cual resulta en una conversación poco satisfactoria desde un campo de golf, donde ha acudido con sus suegros. Puede que esté distraída por la partida, pero mi amiga no parece comprender por qué esto me hace quedar, y sentirme, tan mal.

—Si nadie puede demostrar que Zoe se enteró gracias a ti, la que queda mal es ella, ¿no?

—Sospechan que estoy implicada.

—Pueden sospechar que el cielo es verde, Rachel, pero necesitan pruebas. Si te mantienes firme hasta que pase todo esto, sobrevivirás, ya verás.

—¿Y si ya saben la verdad y están esperando exclusivamente a ver si confieso yo los detalles?

—Entonces estás jodida hagas lo que hagas y abrir la boca no te va a ayudar.

—Supongo —digo. La idea no me reconforta ni un poco.

Oigo a Graeme de fondo, llamándola.

—¡Caro, date prisa! Nos estamos muriendo de asco, aquí.

—Tengo que colgar —dice Caroline—. ¿Has hablado con Simon?

—Durante tres segundos. Quiere que nos veamos mañana para hablar del asunto.

—Sí, ¡ya voy, Gray! Tengo que irme. Ya me contarás cómo va con tu jefe.

Cuando mi teléfono vuelve a sonar al cabo de una hora, prácticamente me lanzo hacia él como si pudiera volar, con la esperanza de que sea Ben y pueda contarme algo sobre la situación. Es Rhys. Por primera vez desde que le dejé, pensar en él me enfurece en vez de hacerme sentir culpable. Ahora mismo, no tengo energías para sentirme mal sobre más cosas. Supongo que llama para hablar de logística y el vaciado de la casa.

—Hola. ¿Qué pasa?

—Quería hablar contigo —dice Rhys.

—De acuerdo, pero si pretendes abroncarme tendrás que pedir número y esperar tu turno.

—Jolín, ¿qué te pasa? Suenas al borde del ataque de nervios.

—Lo estoy.

Se hace el silencio mientras Rhys evalúa la situación. Cuando vuelve a hablar, lo hace con el tono más conciliatorio que jamás le he oído usar.

—La verdad es que llamaba por si querías salir a tomar algo. Tengo un concierto en el centro la semana que viene, se me había ocurrido que podríamos vernos antes de que empezara y suspender las hostilidades. Pero parece que estás ocupada.

—No —digo, cansada—. No, me gustaría verte. Solo tengo que ocuparme de algunos asuntos. Ya me darás los detalles, ¿de acuerdo?

—Claro. Esto... cuídate, ¿eh?

—Lo haré. Gracias.

Tras despedirnos, me doy cuenta de que echo muchísimo de menos a Rhys. Echo de menos que ante esto habría despotricado como un camionero que se ha golpeado el dedo gordo del pie, me habría dado un abrazo y me habría hecho reír con algún chiste diciendo que no necesitaría ese mugroso trabajo si me pusiera a tener niños.

Rhys sonaba distinto. Menos enfadado. Aquella era nuestra primera conversación en la que me daba la sensación de que podríamos hablar como adultos civilizados en vez de como enemigos atrincherados en una guerra civil interminable. Me alegro de oírle algo más contento y me gustaría mucho volver a ser amigos, dadas las circunstancias. Aunque me siento como una embustera, ya que para mí, ahora mismo, la semana que viene solo existe como una especie de mundo fantástico tipo Narnia, y para cuando llegue no me sorprendería tener piernas de chivo.

Capítulo 50

Intento cruzar con decisión la nave de la oficina con todo su ajetreo, repitiendo para mis adentros el mantra «a nadie le importa, esas noticias ya no están de actualidad». Lo que pasa es que lo de «esas noticias ya no están de actualidad» no aplica si es una noticia del domingo y hoy es lunes, es el primer día en que los trabajadores pueden hablar del asunto y la noticia es tan jugosa como la de Natalie.

Todo el mundo se vuelve para verme pasar y juraría que la oficina se sume en un silencio expectante mientras me acerco a Ken, que está ocupado intimidando a un colega de la sección de actualidad. Me quedo de pie esperando hasta que Vicky hace un gesto de cabeza en mi dirección y él se vuelve con mirada de basilisco.

Se levanta con trabajo de la silla de oficina y se dirige a su despacho a grandes zancadas. Me apresuro a seguirle, sintiendo varios pares de ojos clavados en la espalda.

—Cierra la puerta —dice, dejándose caer sobre la mesa que hay detrás del escritorio. La cierro y me quedo de pie.

—Voy a olvidar lo de ayer porque te pillé desprevenida. Hoy quiero la verdad.

Abro la boca para contestar, pero Ken me interrumpe.

—Y te aconsejo que pienses antes de hablar, si no quieres pasar el resto de tu carrera profesional en la oficina de una revista de labores, revisando la ortografía de las cartas de los lectores.

Titubeo, al borde del abismo. Al borde del borde del abismo. Las palabras de Caroline sobre cerrar la boca retumban en mi cabeza.

—Natalie Shale no me habló de ninguna aventura sexual cuando la entrevisté. Ni siquiera mencionó el nombre del abogado en cuestión, ni me puse en contacto con él. Zoe investigó por su cuenta y me fastidió el artículo. Eso es todo lo que sé, no puedo explicar ni defender algo de lo que no sabía nada, por mucho que parezca sospechoso porque trabajábamos juntas y yo fui quien entrevistó a Natalie.

Asumo que Ken va a ponerse a gritar y a montar un escándalo. En vez de eso, se limita a asentir.

—Por desgracia, pensaba que eso es lo que dirías.

—Es la verdad.

—¿Lo es?

—Sí.

—De acuerdo, deja que te cuente unas pocas verdades más. Hay dos motivos por los que todavía tienes trabajo, Rachel Woodford. Uno, no puedo echarte a la calle si no tengo pruebas de que mientes. Créeme, me he informado, porque no soporto a los mentirosos ni a los periodistas que no sienten ninguna lealtad por sus publicaciones y, por lo que veo, tú perteneces a ambos grupos. Si consigo demostrar que mientes, la cosa cambiará. Dos, no tengo a nadie que pueda sustituirte en los juzgados. De momento. Mientras tanto, puedes mandarme una lista cada semana informándome de los artículos en los que estás trabajando, incluyendo las historias que estén por confirmar. Así que si hay un rumor fantasioso sobre la esposa de un acusado follándose al abogado de su marido, te aconsejo encarecidamente que lo incluyas. Yo decidiré a qué vale la pena que dediques el tiempo. Y si vuelvo a ver que un titular como este aparece en otro periódico y que alguien a quien tenemos en los juzgados a tiempo completo se ha olvidado de investigar, querré saber para qué coño te pagamos.

Ken hace una pausa para que la vena que se le ha hinchado en el cuello, que ya tiene el tamaño de una babosa, no explote.

—Vas a volver a hablar con Shale y le pedirás una entrevista para que hable acerca de este último giro en su historia usando todos tus poderes de persuasión. Vas a limpiar tú solita esta montaña de mierda sabiendo que es poco probable que te nominemos a un premio por estos lares, tan poco probable como que te invitemos a la fiesta de Navidad. ¿Entiendes lo que te digo?

—Sí.

—Pues sal de mi vista.

Me doy la vuelta, abro la puerta y me enfrento a una oficina abarrotada de gente que ha leído los labios de cada palabra que se ha pronunciado al otro lado del cristal. Una vez determinan que no estoy llorando, mis colegas bajan la vista y hacen como si no me vieran. Por muy poco agradable que resulte recibir una regañina, podría haber sido peor. Pedirle una entrevista a Natalie es inútil y Ken lo sabe, igual que sabe que no puedo protestar. Tengo tantas posibilidades de convencerla como de ganar el Rally Dakar en patinete. Cuando las cosas se calmen, fingiré que lo he intentado. O se le preguntaré a Simon.

Cuando estoy a punto de ganarme la libertad, Vicky me empieza a hacer señas.

—¡Rachel!

Las ganas que tengo de hablar con ella son pocas tirando a cero, pero no puedo permitirme más enemistades.

—¿Qué ha dicho Ken? —pregunta, mirando hacia su despacho de soslayo para asegurarse de que no ha salido.

—No está contento —contesto con voz monótona—. Y no es el único.

—Le advertí que Zoe Clarke podría hacer algo así —dice.

«Por supuesto que tú lo viste venir, Nostradamus vestida de Zara.»

—Ah, ¿sí?

—Sí. Tuvimos todo aquel lío cuando le dijo a un semanario que era periodista profesional, cuando ni siquiera había terminado las prácticas. Nos mandaron una carta para avisarnos y ella lo negó todo —explica. Abro la boca para pedirle más detalles, pero más o menos ya me ha contado la historia entera y Vicky ha ido ganando velocidad—. Y luego vino la jugarreta que te hizo con el artículo sobre la cirugía estética.

—¿Qué?

—El caso de la liposucción. Zoe escribió la parte sobre el veredicto, ¿verdad? Entregó el artículo firmado por ella. Lo vi y le dije a Ken «¿cómo ha podido escribir alto tan largo en una hora?» y caímos en que había usado tu informe y le había puesto su nombre. Ken le echó un buen rapapolvo y lo publicó con tu nombre. ¿No lo sabías?

—No.

—No, supongo que no, ¿cómo ibas a saberlo? Está claro que ella no te lo iba a contar.

—Habría estado bien que me avisaras —digo secamente—. Me habría andado con más cuidado con ella.

—También es verdad... pero bueno, ya te lo he dicho, Ken lo resolvió todo. No quería ir por ahí cotilleando.

Reprimo una risa amarga ante este comentario. En un momento de locura creo que Vicky va a decir algo para apoyarme, pero no.

—¿El caso de los cinco traficantes de drogas no empezaba esta mañana? —pregunta, tras mirar la hora en la televisión.

Significado: No puedes permitirte ni un solo patinazo más.

Vaya si lo sé.

Vuelve a concentrarse en la pantalla. Nuestra reunión ha terminado.

—Bueno, voy para allá —le digo a su espalda.

Se me había olvidado del todo y, en cuanto me he alejado un poco de la oficina, echo a correr sin ningún tipo de dignidad.

Capítulo 51

Me paso la mañana tomando notas en una taquigrafía tan temblorosa e ilegible que parece que me esté recobrando de un ataque al corazón. Evito a Gretton y me escabullo de los juzgados, en busca de aire puro. Me dirijo a la plaza de Saint Ann con el estómago en ciclo de centrifugado.

Con cada paso que doy, crece mi aprensión. Ahora que Simon está a la cabeza de los asuntos pendientes tengo más tiempo para considerar sus sentimientos, y las conclusiones que saco no son buenas. Demasiado tarde me acuerdo de lo mucho que desconfía de los periodistas. Pienso que este asunto le habrá dejado tan jodido en el trabajo como a mí. Empiezo a preguntarme si su imagen seguirá tan urbana y serena como siempre, tal y como espero. Nuestra conversación telefónica no me dio demasiadas pistas.

Recibo la respuesta cuando le veo andando arriba y abajo junto a la fuente, estirando el cuello para detectarme entre la multitud. Sus intenciones homicidas son obvias.

—Hola —digo. Mi intento por sonar confiada fracasa y Simon casi me enseña los dientes. Solo entonces me percato de que Ben está a su lado con el ceño fruncido. Es demasiado para mí. La verdad es que Simon él solito ya es demasiado. No puedo soportar que Ben también quiera arremeter contra mí. Eso es algo que no soportaría en ningún contexto.

—¿Has venido a sostenerle el abrigo? —espeto.

—He venido para asegurarme de que no pierda la cabeza —dice Ben, a quien mis palabras parecen haber herido—. ¿Cómo estás?

Me sorprende tanto que haga la pregunta en la que nadie ha pensado, que no sé qué decir.

—¿Es verdad que uno de los periodistas involucrados en el artículo del *Mail* era colega tuya en los juzgados? —pregunta Simon.

—Sí. Zoe era colega mía, ahora trabaja para el *Mail*.

—¿Qué pasó?

—No lo sé, Simon. Sinceramente, estoy tan sorprendida como tú.

—¿Qué clase de respuesta es esa? ¿En vez de un contestador tienes un negador automático que pones al salir de la oficina? ¿Te has vuelto completamente loca?

Intento que parezca que puedo sobrellevar la situación. El pánico me trepa por el pecho y la garganta.

—No es una excusa, te estoy diciendo la verdad. Este artículo ha echado por tierra la entrevista...

—Ah ¿sí? ¿Tú crees?

—¿Por qué iba a destruir mi propio artículo?

—Un farol. Probablemente se lo contaste a tu amiga y os habéis repartido el dinero, así no pierdes el trabajo y no te ensucias las manos. ¿Me voy acercando? ¿Suena más a la verdad?

Una pareja de ancianos sentados en un banco cercano empiezan a escuchar la conversación mientras comen bocadillos de huevo y mayonesa.

—No haría algo así —replico—. ¿Acaso esta situación tiene el aspecto de un plan que esté saliendo a pedir de boca? ¿Crees que soy capaz de tal desfachatez?

—No creo que quieras oír la respuesta. ¿Cómo descubrió tu colega lo del enredo?

Me retuerzo, incómoda.

—No lo sé. —Pausa—. ¿Tú lo sabías?

—Eso es irrelevante —dice Simon haciendo una mueca.

—Si corrían rumores, hay mucha gente que se lo podría haber dicho a Zoe.

—¿De verdad esperas que sea tan ingenuo que me vaya a creer que tú no has tenido nada que ver en todo esto?

Decido suplicar clemencia, sabiendo que, tratándose de Simon, será inútil.

—Simon, estoy tan enfadada como tú. He tenido que comerme una montaña de mierda en el trabajo.

—¿Crees que eres la única?

La pareja de los bocadillos de huevo no se ha percatado de que están cubiertos de migas, los dos ancianos tienen los ojos como platos. Ben chista a Simon, algo tan efectivo como usar puñados de niebla para apagar un incendio.

—A Jonathan Grant le han suspendido la licencia. A mí me están echando la culpa por haber involucrado a la prensa en todo esto y, adivina qué, ya puedo olvidarme de que me hagan socio. La apelación se puede ir a la mierda. Natalie Shale y sus hijos han tenido que abandonar su casa porque tienen a un montón de hijos de puta acampando en el jardín. Así que dime, ¿a quién coño le importa cómo te ha ido el día?

—Todo me apunta a mí, ya lo sé, pero no puedo controlar lo que hacen mis compañeros de trabajo.

—Tuve dudas sobre ti desde el primer día, pero Ben me aseguró que eras de confianza —dice, dedicándole una mirada de reproche—. Tendría que haber confiado en mis instintos.

Si Simon no va a reprimirse, tengo que plantarle cara. Paso la mirada del uno al otro.

—¿Tantas dudas tenías que decidiste invitarme a salir?

Ahora parece morirse de ganas de estrangularme.

—Me pregunto qué estaba pasando por tu cabecita entonces. Querías obtener información, sacando el tema de Jonathan a ver si mordía el anzuelo. Y cuando terminaste el trabajo, solo tuviste que pestañear un poco y decir que no estabas lista para otra relación tan pronto...

—Simon, por favor —le interrumpe Ben, al borde de la muerte por sentir vergüenza ajena.

—Qué raro que luego cuando te llamé el viernes, una vez ya tenías el artículo asegurado, me colgaras a toda velocidad —continua Simon.

—¿Qué dices? Estuvimos hablando un rato.

—Hablamos tan solo unos minutos y luego dijiste que ya habías llegado a casa.

—Sí.

—¿Habías llegado?

—Sí.

—Te llamé al teléfono fijo y dejé que sonara un rato, para darte las buenas noches y asegurarme de que habías llegado sin problemas. Pensé que apreciarías el gesto. No contestaste —remata Simon, triunfante.

—¡Por el amor de Dios! ¿De qué vas? —suelto—. Solo mencioné a Jonathan porque es el abogado gallito por el que todas las mujeres suspiran. Hablamos de un montón de gente del trabajo, aquella noche. Si recuerdo haber hablado sobre él es porque reaccionaste de una manera rarísima. Y dije que había llegado a casa porque estaba prácticamente en la esquina; no había subido al ascensor ni había metido la llave en la cerradura, no tenía ni idea de que te fuera a importar.

—Y una puta mierda. Pensaba que tenías segundas intenciones cuando decidiste salir conmigo y, una vez más, no hice caso de mis instintos. Aunque, eso sí, me alegro de saber que eres capaz de mentirle a la cara a alguien cuando te conviene.

Levanto las manos en gesto de abandono.

—No sé qué quieres de mí ni qué pretendes que te diga.

El numerito de persona honesta y ofendida no es más que teatro. Si Natalie y Jonathan caen en la cuenta de que el día que le mandó el mensaje que ella nunca recibió fue el de la entrevista, hasta aquí hemos llegado. Trabajo, casa, respeto profesional... y la amistad con Ben, se acabó todo. Y, además, eliminaría el pequeñísimo margen de duda que está evitando que Simon me desuelle. Estoy prácticamente temblando.

—Lo que quiero es que confieses lo que has hecho, pero eso es pedirte demasiado, ¿no?

Me prometo a mí misma que algún día, por lo menos, le contaré la verdad a Ben.

—Te juro que no tuve nada que ver con el hecho de que Zoe vendiera esa exclusiva.

—¿Nada que ver con que la vendiera o nada que ver en absoluto?

«Abogados.» Dudo un momento.

—Nada que ver en absoluto.

—De acuerdo, ya te ha contestado —dice Ben—. Vamos a cesar el fuego y volvamos a la oficina.

—Tú no te metas —vocifera Simon, con malos modos.

—No —dice Ben. Contemplar a dos hombres peleándose por mí es mucho menos placentero de lo que parece en el cine—. Deja de usarla para desfogarte. No es culpa suya que Jon se liara con esa mujer y no es culpa suya que alguien lo haya publicado en el periódico.

—¿Qué pasa con vosotros dos? —dice Simon, pasando la mirada de uno al otro con cara de falso asombro—. ¿Rachel se quedó con las fotos comprometidas cuando rompisteis o qué?

Ben no le hace caso.

—Conozco a Rachel lo suficiente como para saber que no te apuñalaría por la espalda. Si te la hubiera jugado y no le importara una mierda no habría venido a hablar contigo, ¿no?

—Quizás ha venido para tu beneficio —dice Simon, haciendo una mueca desagradable.

—Si ni siquiera sabía que vendría —replica Ben. «Gracias, gracias, gracias»—. Cuando te hayas calmado puede que te des cuenta de que no se merece que la trates así.

El brillo súper violento que se ha adueñado de los ojos de Simon empieza a desaparecer al fin. Me permito respirar y el tipo sé da cuenta. Se yergue y se lanza a matar.

—Eres una mentirosa. Una pequeña, ruin y pusilánime mentirosa que se la ha jugado a todos y no tiene los huevos de admitirlo.

—¡Ya basta, joder! —exclama Ben.

—Te despreciaría menos si te hubieras plantado ante mí y me hubieras dicho que lo has hecho tú y que te la soplan las consecuencias —continua Simon, imperturbable—. Espero no volver a verte en mi vida.

Bajo la mirada y sé que no sería capaz de pronunciar palabra ni aunque quisiera. Me esfuerzo por mantener los ojos secos y me concentro en respirar. Aprieto los dientes.

—Ya vale —dice Ben. Es posible que haya previsto que alguno de los dos va a perder el control y se sitúa entre ambos—. Basta, Simon.

Cuando está seguro de que el ataque verbal del abogado ha terminado, vuelve a apartarse.

—Venga —dice, poniéndole a su amigo una mano en el brazo—. Vámonos.

Simon se zafa de Ben.

Hago un intento por que no me tiemble la voz.

—Dime si hay algo que pueda hacer para ayudar a enmendar lo sucedido... —murmullo.

—¿Es broma? —escupe Simon—. Porque tiene tanta gracia como que te digan que el cáncer se ha extendido hasta los huesos.

—No.

—¿Acaso estás intentado sacar más tajada de todo esto?

—No estoy...

Simon se vuelve hacia Ben.

—Sea cómo sea que te tenga pillado, yo de ti me alejaría de ella.

Se va dando zancadas. Estoy segura de que no puedo hablar. Parpadeo hacia Ben, que se queda mirándome.

—Se lo ha tomado muy a pecho —dice—. Como puede que hayas notado.

—Ben, esto ha sido una pesadilla total. Nunca quise... —empiezo a decir. Intento contener lo que he estado reprimiendo. Vuelvo a intentar hablar, pero estallo en sollozos; las siguientes palabras las pronuncio en lo que podríamos describir como «lamento nasal»—. No sabía que sucedería nada de todo esto. Trabajaba con Zoe, era amiga mía, nunca se me pasó por la cabeza que haría algo así...

Ben mira a ambos lados, como si estuviéramos traficando con drogas y, para mi absoluta sorpresa, me envuelve en un abrazo. Aunque no me lo esperaba, lo agradezco muchísimo, aunque solo sea porque así los demás transeúntes de la plaza no me ven la cara. En particular hablo de la pareja de los bocadillos de huevo, que creen que han dado con una muestra de teatro callejero agresivo, como una especie de dramática movilización relámpago. Y prefiero que Ben me abrace a que me mire, para qué nos vamos a engañar; el mío no es un llanto desenfocado tipo Julia Roberts haciendo de ninfa asustada.

—Ya sé que no querías que todo esto pasara—dice Ben para tranquilizarme.

—Pues eres el único —le digo a la tela gruesa de su abrigo con la nariz llena de mocos.

—No te tomes la rabia bíblica de Simon demasiado en serio. Ha tenido un fin de semana infernal. El sábado los del *Mail* llamaron a Natalie por si quería explicar su versión de la historia y perdió los nervios. Ella lo llamó indignada, gritando y sollozando, una vecina tuvo que quedarse con los niños...

Birdie, seguro. La amable y hippie Birdie con su gato perdido. Me siento como la peor escoria del mundo.

—¿Te llamó? —pregunto, mirando a Ben. No sé por qué quiero saberlo.

—Pues, de hecho, sí. Le aseguré que no podías tener nada que ver con el artículo. Me prohibió que te llamara. Pensé que sería más fácil si no hablábamos antes, así no podría pillarnos. No le hace falta más material para sus conspiraciones imaginarias. ¿Ha sido muy malo, en el trabajo?

—Tan malo como puede serlo sin que te echen.

Me seco la cara con la manga del abrigo y vuelvo a dejar caer la cabeza sobre el hombro de Ben, que apoya la mano en mi nuca.

—Venga, tranquila, se les olvidará antes de que te des cuenta...

Mueve la mano un centímetro y creo que se está apartando. No. Espero. Está... ¿está acariciándome el pelo? Me pongo tensa, contengo el aliento. Quizá se da cuenta, porque nos apartamos al mismo tiempo.

—Lo siento, lo siento, estoy hecha un desastre... —murmuro. Trato de arreglarme con la manga la máscara de ojos corrida.

—Perdóname, Rachel. Y yo que pensaba que os estaba haciendo un favor, juntándoos a Simon y a ti —dice, un poco más alto de lo necesario para devolverle cierta formalidad a la situación.

—¡Nos hiciste un favor! —protesto—. Soy yo la que debería disculparse.

—Sugeriría una bebida fuerte —dice Ben—. Pero creo que dejar que nos vean yendo al bar juntos sería poco... astuto políticamente. ¿Comprendes?

Asiento y consigo sonreír un poco.

—Son noticias de ayer; de anteayer, de hecho. Ya están en el fondo de los cubos de basura. Anímate.

Vuelvo a asentir.

—Alguien en quien confiabas te ha decepcionado. ¿A quién lo le ha pasado? —dice.

Capítulo 52

Todavía no habíamos terminado el curso, pero el baile de graduación de acercaba. El baile organizado por la asociación de estudiantes en el descolorido esplendor del Hotel Palace había resultado ser el más popular, y todos habíamos ido a comprar entradas en masa. Acudir con pareja, si la tenías, parecía más importante de lo habitual y, tras sus efusivas palabras en mi cumpleaños, le había pedido a Rhys que me acompañara.

El esmoquin que había alquilado colgaba en la puerta de mi armario, dentro de su funda de plástico de la tintorería, junto a mi vestido de falda acampanada. Le había estado recordando lo del baile una y otra vez. Sin embargo, la llamada que de algún modo ya había estado esperando llegó el día antes. Estaba disfrutando de la soledad; Caroline y Mindy se habían ido con sus padres para descargar la primera oleada de pertenencias, Ivor volvía a la residencia de estudiantes y Derek, por suerte, estaba dedicándose a sus asuntos psicopáticos en algún otro sitio.

—Rachel. Aquello de mañana, la fiesta...

—¿Mi baile de graduación?

—Sí. No puedo ir. Tengo un concierto y no puedo cancelarlo.

—¡Rhys! —exclamé—. ¿Desde cuándo está organizado ese concierto?

—Lo siento, cariño. Ha sido cosa de última hora. No puedo escaquearme, Ed «El Camello» me cortaría los huevos.

Había perdido contra Ed «El Camello». Algo deprimente si teníamos en cuenta que no se trataba de una apuesta para ver quién consumía más drogas.

—El baile es muy importante para mí. ¡Lo prometiste!

—Venga, va, ya habrá otras fiestas.

Su insistencia en desestimar el acontecimiento diciendo que era una fiesta me estaba poniendo de los nervios. Era una ocasión especial, la última gran juerga de la vida estudiantil, una ocasión para despedirse de Manchester, de la vida y los amigos que había hecho aquí.

Para ser sinceros, ya hacía un tiempo que no estaba del todo satisfecha con la relación. Las palabras de Ben en la cena de cumpleaños no se me habían olvidado. Habían empezado a consumirme las dudas y no había hecho nada por evitarlo. El entusiasmo de Rhys por mi vida empezaba a sonar menos a apoyo y más a control. Su conocimiento superior acerca de casi todo me parecía menos impresionante y más arrogante. Su odio declarado por los «universitarios señoritos» le hacía quedarse en Sheffield cada vez más fines de semana, aunque le había recordado que viajaba a Manchester para estar conmigo, no con toda la población estudiantil.

Cuando era yo la que iba a Sheffield, acababa sentada entre sus compañeros de grupo, en el mismo bar de siempre, preguntándome por qué no me había dado nunca cuenta de que no prestaban atención a nada de lo que dijera. Y, por muy fantástico que hubiera sido el discursito de mi cumpleaños, había algo que me molestaba. Al final me había dado cuenta de que lo que me incordiaba era aquello de «la mejor novia del mundo». También le gustaba decirme que sus zapatillas de marca y su guitarra eran «las mejores del mundo». Era una valiosa posesión de Rhys, prueba de su buen gusto, con una opinión tan valorada como la de las Converse y las Les Paul. Al parecer había asumido, sin que yo recordara haberlo decidido, que nos mudaríamos juntos cuando terminara la universidad. «La vida es cuestión de decisiones», pensé. Las mías las estaba tomando otra persona.

Sabía que Rhys no iría al baile, porque el único motivo que tenía para ir era tenerme contenta, y ya no le hacía falta esmerarse en eso: estaba a punto de volver a casa, a su lado. Era un momento de finales y de nuevos comienzos. Empezaba a tener ideas desleales y revolucionarias.

—¿Sabes lo que me ha costado organizarlo todo? Me he gastado una fortuna con el esmoquin.

—Te lo devolveré.

—No es solo por el dinero, ¿sabes?

—Pues ¿por qué es?

—Quiero que vengas conmigo.

—Ya bueno, no siempre conseguimos lo que queremos, princesa.

—Fantástico, gracias por el consejo. Esto debería tener prioridad por delante del grupo. Habrá otros conciertos, pero no más bailes de graduación.

—Venga, vamos. Hay más cosas en la vida que tu pequeño mundo, ¿sabes? Además, después de media hora de champán vomitivo ni te percatarías de mi presencia.

—¿Por qué siempre consigues que todo lo que me importa suene estúpido?

—Tendría que haber sabido que no podría librarme de esta sin un escándalo.

—¿Librarte de esta?

Rhys suspiró.

—Lo que sea. Cuando vuelvas, hay un apartamento en Crookes que tenemos que ir a ver.

—Nunca he dicho que quiera irme a vivir contigo.

—¿Cómo? ¿No?

—Nunca me lo has preguntado. Lo has dado por hecho. Me siento como una aprendiz o una becaria, nunca estoy a tu nivel.

—Bueno, si te comportas como una adulta te trataré como a tal, corazón.

Estaba furiosa. Echaba humo.

—¿Sabes qué, Rhys? Creo que lo mejor será asumir que las cosas han llegado a su fin.

Silencio lleno de perplejidad.

—¿Me estás dejando porque no quiero ir a una fiesta?

—No es una puta fiesta, es mi baile de graduación. Te estoy «dejando» porque ya no soy una adolescente y estoy harta de que no hagas caso de lo que digo.

—¿De verdad quieres terminar con la relación?

—Sí.

Rhys había estado haciéndose el indiferente en esta discusión y estaba claro que no veía motivos para cambiar de estrategia.

—Una reacción un poco exagerada.

—Es lo que hay.

—De acuerdo entonces. Aquí queda la cosa.

Otro silencio.

—¡Adiós, Rhys! —exclamé, colgando el teléfono de golpe.

Tras dudar un instante, marqué otro número en el teléfono de pago del propietario del piso, mientras oía el ruido pesado que hacía mi moneda al caer en el tesoro del pirata. Una noche, borrachas, habíamos intentado abrirla a la fuerza, pero no lo habíamos conseguido.

—Ben, ¿cómo te va? ¿Te apetece salir y que nos emborracharnos?

—He dicho que iría a jugar al billar con mis compañeros de piso. ¿Quieres venir?

—Sería una pésima compañía.

—¡Pues gracias por querer quedar conmigo!

Me eché a reír.

—No quería decir eso. Lo que tenía en mente era más bien un encuentro tranquilo.

—Que le den al billar, entonces. Lo que propones suena bien.

—No quiero fastidiaros la noche familiar.

—No, mujer. Mañana iremos al baile, tendremos tiempo de aburrirnos los unos de los otros.

—De acuerdo. ¿Nos vemos en el Woodstock? ¿Por los viejos tiempos?

—¿Puedes tener viejos tiempos a los veintiuno? —preguntó Ben.

***

Llegué al Woodstock la primera, pagué una ronda y encontré una mesa de picnic en la terraza. Empecé a beber demasiado rápido en el calor húmedo, disfrutando de la sensación de la hierba haciéndome cosquillas en las piernas; no llevaba más que un vestido veraniego y sandalias. Sabía que la peor manera de enfrentarme a la ruptura con Rhys era despertarse mañana ante la cruda realidad con una resaca horrenda, pero aquello no conseguiría que cambiara de plan.

Pensaba en lo que diría Ben. No quería que se pusiera a despotricar de Rhys, que dijera que ya me lo había advertido o que confesara que hacía tres años que lo veía venir. Aunque, claro, tampoco me apetecía que exclamara «¡Serás tonta!». En realidad, no sabía lo que quería que dijera. Apareció al otro lado de la terraza, sosteniendo dos bebidas; sonrió ampliamente cuando vio que ahora teníamos alcohol para cuatro. Le devolví la sonrisa. Con Ben a mi lado, todo iría bien. No era así como debía comportarse una tras romper con su novio, ¿no? ¿Dónde estaban los hartones de chocolate, las recriminaciones, las baladas empalagosas? Era como si, ahora que no tenía a mis amigas haciendo retumbar esas ideas en mi cabeza, me dieran la oportunidad de inventar un protocolo nuevo.

—¿Te importa si no hablamos de los exámenes finales? ¿Es eso lo que te tiene tan antisocial? —preguntó Ben, después de saludarme—. Si es eso, no tienes de qué preocuparte. Eres la reina de la redacción.

La princesa Rachel, coronada reina de la redacción. No acababa de convencerme la manera que tenían de verme los hombres de mi vida.

—Uf—anuncié. Me encogí de hombros para indicar «tal vez», no era capaz de ponerlo en palabras.

Ben frotó la condensación de su vaso con el dedo índice. Yo toqueteaba el pie de mi copa de vino; ya me había bebido la mitad y estaba disfrutando de la sensación que me producía.

—¿Cómo está Pippa?

—No lo sé. Hemos roto.

Me quedé atónita. Pensaba que Pippa sería la definitiva.

—Caramba, lo siento. ¿Qué ha pasado?

—Cuando me puse a pensar en ello me dí cuenta de que, al volver del viaje, no me apetecía dedicarme a volar de un lado a otro entre Irlanda y Reino Unido. Me ha parecido que lo correcto sería terminar con la relación.

—¿Cómo se lo ha tomado?

Ben sacudió la cabeza.

—No precisamente de la mejor manera. Aun así, he preferido romper con ella ahora que cuando regrese.

—Lo siento. Hacíais buena pareja.

Caray. Había rechazado a Pippa. Aquella muchacha lo tenía todo, la mayoría de hombres estarían encantados de pasear por su barrio exhibiéndola como si fuera la copa de la Liga de Campeones. Durante un segundo, mi imaginación se concentró en la diosa sin igual que conseguiría que Ben sentara la cabeza; alguien como la reina Cleopatra, quizá.

—Bueno, ahora tienes vía libre para tirarles los tejos a las fresitas de Richmond-Upon-Thames —añadí.

—¿A quién?

—Las niñas ricas que acuden en masa a las fiestas de la luna llena de Tailandia para descubrir un mundo más allá del materialismo mientras se gastan el dinero de sus papaítos.

—Ah. Esas —dijo Ben. Se encogió de hombros y se llevó una mano a la nuca.

—Así que estamos disfrutando de la vida de los solteros —dije.

—«Disfrutando» no es la palabra que usaría yo.

Me quedé callada, esperando a que mi comentario calara.

—¿Has dicho «estamos»?

—Así es. He roto con Rhys.

Ben tenía la expresión de estar esperando a que dijera: «¡Ajá! Has caído de cuatro patas. ¡Es broma, inocente!». Me contemplaba estupefacto, con la boca abierta.

—¿En serio? ¿Cuándo?

—Por teléfono, hace un rato. Se había buscado una excusa barata para no ir al baile. Llevamos una temporada discutiendo sin parar. Me he hartado y le he dicho que lo nuestro se había terminado. En un tono de voz bastante alto.

Sabía por qué estaba exagerando. Quería que a Ben no le cupiera duda de que era capaz de plantarle cara a alguien.

—¿Es definitivo?

—Bastante.

—Lo siento —dijo Ben, bajando la mirada.

—No te preocupes —contesté.

A partir de ahí, me concentré en temas de conversación superficiales para no tener que contestar más preguntas. Por fuera, parecía la de siempre y sonaba como si nada hubiera cambiado. Por dentro, me preguntaba quién era ahora que había dejado de ser la Rachel de Rhys. «Rhys y Rachel, Rachel y Rhys». Ben también tenía aspecto de darle vueltas a algo, como si estuviera recalibrando lo que pensaba de mí. No sabía si me lo estaba imaginando, pero nos mirábamos más rato, en las pausas de la conversación. Quizá fuera la potente combinación de deshidratación, nostalgia y *pinot gris* de garrafón.

—Si estoy soltera tendré más tiempo para visitar a los amigos que vivan en la otra punta del país —dije al anochecer, cuando el sol ya se pone y las farolas ya están encendidas.

—Sí, esa quedada anual será la bomba —dijo Ben, con cierta amargura reflejada en la voz.

—Venga, puede que consigamos vernos más de una vez al año —digo, dándole un codazo.

—¿Dos?

—¿Por qué estás tan pesimista?

—No será lo mismo que ahora, ¿no?

—Nada lo será. La universidad es un mundo aparte, una burbuja de tiempo que te separa de todo lo que ha ocurrido antes y todo lo que vendrá después.

Capítulo 53

Ben me acompañó a casa, paseando por los tranquilos barrios residenciales con árboles en las calles; las farolas reflejaban su luz anaranjada en las hojas entre las que estaban escondidas. El aire seguía cálido e inmóvil, incluso a esas horas de la noche, como si estuviéramos en el Mediterráneo. Parecía que la misma Manchester nos estuviera ofreciendo una fiesta de despedida y hubiera encargado el clima para la ocasión. Llegamos a la puerta de mi casa.

—Uf, no quiero entrar —le susurré a Ben—. No sé si el raro de Derek estará en casa o no. Tiene la puerta cerrada con llave. Seguro que empezará a dar vueltas por la casa y a gruñir a las tres de la madrugada.

—¿Estás sola? ¿Tus compañeras se han ido?

—Vuelven mañana exclusivamente para el baile.

Miramos hacia la casa. Una luz interior se apagó en algún rincón y el edificio quedó sumido en la oscuridad.

—Qué canguelo —le dije a Ben.

—Si tanto te molesta lo de Derek, puedo quedarme a dormir —sugirió Ben.

—¿Sí?

—Claro. ¿Tienes un sofá y una manta?

—Tengo un saco de dormir, aunque no sé dónde.

—Pues me acostaré en el suelo y ya está.

—¿Eso harías? ¿De verdad?

—Siempre que no ronques.

—¡Perfecto!

Ben se hacía el reticente y yo sonreía como una tonta. La casa tenía un aspecto extraño; ahora que no quedaba nada de nuestra decoración y que Mindy se había llevado la montaña multicolor de zapatos que solía haber en el pasillo, no era más que una cáscara vacía. Era nuestro fin de los tiempos particular. Aunque Derek seguramente seguiría adelante, como una cucaracha después de la guerra nuclear.

—Creo que tengo una botella de Pernod con el tapón pegajoso. ¿Te apetece una copa de buenas noches?

—¿Pernod? Creo que ya he tenido suficiente. El baile es mañana, puede que sea prudente no acudir con una resaca de mil demonios.

—Estoy de acuerdo.

Me preparé para acostarme en el baño del piso de arriba; me puse el pijama de animales y empecé a cepillarme los dientes. Había sopesado la posibilidad de ponerme el camisón, pero era demasiado corto y, de todos modos, no era la primera vez que Ben me veía con uno de estos horrores puestos. De repente me odié a mí misma por estar vestida con algo tan estúpido cuando iba a compartir habitación con alguien tan atractivo. Manoplas infantiles, braguitas de dibujos animados, pijamas para niños. «Si fueras mi novia, estaría desesperado por que te las quitaras.» Hice una mueca, me enjuagué la boca y escupí la pasta de dientes.

Al volver a mi habitación, crucé los brazos y me lancé hacia la cama, con la esperanza de taparme antes de ser vista. Ben había montado un catre improvisado. Ahora que el efecto del vino estaba decayendo, la situación empezaba a parecerme más íntima de lo que había previsto.

—¿Me puedes prestar una camiseta para dormir?

Me aparté de mi rumbo para hurgar en un cajón. Lo único que encontré fue una camiseta gris talla XL, todavía arrugada por el cartón con el que las guardaban; era publicidad para un festival de cervezas y tenía el logo estampado de un lado a otro del pecho, ¡pedazo de logo! La sacudí para admirarla a tamaño completo.

—La gané en un concurso en el *pub* y no he encontrado el momento de deshacerme de ella.

—Si esto era el premio por ganar, ¿qué les hicieron a los perdedores?

—También puedes dormir con la ropa que llevas puesta, como quieras.

Se la lancé. Ben la atrapó en el aire.

—No, no, a buen hambre no hay pan duro —dijo, y le dio la vuelta a la camiseta para leer lo que había estampado—. Aunque «¡La cerveza nunca sobra!» puede que sea una exageración.

Apagué la lámpara del techo. La habitación quedó iluminada por mi lámpara de lava roja.

—¿Siempre duermes con eso encendido? —preguntó Ben.

—Normalmente sí, ¿te molesta?

—No. *Rooooxxaaannnee....*

Me eché a reír, mirando como los glóbulos de masa escarlata de separaban perezosamente, chocando y rebotando por el agua marciana.

—Pues cierra los ojos, que tengo que desvestirme.

Hice lo que me pedía y me puse el cojín sobre la cara, para que no quedara duda de que no estaba mirando. Oí el suave sonido de la ropa que cae sobre la alfombra, el tintineo de una hebilla, el ruido de Ben quitándose la camiseta. Que pudiéramos estar así demostraba que nuestra amistad era puramente platónica. Sentí un fuerte impulso de echar una vistazo rápido, pero solo porque, al fin y al cabo, no estaba hecha de piedra.

—¿Estás visible?

Moví la cabeza hasta el borde de la cama y miré hacia abajo. Ben estaba cobijado hasta las axilas en un capullo de nylon azul marino.

—¿Qué tal? —pregunté.

—Pues es como estar tumbado en el suelo, Dan —dijo Ben, buscando una postura cómoda.

—Si quieres nos cambiamos.

—No hace falta.

Me deslicé hasta estar tumbada al borde del colchón, tan cerca de Ben como era fuera posible.

—Qué día tan peculiar —suspiré—. Estoy soltera. Ya puedo ir acostumbrándome.

—Mmm.

Silencio.

—¿Sabes qué? La idea de estar soltera de nuevo me aterroriza.

Esperaba una avalancha de «te irá muy bien» y otros tópicos que nunca llegó.

—A ti se te da tan bien asentarte en relaciones y luego dejarlas atrás. En cambio, mírame a mí —dije.

Ben siguió sin decir nada.

—O sea, no te costó nada deshacerte de Pippa —solté, decidida a continuar hablando.

—¿Qué significa eso?

—Nada, es solo que Pippa es guapa, lista y tiene un acento irlandés de lo más encantador, y aun así has roto con ella. ¿Qué posibilidad hay de que alguien haga un esfuerzo por mí?

—Lo siento, no entiendo tu lógica —dijo Ben, de manera definitivamente fría—. ¿Cada mujer es un mundo y reacciona diferente?

—Pippa es increíble. Yo no lo soy tanto. Dudo que a mí vaya a irme mejor.

—¿De qué estás hablando?

—Además —continué. Sospechaba que estaba a punto de decir algo muy estúpido de lo que me arrepentiría cuando estuviera sobria, pero las palabras ya se me estaban escapando—, cuando me diste un beso aquella vez en el bar, tú mismo dijiste que había sido como besar a tu hermana. Mierda. Se me va a dar fatal.

A aquel comentario lo siguió un silencio incómodo. ¿Qué quería, o esperaba, que respondiera Ben? Sabía que estaba siendo injusta y que nos estaba poniendo a ambos en una situación embarazosa. Aun así, ansiaba el subidón de amor propio que experimentaría si una persona manifiestamente atractiva del sexo opuesto confirmaba que, por lo menos, no era del todo repulsiva.

—Deja de presionarme —dijo Ben, sin emoción.

—¿Qué?

—Deja de presionarme para que te suba el ego.

—¡No se trata de eso! —exclamé. «No estaba buscando cumplidos, ¿verdad? Oh. Sí, eso era exactamente lo que estaba haciendo.» Otra pausa desagradable.

—No hace falta que hagas el numerito de la baja autoestima.

—Para ti es fácil decirlo.

—¿Por qué? —dijo Ben, con cierta hostilidad en la voz. Supuse que algo de lo que había dicho le había ofendido en particular, pero no se me ocurría qué podría haber sido. Quizás había tenido poco tacto al hablar de Pippa cuando su ruptura estaba tan reciente.

—Tienes buena autoestima de nacimiento. Igual que hay gente que tiene los dientes bonitos o hipercolesterolemia porque les viene de familia.

Ben suspiró, exasperado.

—A veces no te entiendo. Pero creo que tú a mí no me entiendes en absoluto.

Me pregunté por qué estábamos manteniendo aquel diálogo de besugos y cuándo empezaríamos a charlar despreocupadamente sobre lo bien que me iría de soltera.

—Soy una tonta —dije. Ben gruñó para expresar su asentimiento—. Pero si tienes consejos de caza que pueda aplicar a los hombres del norte y que me den los buenos resultados de los que disfrutas tú entre las mujeres del sur, lo apreciaría mucho.

—Ni en broma.

—¿Por qué no? ¡Qué egoísta! Y más viniendo del don Juan de Withington.

—¿Qué significa eso? ¿Que no tengo valores morales? ¿Que soy un pendón?

—¡No! Es que todas quieren ligar contigo. Oye, si no quieres ayudarme a conocer a hombres, allá tú.

—Dan, eres una mujer. No tendrás problemas.

—Ya —suspiré—. Lo difícil es encontrar a uno que valga la pena, ¿verdad?

—No tendrás problemas —repitió Ben.

—Si, en efecto, hago algo muy malo para un ligue potencial, cuento contigo, mi mejor amigo hombre, para que me avises.

—¿De verdad quieres que te responda a todo esto? Si sigues haciendo preguntas, lo haré. No te lo advierto más.

—¿Qué preguntas?

—Preguntas sobre aquel beso, mi ex novia y lo soltera que estás.

—Ya, es verdad que he preguntado mucho —digo, esta vez descarada, informal y más que un poco asustada. La irritación de Ben me hace preguntarme si está a punto de recordarme que he sido yo quien le ha encargado que me comunique si molesto más que lo que fastidia estornudar mientras estás meando.

Un silencio ensordecedor.

—Mira, siento que esto te incomode, pero no puedo aguantar más —dijo Ben—. ¿Dije que besarte fue como besar a una hermana? Sí, efectivamente, porque nos estaban provocando a ver si ocurría algo entre nosotros. ¿Fue, efectivamente, como besar a una hermana? No, fue la puta ostia, como suele pasar cuando besas a alguien que te gusta muchísimo...

La sorpresa hizo que me estremeciera de arriba abajo, que se me pusieran los pelos de punta por todo el cuerpo, mientras el corazón me palpitaba como si fuera un pájaro carpintero harto de anfetaminas. ¿Había hablado de «gustar»? No, no podía ser. Debía de haberlo oído mal.

—¿Era Pippa un encanto? Sí, sí que lo era, el problema no era ella. Tú eras el problema. Rompimos por el mismo motivo por el que todas mis relaciones de los últimos tres años han terminado. Los tipos que están desesperadamente enamorados de otra persona tienden a ser unos novios pésimos...

Estaba cubierta de sudor frío. La frase «no podía creer lo que oía» suele usarse de manera hiperbólica, pero en este caso describía la situación de una manera de lo más literal. Mis oídos habían aceptado el paquete pero mi cerebro se negaba a firmar el recibo. No podía dejar de pensar que Ben estaba a punto de mencionar algún nombre de chica guapa, tipo Beth o Freya, y que yo exclamaría «¡Oh, ya me parecía!»; y luego tendría que suicidarme cuando Ben se percatara de que había creído que hablaba de mí.

—¿Tendrás problemas para encontrar pareja? Puesto que eres la mujer más lista, graciosa, amable y guapa, aunque algunas veces también la más exasperante, que he conocido jamás, no me cabe duda de que habrá docenas de tipos peleándose por ti. Pero, como estoy enamorado de ti, imaginarte junto a otro me provoca instintos homicidas, así que perdóname por no animarte con útiles consejos para que puedas llevarte a la cama a hombres que no sean yo.

Contuve la respiración, estupefacta. No podía hablar. Y, si hubiera podido, tampoco habría sabido qué decir. Enamorado. Había dicho que estaba enamorado.

—¿Cuál era la última pregunta? ¿Si tienes costumbres que no me gustan? Pues el hecho de que estuvieras con otro hombre era la única costumbre tuya que me fastidiaba. Sin embargo, por lo menos aquello me permitía sostener la fantasía de que si no estabas conmigo era por eso. Ahora ya no me queda ni ese consuelo. Ya está. Eso es todo.

Mis dedos se aferraban al cabecero de la cama como si de repente el mueble se hubiera inclinado.

—Lamento que ahora te sientas increíblemente incómoda si es así —añadió Ben—. Si prefieres que me vaya, dímelo. Lo entenderé.

—No pasa nada —dije con un hilo de voz.

Pausa.

—Mierda. Buen trabajo, Ben, la noche que te quedas a dormir en su habitación es el momento perfecto para esta conversación —continuó, añadiendo una risa amarga—. Y, mira, no hace falta que me digas que no sientes lo mismo. Lo sé de sobra, créeme. He ahí mi problema. Nos limitaremos a tomar una taza de té de lo más delicada mañana por la mañana y nos despediremos.

Al día siguiente por la mañana. Ya me costaba imaginar que existía un mundo más allá de mi habitación, un mundo que no se detendría y que nos traería la luz del sol y nuevos días. ¿Y eso de despedirnos?

—¿De verdad no lo sabías? —preguntó.

—No —dije con la voz más aguda de lo que pretendía.

—Santo cielo. Siempre había pensado que lo sospechabas, aunque no supieras lo lejos que iba la cosa. —Dejó de hablar, esperó a ver si contestaba y, puesto que no dije nada, continuó—. Por dios, por lo menos di «¡Puaj, qué asco!». El silencio me está matando.

—No me da asco —dije al fin, intentando encontrar las palabras entre el tumulto psicológico que me invadía.

¿Dónde estaban las palabras que me hacían falta? El discurso de Ben me había obligado a enfrentarme a algo a lo que le había vuelto la espalda, algo que había estado retorciendo y negando durante tres años. Era como tener una planta; por mucho que no le hubiera ofrecido la suficiente luz y agua, la semilla seguía allí, enterrada.

¿Sentía y pensaba aquellas maravillas de mí? «Yo también», «¿por qué?» o «¡Hurra en nombre de Dios, la virgen y todos los santos!» no le hacían justicia al momento.

Entonces tomé una decisión, algo poco propio de mí. Tiré de la voluminosa parte superior del pijama y me la quité. Me bajé los pantalones y me retorcí hasta que me deshice de ellos a base de patadas. Hice una pelota con la tela, todavía cálida por el contacto con mi cuerpo, y la lancé al otro lado de la habitación. Pensé que aquello sería suficiente para declarar mis intenciones, pero él no reaccionó.

—Ben.

—Dime.

—¿Quieres meterte en la cama?

—El suelo no está tan mal, gracias. Además... no.

—No. En la cama. Conmigo —dije. Entonces, como la elocuente heroína de una aventura erótica, añadí—: Me he quitado el pijama.

Silencio de sorpresa.

—¿Estás segura? —preguntó Ben en voz baja, en la oscuridad rojiza.

—Mucho.

Llegados a este punto, la escena debería haberse rodado en sugestiva cámara lenta con una banda sonora tipo *bom-chicka-wah-wah*, con muchos tonos de bajo. En vez de eso, lo que ocurrió en realidad fue que Ben se quedó atrapado en el saco de dormir, por lo que necesitó menos entusiasmo y más velocidad para conseguir una salida sin camiseta de un accesorio para acampadas muy bien hecho y comprado por mi padre en una tienda Millets.

—Mierda —masculló, intentando empujar el saco hacia abajo y quedándose enganchado otra vez.

—Baja la cremallera —dije entre risas—. Te ayudaría, pero estoy desnuda.

—No hace falta que me lo recuerdes. Estoy en camino —contestó Ben. Me dio la risa tonta.

Encontrarnos en esta situación cuando ya éramos amigos era absolutamente fantástico. De repente, no era «qué raro que vayamos a hacer esto», sino «qué raro que no lo hayamos hecho antes».

Ben se zafó del saco de dormir y se metió en la cama. Cuando hubimos conseguido ocuparnos de sus calzoncillos —Rachel se pone a ello, realiza un esfuerzo lamentable, Ben se encarga y el resultado sigue siendo espléndido—, de repente estábamos piel contra piel, por todas partes, todo Ben y toda Rachel presionados el uno contra el otro. Resultaba extraño, pero en un muy buen sentido. Rhys era sólido, pero estaba más fofo y eso me tranquilizaba, y era más peludo; Ben, esbelto jugador de fútbol, suave y musculoso, me pareció todo un contraste. No sabía que un cuerpo pudiera tener tan poca grasa y seguir funcionando. Pensaba que un físico así haría que me viese como una ballena, pero lo cierto era que me hacía sentir más femenina, más como yo misma, de alguna manera.

Nos enredamos con la sábana y no tardamos en deshacernos de ella. Aunque admito que Ben me estaba viendo con una iluminación que habría hecho parecer sensual al anciano decano de la universidad, era evidente que no tenía inconvenientes con esta versión sin censurar de mi apariencia. Tenía confianza en sí mismo y no me costaba entender por qué. Estaba claro que este no era su primer rodeo, así que esperaba cumplir —o exceder— sus expectativas; mi experiencia no incluía más que una serie de encuentros con mi torpe novio del instituto y Rhys.

Acababa de descubrir que había un tipo de deseo intenso que casi era náusea. Al fin entendía de qué hablaba todo el mundo. ¿Quién hubiera pensado que la última frontera del deseo eran las ganas de regurgitar la cena?

Y, por mucho que Ben supiera más que yo, no me inquieté pensando que él no sentía lo mismo; cuando le murmuré alguna banalidad resumiendo mis sentimientos, eludiendo la parte del vómito, me había contestado contundente: «nunca he deseado algo o alguien tanto como te deseo a ti». Entonces me había besado con tanta fuerza que pensé que sufriría laceraciones menores en la boca. *Nnnggg*.

Entonces, cuando llegó el momento en el que ya no estábamos a punto de hacer algo, sino que lo estábamos haciendo con todas las de la ley, Ben suspiró, enterrando la cara en mi cuello y susurrado mi nombre. Mi nombre real, entero. Otra primera vez.

Capítulo 54

Las primeras palabras pronunciadas después, cuando hubimos recuperado el aliento, serían significativas. Era importante que las pronunciara yo.

—Te quiero —dije. Sabía que era cierto, pero aun así me sorprendió oírlas. Me había enamorado en un proceso gradual, pero la comprensión de este hecho llegó de repente. Aquellos sentimientos me habían parecido complejos cuando los había estado evitando, pero, ahora que me había enfrentado a ellos, resultaban extremadamente simples.

—¿De verdad? —dijo Ben, cambiando de postura para poder mirarme.

—Sin duda.

—Joder, no me lo puedo creer.

«¿Cómo puedes no creer que alguien se enamore de ti?», pensé. Ben parecía diseñado a medida para ser amado. Relucíamos por el sudor y me sentía casi tan exultante como cuando uno se sume en un sueño narcótico. El escándalo de un grupo de borrachos que volvían tarde a casa nos llegó flotando por la ventana medio abierta. Me acordé de Derek demasiado tarde, y decidí que me daba igual si estaba agazapado en el piso de abajo con un gorro de aluminio, un equipo de grabación y un permiso para la radiodifusión.

—Pues claro que te quiero —dije.

—Esto, Rachel...

—Dime.

Seguía siendo extrañamente emocionante oír mi nombre en su boca. Me apoyé sobre el codo y le di un beso en la mejilla. Ben tomó mi brazo y lo puso sobre su estómago desnudo y firme; reposé la cabeza sobre su hombro.

—No es tan «pues claro», ¿no? Nos ha costado un poco llegar hasta aquí.

—Sí, eso es verdad.

—¿Así que mis acciones de devoto enamorado imbécil no me delataron nunca?

Me eché a reír y le abracé.

—No. Aunque me alegré de que le pegaras un puñetazo a alguien por mí.

—Oh, no saques a colación ese asunto... —pidió Ben, llevándose una mano a la cara.

—¿Por qué? Fue increíble.

—Me sentí como si acabara de darle unos golpecitos a la copa con el tenedor y hubiera soltado: «Atención, por favor, me gustaría anunciar algo. Tengo una obsesión amorosa por esta muchacha del tamaño del estadio del Manchester United. ¿Le ha quedado claro a todo el mundo? De acuerdo, perfecto, continúen con sus veladas. Recuerden que es aconsejable que los presentes no le manoseen los pechos.»

—Yo no pensé eso.

—Bueno, Emily sí. Aquella noche me dijo: «No te dejo porque estés prendado de ella, te dejo por la cara que te he visto poner cuando la estaban acosando».

—¿En serio? Caramba. Lo siento.

—No fue culpa tuya. Le habría atizado aunque hubiera estado sosteniendo gemelos recién nacidos. Emily se dio cuenta. Pensaba que todo el mundo se había dado cuenta. Es increíble que tú no.

—Ya, bueno, yo estaba más lejos. Y un tipo me estaba acosando sexualmente. Lo siento.

Ben me acarició el brazo con la mano.

—No me apetecía nada tener que despedirme de ti.

—A mí tampoco.

—Pensaba decirte algo mañana, en el baile.

—¿De verdad? —pregunté, mirándole a la cara—. ¿Qué pensabas decirme?

—Solamente... me siento así y deberías saberlo, por si importa. Guión de Jack Daniels, vergüenza patrocinada por Calvin Klein.

—¿Vergüenza?

—No sabía que no tendrías novio, claro. Que tuvieras novio es lo único que ha evitado que quedase en ridículo con una declaración de amor durante estos tres años. Mañana era mi última oportunidad e iba a permitirme una excepción.

Le abracé otra vez.

—No tenía ni idea. Tu fantástico carrusel de novias estupendas no contaba con ninguna que se pareciera a mí. Casi todas eran rubias. Rubias con autoestima, además.

—¿Por qué diablos iba a salir con muchachas que me recordaran a ti si no podía tenerte?

Lo dijo de una manera tan descarnada que el sentimiento de culpa superó mi ego subido. Aparte del hastío en la puerta del restaurante indio, nunca me había percatado de que nuestra relación le hacía daño.

—Disculpa si estoy siendo muy directo —dijo—. Llevo tres años esperando algo así contra toda esperanza. No acabo de creerme que esto esté ocurriendo de verdad.

—A mí me ha parecido bastante real —contesté. Por una vez, Ben no se rió con mi falta de seriedad.

Nos quedamos tumbados en silencio. Quería proclamar de manera extravagante lo maravilloso que me parecía este hombre y lo maravilloso que era que pensara todo eso, pero mi mente estaba abrumada y en blanco a la vez. Sentir me mantenía demasiado ocupada como para pensar. Ben me quería. Yo le quería. Habíamos hecho el amor. Los paradigmas habían cambiado y mi pijama estaba en el suelo.

—¿Ahora qué? —preguntó él.

—¿Qué de qué?

—¿Quieres que sigamos viéndonos?

—¿Bromeas? Claro que sí —contesté.

—Vas a volver a Sheffiled para hacer el curso de periodismo.

—Sí.

—Y yo estaré fuera del país durante seis meses.

—Sí.

—¿Crees que podrías subirte a un avión y que nos veamos? Cuando tengas vacaciones o lo que sea —dijo Ben.

—Sería magnífico. En mi antiguo trabajo me han dicho que me devolverán mi puesto. Me hace falta el dinero.

—¿Tu antiguo trabajo? ¿El bar al que Rhys va siempre?

—Sí. Pero eso da igual.

—No me gusta la idea.

Ben frunció el ceño. Casi podía oír cómo se le arrugaba la frente.

—¿Crees que soy tan fácil de persuadir que si le sirvo una cerveza de vez en cuando acabaré volviendo con él? —dije.

Ben continuó sin reírse.

—Gracias por el voto de confianza —solté, haciéndome la ofendida en broma.

Bromas aparte, advertí que no estábamos en la misma onda. Yo me sentía satisfecha con quedarme en la cama a su lado, disfrutando de la niebla cerebral post-coital y de su cercanía; Ben necesitaba respuestas y yo no había ni empezado a pensar en las preguntas.

—No puedo cancelar el viaje. Los billetes están reservados. No puedo dejar a Mark tirado, le destrozaría.

—Ya lo sé. Y hace tanto tiempo que lo planeas, tienes que ir. No voy a pedirte que te quedes.

—Lo sé —contestó Ben, algo desanimado.

Allí tumbada, intenté entender nuestra situación. Ben tenía razón, el año próximo sería difícil de llevar. A mí no me parecía tan infranqueable como a él. Lo importante era que ahora sabíamos lo que sentíamos el uno por el otro. El milagro había ocurrido. Lo demás eran detalles.

Ben alargó el brazo y me acarició la mano.

—Ven conmigo. Hazlo. Espera otro semestre antes de empezar el curso de periodismo. Reserva los billetes.

—No puedo. Para empezar, no podría permitírmelo.

—Te lo pago yo, tengo ahorros.

—No puedo pedirte algo así.

—Claro que sí. Lo mío es tuyo. Si te hace sentir mejor, puedes devolverme el dinero más adelante.

—¡Seguro que a Mark le encantaría hacer de carabina en el viaje de su vida! —dije entre risas.

—¿Eso te preocupa? ¿Los sentimientos de Mark? ¿O son los tuyos?

—¿Qué?

—Estarás a puerta cerrada en el bar La Borrachera Del Rey con Rhys mientras yo contemplo Kanchanaburi. Cuando vuelva, estarás estudiando los días laborales y trabajando los fines de semana. ¿Cómo podremos vernos?

—Ya sé que será difícil, pero nos las apañaremos. Aunque tuviera que esperar un año para estar contigo como Dios manda, valdría la pena.

Hubo una larga, larga pausa en la que estuve a punto de comprobar si seguía vivo. Esperaba que estuviera digiriendo el tamaño del cumplido. Se incorporó hasta sentarse.

—¿Un año? ¿De verdad me estás diciendo que te parece bien que nos veamos poco durante un año?

—No digo que me parezca bien, digo que te esperaría. Si hiciera falta.

—¿De verdad sientes por mí lo mismo que siento yo por ti?

—¡Claro que sí!

—Tengo que serte sincero, no creo siquiera que hayas terminado con Rhys. Me parece más una pelea de enamorados que una ruptura.

—No seas burro, Ben. Si quisiera estar con Rhys en vez de contigo, ¿para qué diablos me acostaría contigo?

—¿Pensabas decirme algo antes de que nos despidiéramos?

—Hmm.

«No. Con todo el dolor de mi corazón, no.» Por primera vez en mi vida me veía obligada a enfrentarme a un defecto de mi carácter y no tenía dónde esconderme. Sí, estaba enamorada de él. No, no me habría arriesgado a contárselo, ya que asumía con casi absoluta certeza que Ben no me correspondería. Mi plan era decirme a mí misma que no sentía nada por él y dejarle marchar. No podría resolver esta contradicción sin admitir algo sobre mi personalidad. Eso, amigos míos, es la pura definición de cobarde.

—No tenía nada previsto, pero...

—Así que no.

—¡No sabía que sentías lo mismo!

—¿Cómo ibas a saberlo, si no me lo habías preguntado?

—No quería arriesgarme a fastidiar nuestra amistad.

—Creo que ambos sabemos que mañana habría llegado el fin de nuestra amistad, en cualquier caso.

Eso era cierto y no tenía nada que replicar. ¿Cómo le explicas a alguien millones de veces más valiente e interesante que tú que es posible que sentimientos tan fuertes coexistan con una falta total de agallas?

—¿Todavía estás enamorada de Rhys? Debes de estarlo. Habéis roto hoy.

—No lo sé —contesté—. No es cuestión de apretar un interruptor. Sea lo que sea que siento, no significa que esté enamorada de él y quiera estar a su lado.

Otra pausa larga, en la que me concentré en lo que diría a continuación. Me sentía como si nuestro vehículo se hubiera quedado atascado en la cuneta y ahora hiciera falta maniobrar cuidadosamente para volver a la carretera. Mi política habitual de soltar lo primero que me pasaba por la cabeza no había funcionado como la seda, precisamente.

—¡Mierda! —exclamó Ben de repente.

Se levantó de la cama de un salto, como si le hubieran electrocutado el trasero. Experimenté un momento de disonancia cognitiva: lo que ocurre es malo, pero qué vistas tan maravillosas. Comprendí que estaba buscando su ropa. Se puso los calzoncillos con un tañido elástico y ya estaba metiendo las piernas en los *jeans*.

—¿De qué va esto? ¿Ben? —pregunté. Me incorporé hasta quedarme sentada, cada vez más insegura acerca de mi desnudez. Tiré de un cojín y lo usé para cubrirme.

—Lo siento, tengo que irme —dijo. Sus palabras salieron amortiguadas porque tenía la cabeza dentro de la camiseta—. No tendría que haber... no podía decirte que no. Mierda...

—¡No te vayas! ¿Ben? ¡No entiendo nada! Lo solucionaremos. Iré de viaje contigo si es lo que quieres...

Ben se detuvo y se quedó mirándome.

—No se trata de que hagas lo que yo quiero. Tienes que decidir lo que quieres tú, y no solo porque la universidad ya termina, estamos borrachos, nos hemos acostado juntos y has partido peras con Rhys. Lo que siento por ti es demasiado como para conformarme con eso. Debo irme.

—¡No me he acostado contigo por eso!

Ben se agachó para ponerse los zapatos y se volvió a levantar.

—¿Ahora que ya has mojado el churro te largas? —dije, intentando apelar al código del hombre no hijo de puta como último recurso.

—No es eso. No puedo decidir por ti lo que va a pasar a partir de ahora. Ya sé que es a lo que estás acostumbrada.

—Lo que quiero que pase a partir de ahora es que no te vayas.

—No puedo. No es culpa tuya, pero no puedo... —Ben se interrumpió y se aclaró la garganta—... no puedo estar tan cerca de ti sabiendo que es algo de una sola noche.

Agarró la cartera y las llaves de encima de la mesa y contemplé, incrédula, cómo cruzaba la puerta del dormitorio. Me hice con la sábana que había en el suelo, me envolví en ella cual estatua griega en versión un poco más achaparrada y me fui tras él.

—¡Ben, por favor! ¡No te vayas! —grité, lanzándome escaleras abajo.

Pero se fue y yo me quedé en el portal de mi casa, gritando su nombre.

Oí movimiento en la habitación de Derek y huí escaleras arriba, hiperventilando, intentando entender cómo diablos podía algo tan fantástico metamorfosearse en algo tan horrible.

Capítulo 55

Hago un esfuerzo y obligo a mi mente sobrecargada a procesar las complejidades del juicio de las drogas, tomando un montón de notas en un intento por mantener mis pensamientos alejados de la fantasía y centrados en los hechos verificables. Cuando el juicio se interrumpe a media tarde para que los abogados se reúnan en privado, me dirijo a la sala de prensa, donde un Gretton algo más rosado de lo habitual me corta el paso.

—¿La has visto?

—¿A quién?

—¡A Clarke! Se dejó un dictáfono en la sala de prensa. Ha dicho que había venido a Manchester a por las cosas de su piso, así que ya puestos quería recuperar el cachivache. Cojones como pelotas de fútbol, lo que yo te diga.

Evitarme no valía lo que cuesta de un dictáfono. «Lo tuyo sí que es tener clase, Clarke.» Me vuelvo en redondo para observar el pasillo. Los amigos y familiares del acusado me miran con desconfianza.

—Iba de camino a Piccadilly —me dice Gretton, mirándose el reloj—. La he oído hablando por teléfono con alguien y diciendo que tomaría el tren de menos cuarto. Si te vas ahora...

Miro a Gretton. Ambos sabemos que me está lanzando el anzuelo descaradamente, y que voy a picar. Miro la hora.

—Te cubro si tu juicio empieza antes de que vuelvas. Palabra de honor.

Gretton pone cara de angelito. Por una vez, le creo.

Salgo corriendo por la puerta y no bajo el ritmo cuando alcanzo la calle. Voy esquivando la muchedumbre de la tarde mientras trepo colina arriba hacia Piccadilly, con el paso de quien va a perder el autobús: medio trote, medio galope, con cortas explosiones de *sprints* desgarbados. Llego a la estación respirando con dificultad y con un dolor agudo en el costado. «Uf, uf, uf». Este es el tipo de ineptitud física que recuerdo de las clases de gimnasia en el colegio. Echo un vistazo al panel de horarios y veo un posible candidato a ser el tren de Zoe. Parece que ya está en la estación. Si ha pasado por el control de billetes, estoy jodida. Sin duda estará acomodándose en un asiento de primera clase, disfrutando de las ganancias conseguidas con malas artes. Bueno, en fin, al menos lo he intentado. Aunque solo sea por conservar algo de respeto por mí misma.

Me doy la vuelta para volver por donde he venido. De repente, veo una cabeza de pelo rizado caminando por la estación, a pocos metros de la cafetería. ¡Ajá! No me doy tiempo para ponerme nerviosa.

—¡Zoe! —grito, marchando hacia ella a grandes zancadas.

Me mira con sorpresa, pero no está ni conmocionada ni asustada. Se detiene junto a la maleta de vinilo con flores que estaba arrastrando tras ella.

—Hola, Rachel —saluda con un tono de resignación educada pero brusca, como si yo fuera la arpía del segundo que siempre la acorrala para hablar de organizar una patrulla de vigilancia vecinal.

Respiro hondo.

—Una pregunta: ¿Cómo pudiste?

—Mira, lo siento, de verdad. El *Mail* no iba a publicarlo tan pronto, pero otro artículo les falló en el último momento y cómo ya lo tenían listo para la imprenta... me hubiera gustado avisarte.

—Se nota por todos los medios por los que intentaste ponerte en contacto conmigo el sábado por la noche. ¿Qué pretendías decirme, exactamente? ¿«Siento haberte jodido bien jodida, pero para mí era una oportunidad excelente»?

Zoe emite un sonido que puede ser tanto un suspiro como una exhalación irritada.

—No ibas a publicarlo y era una historia buenísima, tú misma lo dijiste.

Espero que no haya ningún colega cerca, o este enfrentamiento se convertirá en la pura definición de «victoria pírrica».

—Tan buena que me van a despedir.

—No te habrán echado la culpa a ti, ¿no? —dice Zoe, el vivo retrato de la inocencia—. No le he contado a nadie que leíste el mensaje, te lo juro.

—Pues muchas putas gracias —escupo, aunque me alivia oírlo—. ¿Es que te da igual lo que le has hecho a Natalie? ¿O a Jonathan?

—¿A la esposa infiel del delincuente y a su amante? Pues sí, la verdad es me importa un bledo.

—Bueno, pues espero que tu contrato de veinticinco mil libras al año en un periódico nacional valga haber jodido a tanta gente para conseguirlo. Un placer haberte conocido.

—Fuiste muy amable conmigo, siento que las cosas hayan acabado de esta manera.

—Sí, yo también siento haber sido amable contigo.

Hasta ahora nunca me había dado cuenta de que Zoe tiene los ojos vacíos, como una muñeca de trapo tirada a la basura.

—Sé que no querías que esto ocurriera, pero tampoco es que tengas las manos limpias.

—¿Perdona?

—¿Por qué leíste el mensaje, Rachel? ¿Por qué te apuntaste el número? Seguiste tus instintos y te hubiera gustado seguir adelante con la historia, pero no querías lidiar con los líos resultantes y me la pasaste a mí.

—¿Eso es lo que te has inventado para sentirte menos culpable? ¿Que, subconscientemente, quería que lo hicieras?

Aunque, ahora que lo digo, me pregunto si es verdad.

—Es algo raro compartir así una historia que no te interesa. Entiendo que estés enfadada, pero creo que te estás negando a aceptar tu parte de culpa.

Siento que la tensión sanguínea me sube como la espuma. Ni siquiera tiene la decencia de comportarse como una persona culpable. ¿Es que me he convertido en Simon?

—No te estaba dando el soplo. Te lo conté porque pensaba que eras una persona de confianza.

Una pausa taciturna, mientras Zoe desea que la deje en paz.

—Lo único que he hecho ha sido usar algo que tú no querías. Recoger tu basura.

—Si era todo tan inocente, ¿por qué no me dijiste nada?

—Te habrías estresado, como ahora, preocupándote por si es injusto para la gente involucrada. Lo siento, pero me importa una mierda cómo les vaya. Quiero que mi vida profesional avance. No es nuestra responsabilidad jugar a ser Dios y decidir qué es y qué no es una noticia...

Se me escapa un chillido de indignación.

—¡Increíble! ¿Qué pasa, que ahora estás haciendo campaña a favor de la verdad y la libertad de expresión?

—Soy periodista, es nuestro trabajo. Si tanto desprecias lo que hacemos quizá deberías dedicarte a otra cosa.

Me siento como si me hubiera agarrado por el hombro y me hubiera soltado un puñetazo bajo el ombligo. Una cosa es que Ken Baggaley me diga que soy una vergüenza para la profesión, pero que me lo diga alguien que estaba en la universidad hace cinco minutos...

—Estás exagerando, Rachel.

—¿Cuando mi trabajo está colgando de un hilo? Cualquier otra persona te habría arrancado la piel de la cara y se habría hecho una máscara.

—¡No pueden echarte por algo que he hecho yo!

—Pues claro que pueden, Zoe, pero no pretendas fingir que consideraste el impacto que tu artículo tendría en las vidas de los demás antes de seguir adelante. Te hiciste con lo que querías y dejaste que los demás pagaran por ello.

Se queda callada.

—Tengo una última pregunta —digo—. ¿Tu madre está gorda?

—¿Qué? —pregunta Zoe, que ahora suena menos chulesca.

—No es tan difícil: ¿Tu madre es una mujer obesa?

—No sé de qué estás hablando.

—Ya me lo imaginaba. Supongo que es difícil acordarse de todas.

Al fin, una expresión parecida a la vergüenza aparece en su cara, y asumo que esto es lo máximo que voy a conseguir. Me doy la vuelta en redondo y la dejo allí, con sus maletas tan monas e inocentes, su pelo adorablemente despeinado y su corazón de hormigón armado. Espero que la presión sanguínea me vuelva pronto a sus niveles normales y echo a andar colina abajo, hacia la ciudad, de vuelta al trabajo.

«Quiero que mi vida profesional avance.» No solo mi relación fue un fracaso, por esta lógica, también he fracasado en el desempeño de mi profesión. Me he permito sentirme como una miserable perdedora durante cinco minutos y, entonces, paso a considerar lo que he perdido. Creo que la parte en la que fui mala persona fue cuando leí el mensaje de texto y la parte en la que fui una idiota fue cuando se lo conté a Zoe. Si haberlo aprovechado significa que, como periodistas, yo soy pésima y ella es de lo más efectivo, pues casi que prefiero perder la competición.

—¿Informe de daños? —pregunta Gretton cuando me acerco a los juzgados. Está fumando junto a la puerta, con el cigarro encendido en la mano. Parece un gato que ha conseguido un bol de nata. Y una bandeja de palitos de pescado y una pelotita con un cascabel dentro—. ¿Se recuperará de las lesiones?

—Sí, pero no en Manchester.

—Te lo advertí. Te dije que anduvieras con cuidado. ¿Recuerdas?

—Ah, sí —digo, entornando los ojos bajo el sol—. Pensaba que estabas intentando sabotear mi trabajo.

—Que paranoica.

—No lo suficiente, al parecer.

—¿Se han calmado tus jefes?

—Ah, ya —digo. Suspiro, sonriendo—. ¿Quieres saber si van a mandar a un novato a sustituirme y conseguirás hacerte con las mejores historias mientras aprende?

—No —dice Gretton, sacudiendo la ceniza sobre la acera y haciendo una imitación pasable de alguien a quien le han herido los sentimientos—. La verdad es que creo que trabajamos bien, juntos. Conocemos las normas. Espero que te quedes.

—Me conmueves —digo—. He sobrevivido, me han hecho sangrar pero no me han doblegado. O me han hecho sangrar y me han doblegado, pero con trabajo.

—No es culpa tuya que no la vieras venir —me dice, con gran magnificencia—. A mí me han pegado muchos tiros y ahí están. No es la primera vez que me topo con alguien de su calaña.

—Pues espero no volver a toparme con ella.

—Ha quemado sus naves. No va a volver a trabajar ni en regionales ni en agencias de por aquí, eso es seguro. A Baggaley no se le olvida ni una. No, a Zoe no le queda otra que irse a Londres. Más le vale quedarse en el *Mail*.

—Gracias —digo, casi riendo—. Si un consuelo pudiera ser más frío, sería nitrógeno líquido.

Capítulo 56

Una persona más valiente, dinámica y sensata se habría levantado en la mañana tras la fatídica noche, el día del baile de graduación, y habría ido directa a recomponer su relación con el recién descubierto, y recién apartado, amor de su vida.

Me mordí las uñas, me cambié la camiseta tres veces, me inquieté sobre tener que enfrentarme a Ben a la luz del día y con el recuerdo de lo que habíamos hecho en la oscuridad. Preparé tazas de té, pospuse tomar una decisión, ensayé discursos mentalmente y perdí el tiempo. Entonces mis amigas llegaron con bolsas llenas de rulos para el pelo, montañas de maquillaje con purpurina y botellas de cócteles ya mezclados. Decidí acumular coraje líquido antes de dirigirme al baile por la noche. Demasiado tarde, mientras estaba creando el peinado años sesenta cardado de Caroline a fuerza de aplicarme cantidades tóxicas de laca Elnett, se me ocurrió que Ben podría no acudir al baile.

Aquello me hizo detenerme.

—¿Qué pasa? Parezco recién sacada de una película de John Waters, ¿verdad? —preguntó Caroline, preocupada.

Funcionaba en piloto automático: fingía que me importaba el vestido que me iba a poner y cómo me iba a peinar, sonreía para las fotos. Solo podía pensar en ir al Hotel Palace.

Al llegar, tomamos aperitivos en una antesala floreada sin nada remarcable y oteé la multitud de trajes negros en busca de Ben, sin éxito. Vi a algunos amigos suyos vagando por el lugar, pero no a él; el salón en el que cenaríamos era demasiado grande como para encontrar a alguien.

Cuando la cena dio comienzo, estaba segura de que Ben no vendría. Empecé a formular un plan. Cuando nadie me estuviera prestando atención, me escabulliría, me metería en un taxi e iría a su casa. Mientras el tiempo seguía pasando, me concentré en reprimir las ganas de convertir el entrante de cóctel de gambas en una mancha húmeda color salmón sobre la pared más cercana, volcar la mesa y echar a correr Oxford Road abajo con mis tacones de aguja.

Entonces, cuando ya no quedaba nada de la tarta de lima, la música había empezado y yo tramaba la mejor manera de escapar, allí estaba. En medio de la sala, como si hubiera descendido del techo colgado de cables, estilo *Misión Imposible*. Ben, con traje. Si enfocaran una cámara en su dirección, en la foto solo saldría un destello.

Era obvio que acababa de llegar, porque una muchacha de su mesa se levantó de un salto y le envolvió en un abrazo —lo cual me dio dolor de barriga— y un amigo le pasó una cerveza. Contemplé cómo Ben se aflojaba el corbatín, se despeinaba un poco con la mano y daba explicaciones sobre su retraso. Iba a quedar de tonta para abajo, pero ya había esperado lo suficiente.

Me puse de pie y me acerqué a su mesa.

—¿Puedo hablar contigo?

Ben apartó la vista de sus amigos, me miró, sorprendido, y dejó su bebida en la mesa. Pensaba que me reprendería delante de nuestros compañeros, pero mi valentía valió la pena. Se encogió de hombros en señal de acuerdo. Le tomé de la mano y le llevé hacia la pista de baile. Se suponía que tenía que ser él quien hiciera su gran declaración de amor inmortal en el baile, pero, en vez de eso, iba a ser yo.

Me encaré a él.

—Escucha, Ben...

—Lo intento. ¿Quieres que hablemos aquí?

Pensaba que la pista de baile sería el único lugar en el que tendríamos algo de intimidad, pero estaba el pequeño problema de los decibelios. Los altavoces retumbaban al son de *To The End*, de Blur. Estábamos rodeados de gente que había bebido suficiente champán como para empezar a bailar y que cantaba la letra animadamente.

—Tendrías que haber preguntado otra cosa...

—¿Perdona? —articuló Ben, acercándome la oreja a la cara.

—Otra pregunta. Sobre mis sentimientos. ¡Anoche! Cuando preguntaste si estaba enamorada de Rhys... —grité. Me tapé los oídos con los dedos para no oír a Damon Albarn y concentrarme en Ben.

—¿Que qué? —preguntó. Entornó los ojos, confundido.

—Vamos a un sitio más tranquilo —vociferé.

—De acuerdo.

—Lo siento —dije, resumiendo. Ben, esta vez, me leyó los labios.

—Yo también quiero decirte algo —bramó, sacudiendo la cabeza.

Una sonrisa. Estaba sonriendo. Por un maravilloso momento, pensé que todo iría bien. Me acerqué, le volví a agarrar de la mano y Ben me rodeó la cintura con el brazo. Me apartó un mechón de pelo de la cara y bajó la cabeza para decirme algo, muy cerca de la piel. Su aliento me acarició el cuello y me estremecí, cerré los ojos.

Lo que ocurrió a continuación pareció desarrollarse a cámara lenta, y no precisamente como el anticipado y exultante beso final de la película, seguido por la cámara que se eleva hasta enfocar la bola de espejos, «querido lector: nos casamos» y títulos de crédito. Ben se apartó. Abrí los ojos. Había visto algo a mis espaldas; la sonrisa se borró de su cara y bajó el brazo que tenía en mi cintura.

Me volví y vi a Rhys avanzando hacia nosotros, con esmoquin, sonriendo de oreja a oreja. Era Rhys, vestido como un impostor infiltrado en una orquestra, con un aspecto muy poco propio de él. Incluso había intentado domar y aplastar el pelo, que llevaba con raya al medio.

—¡Tatachán! —exclamó Rhys, extendiendo los brazos como un mago mostrando que no tiene nada escondido en las mangas.

Ben se cruzó de brazos, paseando la mirada de Rhys a mí, esperando. Esperando palabras que, de haber llegado, habrían sido inaudibles, pero mejor que nada.

—¿Cómo va, chaval? No interrumpo, ¿verdad? —bramó Rhys, con entonación de «ja ja ja, ni en un millón de años».

Ben no contestó. Me miró con la mandíbula apretada.

—¡No! —dije. Puro reflejo, algo que decir mientras pensaba en cómo afrontar esta situación—. Pero, esto... Ben y yo estábamos... nos hemos... —¿«acostado juntos y declarado amor eterno»?

Antes de que pudiera añadir nada más, Rhys exclamó: «¡Ven aquí, nena!», me aprisionó en un coactivo abrazo de oso y se lanzó a su interpretación de un vals.

—¡Basta, basta! —exclamé. Me sentía como si estuviera ahogándome, intentando alcanzar el oxígeno en un mar de poliéster, Issey Miyake for Men y pánico ciego—. ¡Rhys! ¡Basta!

—¿Qué pasa?

Cuando me zafé, Ben había desaparecido. Y continuaría desaparecido de mi vida durante diez años más.

Capítulo 57

Dos semanas después de la masacre de la plaza de Saint Ann, Ben me invita a tomar algo al salir del trabajo.

—Santo cielo —dice cuando me ve llegar, delante del Royal Exchange Theatre—. Solo llegas un minuto o dos tarde. Si admitimos que quizá mi reloj no sea exacto, esto podría significar que has llegado puntual. ¿Cómo piensas justificarte?

—¿Tengo muchas ganas de tomar algo? —contesto.

—Creo que debería tirar confeti por los aires —comenta Ben. Me sonríe de soslayo y echamos a andar.

—Tengo que empezar a hacerte favores para que me perdones.

—No seas tonta.

—¿No querías ir al cine con Olivia y Lucy?

Me había percatado de que Ben había sentido la necesidad de entrar en detalles sobre por qué Olivia no venía con nosotros. Sospechaba que su mujer había tomado un bando distinto en la lucha a muerte entre Huracán Simon y Rachel «La Abyecta».

—No me pillarías viendo esa película a no ser que me amarraras a una camilla y me inyectaras algo. *El hombre para mí* o una cosa por el estilo. *Una zagala especial. ¿Tengo cerebro?*

—Oye, pues suenan rumores de una nominación a los Oscar para *¿Tengo cerebro?*

—Lo que suena es el zumbido de las moscas revoloteando alrededor del guión.

Nos echamos a reír.

—¿Qué te parece este sitio? —digo impulsivamente cuando pasamos por delante de una puerta que promete. Cuando entramos, decido inmediatamente que el lugar es todo un hallazgo. Sillas de madera usadas, mesas pintadas de distintos colores, velas que gotean, camareras que estudian Bellas Artes, carteles de películas antiguas enmarcados en la pared... el súmmum de los bares modernos.

Nos sentamos debajo de *Los caballeros las prefieren rubias* y Ben va a por las bebidas, cerveza belga en vasos de cristal marrón. Se quita el discretamente caro abrigo gris y lo deja en la silla; intento no pensar en cómo la piel y el pelo grasientos que afectan a los trabajadores de oficina a partir de las seis de la tarde solo sirven para hacer que Ben se parezca más a James Bond después de un juego de bacará de alto riesgo con un traficante de armas de Montenegro. Pienso que una buena estructura ósea hace que lo desarreglado parezca pícaro. A mí no me había quedado más remedio que pasar diez minutos frenéticos en los baños del trabajo, delineándome los ojos y repintándome los labios, como quien decora la cáscara de un huevo.

Pregunto por Simon con cautela, mientras Ben se arremanga y yo evito mirar sus brazos. ¿Cuándo me convertí en una pervertida babeante? («Demasiado tarde», imagino que diría Rhys).

—No eres la primera mujer a la que acusa de haberle arruinado la vida y no serás la última —responde—. No lo pienses.

Respiro hondo y me preparo para revelarle a Ben toda la verdad, la que no podía arriesgarme a contarle a Simon. Esta es mi apuesta de alto riesgo. De camino aquí ya sabía que lo haría y que mucha gente pensaría que es una locura. Casi puedo oír el grito fantasmal de Caroline: «¡Cierra el putooo picooo!». La cuestión es que no quiero que Ben le plante cara a Simon cuando les he mentido a los dos. Que Ben quiera defenderme no significa nada si no sabe la historia entera.

—Ben —digo—. Si te digo que tengo algo más que contarte acerca de la aventura de Natalie Shale, ¿me prometes que no irás a contárselo a Simon con el enfado?

Parece preocupado.

—¿Se trata de una nueva y escandalosa revelación que lo cambiará todo? Porque no necesito más sorpresas en mi vida.

—Es la verdad íntegra sobre cómo Zoe consiguió la historia.

Se queda inmóvil con el vaso en la mano camino a los labios. Lo deja en la mesa.

—Por favor, dime que no os repartisteis el dinero de la exclusiva.

—No, tal como dije, no tuve nada que ver con la venta.

—Entonces, ¿qué? No me cuentes nada que no quiera saber.

—No tomé parte en absoluto en el proceso de publicar la historia, ni en que Zoe la vendiera a un periódico nacional y, si hubiera sabido lo que pretendía, habría hecho todo lo posible por detenerla. ¿Eso ayuda?

Ben me mira con incertidumbre.

—¿Me prometes que no se lo contarás a Simon? —digo.

—Tienes a tu favor que no quiero cabrearle más. Tras esta introducción tan dramática, más te vale que me cuentes lo que sea.

Lo hago. Entonces, contengo el aliento. Ben examina mi expresión mientras asimila la información.

—¿Se hizo con la historia y la vendió a tus espaldas?

—Sí, te lo juro.

—¿Por qué no publicaste tú la exclusiva?

—No era justo. Lo pensé mucho. No tengo la desfachatez necesaria.

—Bien que la tuviste cuando se trataba de leer los mensajes privados de los demás y cotillear sobre el contenido.

—Ya lo sé. Dime que soy una persona vil, me lo merezco.

Ben suspira.

—¿Por qué me estás contando todo esto?

—Te portaste tan bien conmigo... no quería mentirte —digo. «Quiero que me exculpes, por encima de todo. Puedo soportar lo que sea si sé que, a tus ojos, no soy culpable»—. No podía contárselo a Simon, habría conseguido que me echaran del trabajo y necesito pagar el alquiler. No está bien, pero es la verdad. Siento todos los problemas que te he causado, Ben. Quería hacer bien mi trabajo. No sabes lo avergonzada que estoy. Quiero disculparme sinceramente, desde el fondo de mi corazón.

Ben suspira de nuevo y mira hacia la puerta con anhelo. Por un momento, pienso que va a levantarse y a decir «me largo de aquí».

—Madre mía...

—¿Sería muy repetitivo si pidiera perdón un par de veces más?

—No tendrías que haber leído sus mensajes ni haber compartido la información con otra periodista. Por mucho que fuera sin querer, parece ser que realmente fuiste tú el catalizador de la explosión que mandó una ola de mierda sobre toda esta gente.

—Lo sé.

—Sin embargo, podrías haber sacado tajada, pero no lo hiciste. Para evitar las repercusiones que habría tenido en las vidas de otras personas, no porque fuera a beneficiarte quedarte callada, ¿verdad?

—Verdad.

—Entonces, acabamos de identificar un escrúpulo. Oficialmente, tienes un escrúpulo.

Suelto una risita amarga pero agradecida. Una vez más se ha confirmado que no me equivocaba al tener fe en la generosidad de Ben.

—Escrúpulo en singular.

—Por algo se empieza.

Ella Fitzgerald empieza a sonar en el bar y todavía tenemos los vasos llenos. Me siento más en paz con el universo que cuando entramos, de eso no hay duda.

—Contarme la verdad ha sido una jugada arriesgada —dice Ben, observándome por encima de su cerveza—. ¿Puedo arriesgarme yo también? ¿Con las mismas condiciones de que esto no salga de aquí?

—Por supuesto —contesto mientras se me erizan los pelos de la nuca.

—Esto nunca, jamás, puede llegar a los oídos de tus colegas, bajo amenaza de muerte. Esto se queda entre nosotros, en este momento y lugar, y nunca sale. Prométemelo, Rachel.

—Te lo prometo —digo, cautivada.

—Más te vale mantener tu palabra, o llamaré a Simon y le contaré lo del mensaje de texto.

—Recibido, alto y claro. Confía en mis instintos de autoprotección si no te fías de mi sentido del honor.

—Es más seguro —dice Ben, y baja la voz—. Oí que, charlando en la cama, Natalie le dijo a Jonathan que mintió para proporcionarle una coartada a su marido.

Me quedo boquiabierta.

—¿Para qué necesitaba una coartada falsa?

—¿Para qué suele necesitar la gente coartadas falsas?

—¿Lucas Shale es culpable? —respondo con un susurro alarmado, incrédula.

—No lo sé. De verdad que no lo sé.

—Pero van a absolverle en la apelación. Todo el mundo piensa que es inocente. Yo estaba convencida de que era inocente.

Ben se encoge de hombros.

—Esto nunca puede llegar a oídos de los socios del bufete. Si es cierto, sería muy, muy grave que Jonathan hubiera permitido que siguiéramos representando a Shale. Algo así acabaría con su carrera profesional.

—¿Es que su aventura con Natalie no le ha destrozado ya la carrera?

—No, pero solo porque Natalie no era su cliente. Ha recibido una buena regañina y un finiquito de cara a la galería, pero es muy probable que vuelvan a contratarle discretamente en las oficinas de Londres cuando la situación se calme.

—Mierda.

—Es mejor eso a que le echen a la calle sin más.

—Supongo que Natalie y Jonathan no siguen en contacto, ¿no? ¿Si Jonathan se va a Londres?

—Lo dudo —dice Ben, sacudiendo la cabeza. Calla un momento—. Pero bueno, que estén separados hace menos probable que se pongan a deliberar sobre aquel mensaje de texto y deduzcan que estás implicada, ¿no?

—No lo preguntaba por eso —replico, haciendo una mueca.

—Ya lo sé, solo quería meterme contigo. En mi opinión, no velas lo suficiente por tus propios intereses.

Esperaba que Ben, con su generosidad de espíritu, me perdonara. ¿Cómo puede ser que ahora encuentre algo que alabar en mí? Bueno, no me explico cómo consigue ver siempre lo mejor de mí. Se crea una pausa reflexiva que se convierte en un cómodo silencio en el que bebemos con tranquilidad. Observo las formas que las llamas de las velas proyectan en las ventanas, contemplo el local. Una guapa camarera con el pelo amontonado en un moño desaliñado, que incluye un lápiz atravesado, me dedica una mirada cálida, como diciendo «qué bonita pareja». Le devuelvo la sonrisa. «Si tú supieras.»

—Es magnífico que sea posible, ¿no? —dice Ben, al cabo de un rato—. Que volvamos a ser amigos, digo. Después de tantos años.

—Es fantástico. Hemos continuado donde lo dejamos —contesto sin pensar.

—No exactamente en el punto donde lo dejamos —recalca Ben, alzando una ceja.

—No, no exactamente... esto...

La conversación se queda ahí. Ella Fitzgerald termina. Nuestro silencio, ahora incómodo, se llena con una versión *emo* horrenda de *Brass in Pocket* de The Pretenders.

Ben toma un trago largo de cerveza y asumo que va a cambiar de tema. En vez de eso, me mira a los ojos.

—¿Por qué te acostaste conmigo? Quiero decir, ya sé el motivo, pero estaría bien que me lo confirmaras después de tanto tiempo.

Su sonrisa sardónica y su firmeza me desconciertan. Sé que cree que no sé cómo contarle una verdad desagradable. En vez de eso, estoy repasando todas las cosas que podría decirle a Ben pero que no querría contarle a un hombre casado.

—En su momento te di un motivo —contesto. Pretendo sonar asertiva, pero me sale la voz lastimera.

—No pasa nada, fue hace mucho —dice, sacudiendo la cabeza—. Lo soportaré. Querías volver con Rhys y sabías que no tendrías que volver a verme. No era para tanto.

«¿"No era para tanto"? ¿Es una broma?»

—Eso no es verdad, en absoluto. Me... —Me tiembla la voz—. Me importabas de verdad.

Desde luego, se le ve poco conmovido por esta declaración.

—Mmm. Pensándolo ahora, creo que Rhys llegó al baile en el momento oportuno para todos nosotros.

—Ben —empiezo. Las emociones que he contenido durante mucho, mucho tiempo crecen como los violines en la banda sonora de una película dramática. Intento refrenarme—. No fue así. Tienes la impresión equivocada. —¿Cómo sugerir todas las cosas que no puedo decirle? Oh, no. ¿Voy a pronunciar las infames palabras? Parece ser que sí—: Es complicado.

Ahora oigo el fantasma de Mindy: «Cáááállaaaateeeeee».

—A grandes rasgos debo de tener razón, teniendo en cuenta que seguiste con Rhys e ibais a casaros.

Jaque. Mate. Abro la boca pero no me salen las palabras. Y yo que pensaba que sería un descanso responder finalmente a aquella pregunta. Hemos llegado diez años y un matrimonio demasiado tarde; sostener esta conversación, ahora, es una tortura.

—Intenté llamarte. Te escribí. ¿No recibiste mi carta?

—Ah, sí. Para poder... —empieza. Ben se detiene, rebobina y cambia lo que iba a decir—... superarlo, quise distanciarme de ti. Tu carta no decía nada que no supiera.

—Me preocupaba que la abriera Abi, me dijiste una vez que era una manía suya. Pensé que sería mejor ser breve. La escribí para que me llamaras.

Ben se queda mirando su vaso.

—Lamento haber reaccionado de manera exagerada. Te merecías algo mejor, teniendo en cuenta que éramos amigos. Aquel último año fue muy duro para mí. Lo que me fastidia bastante, porque pasé gran parte del tiempo viajando por lugares maravillosos.

Intenta relajar el tono de la conversación, pero yo no consigo hacer lo mismo.

—Lo siento —murmuro, inadecuadamente. Es más inadecuado de lo que jamás sabrá.

—Oh, por favor, no hace falta que te disculpes —dice, agitando la cerveza en el vaso—. No quiero sonar como un resentido. Lo pienso ahora y me abochorno...

Hago una mueca.

—Acababas de tener una señora pelea con Rhys, debías de estar hecha polvo. Y voy yo y te suelto encima toda mi angustia existencial por culpa de un revolcón. O sea, fuera el que fuese el motivo, no dejaba de ser sexo, así que no debería haberme quejado, ¿eh? Seguro que te quedaste sin saber qué diablos estaba pasando. Es increíble que me aguantaras tanto. Tanto escándalo de veinteañeros por nada, ¿verdad? En fin, podemos recordarlo y reírnos de todo. Aunque, en fin, espero que no te rías demasiado...

Aquello me sienta como una puñalada.

—Yo no diría «por nada».

Para mí, había sido algo. Ben se encoge de hombros y sonríe.

—Pensaba que Rhys me pegaría un puñetazo al día siguiente. No le habría culpado.

—Nunca le conté a nadie lo que había ocurrido.

—¿Demasiado avergonzada? —me pregunta, haciendo una mueca cómica.

—Quería que quedara entre nosotros.

—Yo sí se lo conté a alguien.

El corazón se me dispara. Santo Dios, por favor, que no se lo haya contado a Olivia. Por favor.

—A un tipo australiano que conocí una noche en Sidney, me escuchó mientras me desfogaba durante horas. Dijo que volvería a verte algún día y que pesarías cien kilos y tendrías cuatro niños gritones, y que entonces comprendería que me había escapado por los pelos. No era lo que llamarías un hombre moderno.

—Tenía razón, menos en lo de los niños. Y descontó un par de kilos —bromeo patéticamente. Estoy destrozada.

—Se equivocaba por completo. Me alegro de poder cerrar el capítulo.

¿Qué responder ante algo así? Es curioso que diga que se alegra de verme cuando, por primera vez desde que tengo memoria, no quiero verle a él.

—Ben...

Mi teléfono empieza a sonar en las profundidades de mi bolso. Me maldigo a mí misma por no haberlo puesto en modo silencio. Lo encuentro y veo que se trata de una llamada de Caroline.

—¿Hola? ¿Caro? ¿Eres tú? —digo—. Mala conexión —le susurro a Ben.

Justo después de decirlo me doy cuenta de que no es que la conexión sea mala, es que Caroline está llorando.

Capítulo 58

Llamo con los nudillos a la puerta de madera de Caroline, que suena hueca, y paso el peso de un pie a otro. Lo único que he conseguido sacarle por teléfono es que no ha muerto nadie. Ben ha sido muy comprensivo cuando me ha visto salir corriendo del bar y saltar al interior de un taxi.

Caroline abre la puerta y las palabras «¿Estás bien?» no alcanzan a dejar mis labios.

Tiene la cara manchada con el gris del rímel mezclado con lágrimas, y la piel que asoma por el cuello de la camiseta está roja e irritada, como si se la hubiera estado rascando por el nerviosismo.

Me acerco para abrazarla, pero Caroline mantiene las distancias.

—Gracias por venir —dice con voz monótona, sorbiéndose la nariz y volviendo al interior de la casa. Me peleo con la puerta para cerrarla, sigo a mi amiga y la observo asentarse en la postura en la que asumo que estaba antes de mi llegada: tendida boca abajo sobre el sofá de cuero, ahora cubierto de pañuelos arrugados. Me dejo caer sobre el butacón que hay enfrente, contemplando la botella de vino casi vacía y la copa medio llena que reposan sobre la mesa de centro.

—¿Dónde está Graeme?

—Se ha estado acostando con otra —dice. La última palabra le sale alargada y deformada por los sollozos en los que estalla al pronunciarla.

—Santo cielo, Caro.

Me arrodillo junto al sofá y apoyo la mano en su brazo mientras mi amiga llora. Es terrible verla así, tan alejada de su autocontrol habitual.

Me desorienta tanto como si hubiera oído a mis padres en la cama, o como si hubiera pillado a mi abuelo sin la dentadura postiza.

—¿Cómo te has enterado? —pregunto. No se me ocurre nada mejor que decir.

Se seca la parte de debajo de los ojos con los pulgares y me lo cuenta entre sollozos.

—Esta mañana se ha dejado el teléfono móvil en casa. Sé que le gusta llevarlo siempre encima, así que me lo he llevado al trabajo, pensando que pasaría a verle a la hora de comer y se lo daría. Alguien que salía en la pantalla como «John» le ha llamado quince veces, y se me ha ocurrido contestar a ver qué quería.

Caroline se toma una pausa para recuperar algo de calma. Le acaricio el brazo, esperando que el gesto resulte más reconfortante que molesto.

—Entonces he salido de la oficina, le he llamado, he venido a casa y le he esperado —dice, y se calla un momento—. Ha tenido la osadía de acusarme de invasión de la privacidad por haberme llevado su teléfono. Grandísimo idiota.

—¿Dónde está ahora?

—Ni lo sé ni me importa. Dudo que esté en su casa, porque la tipa está casada y tiene hijos.

—¿Trabajan juntos?

—Sí. Graeme ha dicho que no ha sido más que un error estúpido y que es un alivio que lo haya descubierto. ¿Te puedes creer la cara dura que tiene? Ha sacado todos los viejos clásicos a pasear. «No habíamos planeado que pasara», «estábamos borrachos y lejos de casa», «no sabía cómo ponerle fin a la situación». Oyendo cómo se lamentaba, cualquiera diría que le habían obligado a quitarse los pantalones a punta de navaja.

Lo propio sería decirle a Caroline que no me esperaba algo así de un marido como Graeme, pero no sería exactamente cierto.

—Es horrible que te haya hecho esto —me conformo en comentar.

—Dice que tengo que aceptar parte de la culpa porque estoy siempre trabajando y nunca estoy ahí cuando me necesita.

—¿Qué? —intento no gritar—. ¡Pero si él hace lo mismo! Siempre ha estado orgulloso de tu brillante carrera profesional. No podría estar con alguien que no fueras tú.

—Parece ser que puede, en repetidas ocasiones y en una gran variedad de lugares por todo el Reino Unido y Europa. No me extraña que estuviera tan obsesionado por arreglar el paquete de itinerancia de datos con su compañía telefónica. ¡Lo suyo sí que es un paquete itinerante!

Cuanto más pienso en la excusa del abandono, más me rechinan los dientes.

—¿Desde cuándo llevan juntos?

Caroline alcanza su copa de vino y la vacía de un trago.

—Un par de meses. Si es que me ha dicho la verdad. Me ha ofrecido pruebas, pero soy más feliz sin conocer más detalles.

Sacudo la cabeza.

—¿Y tú qué? ¿Quieres un trago? —dice Caroline. Cambia de postura y mira desconsolada hacia lo que queda del vino—. Hay más.

—Ya voy yo —digo, quitándome el abrigo—. Tú quédate aquí.

—Mañana diré que estoy en enferma en el trabajo, así que no importará que me encuentre mal de verdad —exclama desde el sofá.

Abro la nevera de dos puertas y elijo una de las cuatro botellas frías. Caroline es lo suficientemente madura como para tener más alcohol en la casa del que pretende beberse de una sentada, lo que resulta muy conveniente en esta situación de crisis. Saco una copa del armario y la llevo al salón con una botella de Chablis. Quizás a más calidad, menos cantidad beberemos.

—¿Y ahora qué? —pregunto cuando ambas sostenemos copas llenas—. ¿Graeme va a buscarse otro piso?

—Puede dormir en los sofás de sus amigos, luego pasar a la habitación de invitados Siberia y arrastrarse por el suelo suplicando mi perdón. Por ese orden.

Esto me sorprende.

—¿Vais a seguir juntos? ¿Sin duda?

—Más le vale. No pienso perder mi hogar ni desperdiciar todos nuestros esfuerzos por culpa de una patética crisis de la mediana edad que ha llegado a su punto álgido en habitaciones de un Best Western de tres estrellas.

—Oh. De acuerdo.

Me sorprende su instantánea convicción de que merece la pena salvar la relación. En su situación, yo no estaría segura de nada.

—¿Se ha disculpado? ¿Está arrepentido?

—Se arrepiente de que le haya descubierto —responde, y suspira profundamente—. Ya me lo ha dicho. A continuación ha implorado que siga con él.

Caroline mira de soslayo una fotografía del día de su boda que tiene sobre la chimenea.

—Nunca imaginé que me pasaría a mí, ¿sabes? Es un cliché como la copa de un pino.

—Bueno, siempre te quedarán las copas de vino.

Caroline sonríe lánguidamente. Me esfuerzo por invocar alguna frase profunda que corresponda con la gravedad de la situación y que no sea «siempre pensé que Graeme despedía cierto olorcillo a mierda».

Admito que esta opinión se fundamenta sobre todo en la costumbre que tiene ese sinvergüenza de reírse de los amigos de Caroline bajo el pretexto de la afabilidad.

—¿Qué he hecho mal, Rachel? He tenido una vida propia, una carrera profesional y me he concentrado en que el matrimonio funcionara, o pensaba que lo había hecho. No ha servido de nada.

—¡Y una mierda! —exclamo. Con el entusiasmo, me derramo algo de vino sobre el regazo—. ¡No has hecho nada mal! Tú misma has dicho que no hay matrimonios a prueba de infidelidades, nada de esto es culpa tuya. Graeme es el que tiene que asumir plena responsabilidad de lo ocurrido.

—Uf. Yo diría que la otra persona es un síntoma de que algo va mal, no la causa.

—Eso no significa que la causa seas tú. Si tu marido necesitaba que le prestaras más atención, tendría que haberlo conseguido de alguna otra manera.

—Cierto.

Bebemos. Percibo nuestras diferencias con más claridad que nunca. Desde el punto de vista de Caroline, si dedicas esfuerzo a algo, tiene que dar resultados. Creo que el problema es la «Graemidad» intrínseca de Graeme. Cuando empezaron a salir, dudo que ella pensara que era una persona maravillosa, exactamente, pero decidió que era el hombre adecuado. Casi como quién elige a un socio para hacer negocios: ambos invertían lo mismo y esperaban los mismos beneficios. No es que Caroline sea una mercenaria, porque no lo es, es simplemente práctica hasta el más mínimo detalle. Sería incapaz de enamorarse desesperadamente de un poeta aficionado a la marihuana y sin dinero. Es incapaz de estar desesperada a un nivel genético.

—Míranos. Nada ha salido acorde con el plan, ¿verdad? ¿No se suponía que todas tendríamos las vidas organizadas para cuando llegáramos a los treinta? —pregunta.

—Quizá tú —contesto, sonriendo—. Creo que Mindy y yo nunca tuvimos tantas esperanzas.

—He encendido el aspirador, ¿sabes? Para que los vecinos de al lado no me oyeran gritarle a mi marido por metérsela a una directora de marketing. No quiero encontrármelos en las próximas fiestas del barrio sabiendo que han estado cotilleando sobre mi vida. Me he visto vociferando «¡Ella es una zorra y tú un desgraciado!» por encima del ruido del aspirador. Me siento vieja.

—No eres vieja.

Caroline se frota los ojos y se alisa el pelo.

—Bueno, ¿qué estabas haciendo esta noche? Espero no haberte fastidiado la velada.

—He ido a tomar algo con Ben —digo. No sopeso si es muy inteligente o no compartir tal información con Caroline hasta que las palabras ya me han salido de la boca.

—¿Ben? —pregunta, y se le ensombrece la expresión—. ¿Solos?

—Olivia había ido al cine con una amiga.

—¿De qué habéis hablado? —dice Caroline. Se inclina hacia mí con el ceño fruncido.

—De nada importante. Trabajo.

Caroline no reacciona.

—Ya sabes, el jaleo con Simon —añado.

—Esto es exactamente lo que te advertí que no hicieras.

—Caro, somos amigos.

—Hasta que él y Olivia hayan tenido una pelea, Ben adopte una expresión distante y triste, con esa cara tan *sexy*, y tú te sientas sola...

—¡Nunca haría algo así! De verdad. No va a ocurrir nada de eso, apenas le veo. Lo de esta noche ha sido una excepción.

—¿Puedo darte un consejo? Que conste que entiendo que permitir que yo te aconseje sobre tus relaciones sentimentales es el súmmum de la ironía.

Asiento, sabiendo que no me va a gustar.

Caroline se acerca a la mesa y se sirve más vino.

—Resuelve lo tuyo con Rhys. Ya te has puesto firme con lo de la boda, seguramente fuera una pelea necesaria. No te deshagas de él como si fuera el periódico de ayer. Estáis hechos el uno para el otro.

Sacudo la cabeza.

—Sé por qué me lo dices y gracias, pero no era feliz.

—¿Eras infeliz? ¿O estabas aburrida e irritada con él? Ocurre en todas las relaciones tarde o temprano, te lo aseguro.

Lo que Caroline quizá esté pensando y no quiera decir es: podría ser o Rhys o nada.

—No es eso. Es por cómo nos afectamos el uno al otro. Yo le pongo de los nervios y él me hunde. No creo que sea una mala costumbre. Es como química, cuando mezclas dos sustancias y siempre obtienes la misma reacción. Lo nuestro es igual.

—¿Y durante trece años te ha dado igual?

—No es que me diera igual... me dejaba llevar. Evitaba preguntarme si mi vida con Rhys era suficiente y con la boda no me quedó más remedio que enfrentarme a la respuesta.

—Maldita sea la mentira del «fueron felices y comieron perdices» —dice Caroline, mirando al infinito—. Nunca se comen perdices con nadie. Lo único a lo que puedes aspirar es a encontrar a la persona con la que vale la pena perseverar, eso es todo. Fíjate en las películas, siempre desaparecen trotando hacia la puesta de sol, donde todo está bañando por una luz rosada. ¿Soy la única que se da cuenta del problema? La característica principal de una puesta de sol es que nunca la alcanzas. Nunca se pone el sol donde tú estás.

—¿Me permites decir que sí? Eres la única.

—Si alguna vez tengo hijas, el mío va a ser un hogar libre de cuentos de hadas, te lo aseguro.

—Yo no espero ser feliz para siempre. Solo un poco más feliz.

—Al final, el quid de la cuestión es saber a qué llamas «feliz». En mi opinión, nuestra generación pasa demasiado tiempo concentrada en lo que no tiene en vez de pensar en lo que ha conseguido.

Me doy cuenta de que este no es el momento de discutir con Caroline. Se vuelve hacia mí.

—En la universidad me dabas mucha envidia, Rachel. A veces todavía tengo celos de ti.

Ante esta declaración, casi escupo el vino.

—¿De mí? ¿Por qué diablos...?

—Eres divertida. Los hombres piensan que eres divertida. Yo no lo soy. No puedo evitarlo, soy como soy. Por eso tú estabas charlando con Ben en una esquina el día de tu fiesta y yo acabé hablando sobre sellos con su mujer. Una parte de mí cree que eso es lo que buscaba Graeme. No quería sexo, quería reírse.

—Caroline —digo, y se me espesa la voz—. Eres una mujer más que entretenida. Tal vez ahora mismo no, porque estás borracha y no puedes parar de llorar. Pero normalmente, sí.

—Gracias —dice entre risitas débiles—. ¿Pensarás en lo que te he dicho sobre Rhys?

Asiento.

—Creo que las cosas no son tan simples desde dentro como se ven desde fuera.

—Ya lo sé, pero Rhys te quiere. Te quiere de verdad y quiere compartir su futuro contigo. Sé que piensa que eres la única mujer para él, haría lo que fuera por ti. Desde mi punto de vista, eso no es algo que se encuentra cada día.

«Una vez en la vida como máximo, ya lo sé.» He hecho el cupo. Me toca a mí alargar la mano hacia la botella de vino.

Capítulo 59

Rhys se presentó en casa de mis padres, sin avisar, tres semanas después de mi retorno. Todavía estaba viviendo entre cajas de cartón llenas de pósters enrollados, archivadores de anillas, sartenes y ollas, ocupándome de la ligera depresión causada por lo anticlímax que había sido el final de la universidad y el principio del resto de mi vida.

Mi padre le dejó entrar y sus voces flotaron desde el vestíbulo; Rhys estuvo charlando con él durante más rato del estrictamente necesario sobre los caprichos de cambiar los azulejos del baño del primer piso. Siempre se esforzaba por llevarse bien con mis padres, pensé, con una gratitud que llegaba demasiado tarde.

—Hola —dijo Rhys, cuando finalmente apareció entre el caos de cajas que estaba desempaquetando—. ¿Cómo va?

—Bien, gracias —dije. Me sorprendió que hubiera venido y me alegraba de verle. Pensaba que habíamos dejado las cosas claras —no amargadas, solo claras— la noche del baile.

Le había hecho sentarse, a un lado de la pista de baile salpicada de luces, y le había explicado que, aunque apreciaba enormemente que hubiera venido, su gesto no cambiaba nada, hablando con claridad. No mencioné que me había enamorado de otro y nos habíamos acostado juntos, pensando que aquello sería de una crueldad innecesaria y que había sucedido a una velocidad indecente. Se lo tomó bastante bien, aunque dijo dócilmente que se había tomado una pinta por el camino, le apetecía otra y no podría conducir aquella anoche, así que quería saber si podía quedarse a dormir en mi casa. Tenía la sensación de que era imprescindible encontrar a Ben lo antes posible, pero no hice caso de mi instinto abrumador de salir corriendo a buscarle porque quería hacer las cosas bien con Rhys. Mañana sería otro día. Le dije que sí.

—¿Cómo estás? —pregunté, viendo que se entretenía delante de la puerta con intenciones premeditadas.

—Bien.

—¿Te apetece una taza de té? ¿Cuándo termine con esta estantería? —dije. Había colocado la mitad de los libros que poseía—. Aunque lo más probable es que mi madre ya esté a punto de poner el agua a hervir.

Rhys entró y cerró la puerta, que hizo «clic».

—He estado pensando sobre algunas de las cosas que dijiste, lo de que te daba por segura. Supongo que es verdad.

Asentí, sin saber qué responder.

—¿Qué planes tienes en el futuro inmediato? —preguntó Rhys. Encontró una caja lo suficientemente llena de cosas como para soportar su peso y se sentó encima.

—Voy a hacer el curso de periodismo y luego volveré a Manchester. Buscaré un trabajo en el periódico de allí.

—Ah, ¿sí?

—Algunos de mis amigos han decidido quedarse en Manchester.

—Si quieres darme otra oportunidad, me mudaré contigo.

—¿Qué? ¿Y qué pasa con el grupo?

Rhys se miró los pies.

—Ed dice que quiere mudarse a Londres. Aunque no lo haga, está claro que no tendrá remilgos en dejar el grupo. Y siempre puedo venir desde Manchester para los ensayos.

—¿Lo harías por mí? Pensaba que no soportabas Manchester.

—Le he tomado cariño. Bueno, ¿qué me dices? Empezamos de cero. Socios. Compartimos piso solo si dices que te parece bien. Cocinaré mis famosos macarrones con queso para cenar de vez en cuando, si te portas bien.

Rhys me dedicó una sonrisa traviesa. No cabía duda de que estaba guapo, con su melena alborotada, su cazadora negra Levi's y su recién descubierto entusiasmo por que le diera el visto bueno. Era un trofeo de mi vida adulta que me alegraba ver, ahora que estaba rodeada de los restos floreados de mi habitación infantil, con los muebles de madera de pino.

Pensé en ello. Pensé en otra persona que, según había descubierto el día anterior, se había ido del país sin despedirse. La noche previa al baile de graduación había adquirido un tono onírico, como si dudara de que hubiera ocurrido de verdad. Tal vez no fue más que lo que Ben había dicho, al fin y al cabo: un momento de locura, como les pasa a los políticos; emociones y esperanzas descontroladas, pero alejadas de la vida real. Quizá Ben se había dado cuenta de que su pasión por mí no era más que una reacción ante el miedo al cambio: había querido aferrarse a algo familiar para calmarse. Se había aferrado de manera bastante literal.

Y Ben, de eso no cabía duda, no estaba aquí sentado, ofreciéndose a cambiar su vida para amoldarse a la mía. Su vida continuaba al otro lado del mundo, claramente sin mí. Tenía que aceptarlo: pese a lo que habíamos sentido y lo que habíamos dicho, Ben se había ido.

Mi madre gritó desde el piso de abajo que había encendido la tetera eléctrica; sin duda con el objetivo de disuadirnos de realizar alguna actividad indecorosa. Sería difícil vivir en casa hasta que encontrara un apartamento y, cuando lo hiciera, me sentiría sola.

Había un camino fácil delante de mí y una alternativa infinitamente más difícil. No hice caso de la vocecilla que me indicaba cuál era el correcto. Dije que sí.

Capítulo 60

Rhys decide que nos veamos en el Ruby Lounge, un local en el Northern Quarter en el que tocan grupos de Manchester entre semana. Me cuenta que podemos tomar algo antes de que lleguen sus compañeros de grupo para hacer las pruebas de sonido. Podría parecer que ha pensado en mí en el último momento, pero comprendo lo que le pasa por la cabeza. Ambos queremos que nuestro encuentro tenga un final marcado que no sea el cierre del bar, que podría ser una situación plagada de riesgos: o amor u odio desenfrenado.

Rhys me está esperando fuera, con la cabeza hacia atrás, una pierna doblada y la suela del pie apoyada contra la pared. Tardo un momento en reconocerle, ha dejado de teñirse de negro y lleva su color de pelo natural. Solo le he visto con ese pelo en las fotos de cuando era pequeño. Rhys odia su pelo porque tiene tonos color cobre que él considera pelirrojos. Llevábamos un mes saliendo juntos cuando descubrí que su melena a lo Lord Byron salía de un bote. («No hay grandes estrellas de rock que sean pelirrojas», solía decir cuando le animaba a dejarse su color natural. «¿El tipo de Simply Red?» le contestaba yo. «He dicho "grandes estrellas" de rock», replicaba).

El Ruby Lounge es un sótano con el techo bajo y el suelo de madera; tiene un aspecto estupendo de noche, cuando lo iluminan con luz púrpura, te llenan los oídos de música y te nublan el pensamiento con alcohol. De día es extrañamente severo y plano, como ver a una bailarina del Folies Bergère con redecilla de pelo y mascarilla hidratante. El escenario está abarrotado de instrumentos: batería, guitarras, bajos y micrófonos.

Imagino cómo sería si me quedara a verles. Ver a Rhys con la cabeza inclinada y la correa de la guitarra al hombro sería como volver a la adolescencia. Solía observarles con adoración desde la multitud, llena de orgullo, prácticamente venerándoles. Tal vez las cosas empezaron a estropearse cuando me prohibió seguir asistiendo a los conciertos.

—¿Algo de beber? —dice, agachándose para cruzar al otro lado de la barra—. Siéntate donde quieras.

—Una Coca Cola, por favor —contesto. Rhys agarra dos vasos y los llena de la burbujeante máquina de servir refrescos.

Me descuelgo el bolso del hombro, busco una mesa para sentarme y siento una peculiar sensación de formalidad con alguien a quien conozco tan bien. Rhys aparta un taburete de la mesa y se sienta. Veo que le asoma una barba incipiente y ha perdido peso. Tiene buen aspecto. Muy buen aspecto. No me siento orgullosa de descubrir que, aunque me alegro de que se encuentre bien, me duele un poco en el ego. Una cosa es decirle a alguien que está mejor sin ti, y otra es que te muestren las pruebas claras y contundentes de que, efectivamente, es así.

—Te veo estupendo —digo.

—Gracias —responde, algo frío.

—El pelo así te sienta bien.

—Ya, bueno —replica—. No puedo seguir fingiendo que el Clairol es tuyo, ¿no?

Este comentario hace que me pregunte quién está inspeccionando el armario de su baño.

—Me gusta —me limito a decir.

Rhys empieza a hablar de tasaciones inmobiliarias y los dos nos refugiamos en una charla sobre algo tan práctico como soporífero. Me da la sensación de que ambos hemos venido a decir algo que todavía no nos atrevemos a pronunciar.

—¿Qué pasaba el otro día? Cuando te llamé —pregunta.

—Oh... —digo. No me apetece pensar en ello—. Me parece que soy la estrella de una serie de televisión llamada *Todo el mundo odia a Rachel.* No has adquirido los poderes de una deidad omnipotente desde que nos separamos, ¿verdad?

—Si lo hubiera hecho, los Blades de Sheffield habrían ganado la Copa de la Federación y las dos lesbianas de nuestra calle me habrían invitado a una *fondue* en su casa.

Me echo a reír.

—Podría pasar.

—No creo. La defensa ha dado pena esta temporada.

Ambos reímos. En las ruinas de nuestra relación, veo todo lo que nos atraía al uno del otro, las bases sobre las que construimos la estructura. Hace tanto tiempo que no solo somos historia, somos arqueología.

Rhys mira hacia un lado de soslayo y se apoya en la mesa, con las manos en los codos. Pierde un poco el aire amable.

—He estado pensando sobre nuestra relación, y hay algo que me gustaría comentarte —declara.

—Ah, ¿sí?

—Cuando las cosas empezaron a ir mal entre los dos... y no hablo de la boda, aunque creo que el estrés de planearla ayudó —dice. Me ve abrir la boca para quejarme y pone cara de «no he terminado»—. Fue antes de la boda. Mucho antes. Más o menos cuando terminaste la carrera. Y terminaste conmigo, por unas semanas.

Se me tensan los músculos. Me pregunto a dónde pretende llegar. También resisto el impulso de exclamar que esto significa que Rhys admite que las cosas no iban bien desde hacía tiempo, un cambio bastante radical en su postura.

—Creo que sé por qué —continúa.

Intento que no se me note la ansiedad.

—No sé si llegaste a saberlo o no, pero... estuve saliendo con otra mujer.

¡Zum! La pelota está fuera del campo.

—¡Qué! ¿Quién?

—Marie. La del Ship.

—¿Aquella niñata aficionada al *punk*, enorme y rubicunda, que siempre flirteaba con todos? ¿La camarera?

—Era voluptuosa.

No hago caso de la broma de mal gusto de Rhys.

—¿Cuándo?

—Los últimos meses antes de que terminaras la universidad. Y unas semanas después de que volvieras. Para cuando nos mudamos a Manchester ya no había nada entre los dos.

—¿Por qué? —pregunto. Ya puestos, puedo repasar la lista entera de preguntas: ¿Quién? ¿Cuándo? ¿Dónde? ¿A qué cojones viene esto?

—Fue ella la que se me insinuó. Pensaba que tú y yo sentaríamos la cabeza cuando te graduaras. No te veía demasiado a menudo y supongo que me dio la sensación de que era mi última oportunidad de hacer el tonto. Sé que suena penoso, pero es lo que hay.

Asimilo lo que acaba de decir.

—¿Te enamoraste de ella?

Rhys resopla.

—No. Y no lo digo por decir. Ni de lejos.

—¿Alguna vez consideraste dejarme por ella?

—Nunca.

—¿Por qué no?

—No era nada serio. Tú y yo teníamos futuro, o eso pensaba.

—¿Es ese el motivo por el que no te gustaba que fuera a tus conciertos? ¿Te cortaba el rollo con las *groupies*?

—No, es verdad que me distraías. Uno de los motivos por el que nunca te conté lo de Marie era que sabía que empezarías a sospechar de todo. Ya no tengo motivos para mentir, ¿no? No hay nada más que contar.

Y ahí estaba yo, pensando, tan arrogante, que conocía la naturaleza humana mejor que Caroline.

—¿Por qué me lo cuentas?

—Me ha parecido que ya era hora, nada más. Pensaba que merecías saberlo. Siento no habértelo dicho antes, pero, ya sabes...

—No, no lo sé. Hemos terminado ¿y crees que ahora es el momento de sacarme de quicio con esto?

—Pensaba que, si te lo contaba, perderías los estribos y me dejarías. Pero ahora eso ya no me preocupa, porque ya me has dejado.

—Oh, por el amor de Dios, si lo único importante es que tú te sientas mejor y no sufras remordimientos, adelante, ¡cuéntamelo todo!

Al diablo con aquella la formalidad tan educada que había entre los dos. Me gustaría lanzarle un taburete a la cabeza. Su expresión revela una rara combinación: tres cuartos avergonzado, un cuarto satisfecho. Como si quisiera pruebas de que todavía me importa. Me enfurezco aún más.

Repaso la historia mentalmente.

—¿Ibas a visitarla a ella la noche del baile de graduación? No tenías ningún concierto, ¿verdad?

Rhys se retuerce en su taburete.

—No me acuerdo.

—Claro que te acuerdas.

—De acuerdo, quizá —dice, y toma un trago de Coca Cola—. Fue un error. Pero al final hice lo correcto, ¿no?

—Lo siento, ¿tengo que agradecerte que volvieras conmigo?

—¡Nunca te dejé!

—No, por eso lo llaman «engañar a alguien», Rhys. Me estuviste dando por culo con que volviera a casa, a tu lado, ¿mientras tú tenías a otra aparcada en la esquina? Es tan... despreciable y sórdido; tan rastrero...

Se pasa la mano por el pelo, asiente y contempla su vaso. Hago inventario de mis sentimientos: rabia, tirando a furia. Todavía no estoy segura de si esto se debe a que Rhys me fue infiel o a que esta revelación amplía los errores que cometí aquella noche.

—¿Y todos tus amigos lo sabían? ¿David... y Ed?

—Algunos se hacían una idea, no te diré que no.

—Se debieron de reír bien a gusto. Más de lo habitual, vaya.

—¡No! Me dijeron que estaba haciendo el imbécil... Estaba medio convencido de que conocerías a otro en la universidad. Marie se me puso a tiro y quise demostrarme a mí mismo que yo también podía serte infiel.

—¿Previniéndote contra un posible futuro golpe a tu ego?

—Sí, exacto. A ti se te da mejor poner las cosas en palabras.

—¿Y qué se supone que tengo que hacer con esta información? ¿Aparte de darle mil vueltas y reprimir las ansias de arrancarte ese pelo color panocha que tienes?

—Quería contarte la verdad. Tener la conciencia limpia. Siempre pensé que lo sospechabas o que alguien te había contado algo —continua—. Tuvimos aquella pelea sobre tu fiesta. Entonces, después de la universidad, cambiaste. Estabas más distante, se te veía más dispuesta a poner normas. Creo que fue entonces cuando nuestra relación empezó a resentirse, nunca volvió a ser lo mismo.

—¿No?

—No. Querías volver a Manchester, alejarte de nuestro círculo social en Sheffield.

—¿Crees que soy tan retraída que me hubiera quedado callada si hubiera sospechado que me ponías los cuernos?

—Rachel, casi nunca sé lo que te pasa por la cabeza. «Vamos a contratar a un *DJ* para la boda... no, mejor nos separamos», sin ir más lejos.

—No sabía nada —digo. Mirando atrás, el único indicio era que Marie tardaba mucho en servirme cuando iba a su bar, pero eso no me distinguía particularmente de los demás clientes.

—No te lo he dicho para hacerte daño, Rachel, de verdad. Ni siquiera estaba seguro de que tendría las agallas de contártelo, tras todo este tiempo y todo lo ocurrido. Quiero ser completamente sincero, levantar las manos y admitir que me he comportado como un imbécil. Con las cartas sobre la mesa. Sé que piensas que no soy capaz de hacer algo tan decente y ¿qué quieres que te diga? no me extraña, porque mi comportamiento nunca ha sido como para tirar cohetes. Tú has sido mejor que yo.

Ahora me peleo con mi conciencia. Rhys me fue infiel, pero no hay tantas diferencias entre él y yo como me gustaría pensar. ¿Que no sintiera nada por la otra persona mejora la situación o la empeora? Hay algo que me queda claro: ya no tengo por qué preocuparme de mantenerle en un estado de feliz ignorancia.

—Me acosté con Ben al acabar la universidad —digo, lisa y llanamente.

Bajo la barba incipiente recortada con precisión, Rhys cambia de color.

—¿Ben?

—De mi curso, ¿te acuerdas? Le vimos el otro día.

—¿Qué? ¿El tipo en el centro?

—Sí.

—¿Cuándo?

—Cuando rompimos. La noche antes del baile de graduación.

Veo que Rhys hace un rápido cálculo mental y llega a la conclusión de que no puede volcar la mesa y acusarme de ser una zorra infiel.

—Ben —escupe el nombre, como si quisiera pronunciarlo entre comillas, como si dudara de que fuera su auténtico nombre—. Cabronazo hipócrita. Maldito chimpancé castrado.

Juguetea con un posavasos cuadrado, golpeando cada lado contra la mesa rítmicamente.

—¿Solo una vez?

Asiento.

—No es propio de ti.

—Ya —digo. Me incomoda su mirada incrédula—. No sé qué me dio.

—Si quieres te hago un esquema de lo que te dio.

Hago una mueca.

—No debió de ser el mejor revolcón de tu vida, si volviste derechita a mí —dice Rhys—. ¿Lo hiciste para demostrar algo?

—No exactamente.

—Entonces, ¿por qué? Tú no eres de las que buscan sexo sin compromiso.

—¿Una noche es peor que varios meses, o qué?

—Yo acepté porque lo tenía delante y al alcance de la mano. Tú debías de tener algún motivo.

—Me gustaba.

—¿Por eso rompiste conmigo al terminar la universidad?

Sacudo la cabeza. Él intenta soltar una carcajada, pero le sale bastante deprimente.

—¿En serio? ¡Menuda coincidencia! Adiós Rhys, hola Ben, adiós ropa.

—No.

—Y yo que pensaba que teníamos problemas porque te era infiel, y resulta que fue porque la infiel eras tú.

—Yo no te fui infiel, ya no estábamos juntos.

—Ah, venga ya. No quiero decir, ni mucho menos, que lo mío fuera correcto, pero los dos rondamos la treintena y ya va siendo hora de que nos comportemos de acuerdo con nuestra edad. Que estuvieras acostándote con otro a las pocas horas de terminar conmigo demuestra que la ruptura no resultó lo que se dice muy difícil para ti. Es obvio que habías estado planteándote lo de Ben mientras todavía éramos pareja.

No se equivoca.

—¿Volvéis a ser amigos? —pregunta Rhys, frunciendo el ceño.

Cuando he decidido confesarle todo esto, no he pensado a dónde podría llegar la conversación.

—Más o menos. Me lo encontré por casualidad, nada más.

—¿No volvéis a estar juntos?

—No. Está casado.

Silencio incómodo.

—Y aun así estás intentando volver a quitarle los calzoncillos de Dior Homme, ¿a que sí?

Me encrespo, avergonzada.

—Pues claro que no. Pensaba que no te acordabas de él.

—Descubrir que se la metió a mi novia me ha refrescado la memoria. Requetejodido hijo de puta del sur.

Noto la falta del prefijo «ex» delante de la palabra «novia». Rhys también parece darse cuenta.

—De acuerdo —dice, intentando calmarse—. De acuerdo. Puede que la idea de que te juntaras con ese tipo me guste tanto como una hemorragia cerebral, pero no te he pedido que vengas para que nos peleemos.

—¿Para qué me has pedido que venga?

—Para preguntártelo una vez más. Olvidémonos de todo esto y empecemos de nuevo, juntos. Si fuera más hábil ahora empezaría a sonar una canción romántica de Al Green, pero no lo soy. Y no sé cómo funciona el equipo que hay en la cabina del *DJ*.

Si hubiera pensado en sus motivos, lo habría visto venir. Rhys no sugeriría que nos viéramos solo para que termináramos en paz y nos sintiéramos mejor. No porque sea mala persona, sino porque los grandes gestos no son lo suyo. Lo que ves es lo que hay. Excepto cuando no le ves durante un tiempo y una tipa rubia de bote, con jerséis de ganchillo en forma de telaraña y Doc Martens de color rojo oscuro se lo toma prestado. ¿Quiero que volvamos a ser pareja? Tengo que replanteármelo de nuevo.

—Todavía te quiero —añade, haciendo un esfuerzo evidente. Lo suyo tampoco son las grandes declaraciones.

Pienso en lo que dijo Caroline: que esta separación era un juego, que simplemente estaba aburrida. Me duele como el ardor de estómago después de la cena de navidad.

Pienso en lo perdida que me sentí en la cita con Simon. En la dura situación en la que se encuentra Caroline. Ivor y Mindy acostándose con gente a la que no respetan. Tal vez lo que teníamos Rhys y yo es lo mejor a lo que podemos aspirar. «No todos tenemos la suerte de estar con nuestra alma gemela», había dicho Ben. Parece ser que habíamos intercambiado puestos.

—Yo también te quiero —digo, y es verdad. Siempre le querré. Si no le quisiera, me habría sido más fácil dejarle. Puede que no siempre lo pasáramos bien juntos, pero Rhys es constante. Fiable. Como dijo Caroline, quiere tenerme a su lado y no va a cambiar de opinión.

Rhys asiente.

—Vámonos de vacaciones. Incluso me sentaré en una playa y me llenaré el culo de arena, si quieres. Entonces revisamos lo de la boda. Quizá tendríamos que organizar algo más pequeño, siempre pensé que teníamos demasiados invitados.

—¿Querrías seguir adelante con la boda?

—Sí, claro. ¿Por qué no?

—Es más de lo que puedo prometerte ahora mismo.

Rhys sisea, apretando los dientes, como si se le hubiera pinchado una rueda.

—O todo o nada. No quiero estar siempre dudando.

Pienso en Rhys hace diez años, sentado en una caja de cartón; me hizo una propuesta y pensé que no tenía motivos suficientes para decir que no. Estoy a punto de cometer el mismo error, por los mismos motivos cobardes. Comprendo que da igual que todavía me importe, o que no haya nadie más dispuesto a estar conmigo, o lo que piense Caroline. No puedo tomar esta decisión como si fuera una operación matemática para quedarme con el mal menor. Rhys se merece algo mejor. Yo me merezco algo mejor.

Encuentro mi voz.

—Rhys, no voy a volver contigo.

—Has dicho que me quieres.

—Claro que te quiero, pero eso no cambia el hecho de que seremos más felices si no estamos juntos. Ya lo sabes. Hace años que no mantenemos una conversación tan sincera como la de hoy. Quizá funcionaría durante un tiempo, pero tarde o temprano volveríamos a los mismos problemas de siempre. Nos queremos, pero sacamos lo peor el uno del otro.

—¿Vas a tirar a la basura todo lo que hemos hecho juntos? ¿Los últimos trece años? ¿Y para qué? Es un desperdicio.

—Que no nos casáramos ni vayamos a estar juntos para siempre no significa que haya sido una pérdida de tiempo.

—Eso es exactamente lo que significa, Rachel. Hemos desperdiciado tiempo y energías. A ese Ben... ¿le querías?

Dudo.

—Te he pillado. Por lo menos eso explica por qué parecía que alguien le acabara de tocar el culo, el otro día.

Rhys baja la mirada y se concentra en la mesa. Las líneas de su entrecejo dibujan un pronunciado número once cuando frunce el ceño. Me pregunto cómo será su mujer, si tendrá hijos o hijas, qué aspecto tendrá cuando sea mayor. Estoy renunciando a tantas cosas. Nadie piensa que esté haciendo lo correcto. Siento una soledad intergaláctica, como si estuviera flotando por el espacio, lejos de la nave nodriza, y contemplara mis reservas de oxígeno mermar.

—No lo entiendo —dice Rhys. Para mi sorpresa, no suena enfadado—. No lo entiendo. No entiendo qué ha cambiado.

—Yo he cambiado. No sé por qué. Lo lamento.

Otro silencio.

Rhys se aparta de la mesa, extrae mi anillo de compromiso de las profundidades de un bolsillo y lo deja sobre la mesa, delante de mí.

—No. No puedo.

—Quédatelo. A mí no me sirve de nada.

Rhys se inclina sobre la mesa y me da un beso en la mejilla.

—Buena suerte, Rachel.

—Gracias —digo, pero apenas consigo pronunciar la palabra, porque tengo un nudo en la garganta.

Rhys ve venir las lágrimas y se levanta, dejando claro que la conversación ha terminado. Se acerca al escenario, sin prisa, mientras yo agarro mis cosas y me dirijo a la salida. Mientras me alejo, Rhys trastea con el micrófono, ajustando la altura del pie y murmurándole «uno, dos, uno, dos» al aparato.

Abro la puerta.

La voz de Rhys, a través de los amplificadores, resuena por todo el local: «Si lo empeñas podrás pagar algunos meses más en Villa Mierda».

Capítulo 61

Me había olvidado por completo de la boda de Samantha, mi amiga de la infancia, y pude seguir sin acordarme durante más de lo imprescindible, puesto que la invitación al evento fue enviada a casa de mis padres. Parece ser que, en esta ocasión, mi madre ha sido inusitadamente reacia a recordármelo.

Cuando me llama para comunicarme que vendrán a buscarme el sábado a la hora de comer, me enfrento a lo poco preparada que estoy para asistir al día especial de otra persona, literal y psicológicamente hablando. Tendré que soportar un recordatorio de doce horas de la cancelación de mi propia boda y a mis padres, que estarán pensando en lo mismo. Es de una crueldad descarada.

—¿Has visto a Rhys? —pregunta mi madre, mirándome de soslayo por el retrovisor mientras se aplica otra capa de rímel. Aceleramos por largas carreteras flanqueadas por setos exuberantes, adentrándonos en tierra de deportistas millonarios.

—Sí. Fuimos a tomar algo el otro día —contesto. Suena como si tuviera un nudo en la garganta, pero, en realidad, lo que ocurre es que mi caja torácica está comprimida por un vestido azul oscuro estilo años cuarenta que Mindy me obligó a comprar, con bolero a conjunto —«en esta boda estarás soltera, se aplican normas distintas. Tienes que llegar despampanante y seguir estándolo todo el día»—. El corpiño impide que me llegue la circulación sanguínea a las piernas, el único beneficio de lo cual es que no me siento los pies y, por lo tanto, no me duelen con los tacones que llevo.

Se hace una pausa, mientras mi madre elige sus próximas palabras cuidadosamente, descartando aquellas tan incendiarias que solo servirían para iniciar de inmediato una discusión. En mi opinión, no descarta suficientes.

—¿Cómo está?

—Bien, la verdad. Tenía buen aspecto. Iba a dar un concierto.

—Seguramente solo se estaba haciendo el valiente.

Hago rechinar los dientes.

—Papá, ¿puedes subir el volumen de la radio? —me limito a decir—. Creo que están hablando de uno de mis casos de los juzgados...

—¿En una emisora de música?

—¡Pues cambia a una de noticias!

Las nupcias de Sam y Tom tendrán lugar en la coqueta iglesia del pueblecito de Cheshire, cerca de donde viven con el esplendor de los que han subido a lo más alto; el banquete se celebrará en un extenso prado que hay al lado. Parece muy ambicioso organizar una boda al aire libre en cualquier estación del año en este país, pero lo cierto es que han tenido suerte con el tiempo de principios de verano: hace una temperatura templada y agradable. Me consuelo con el pequeño detalle que distingue a esta de la boda urbana que yo organicé pero que nunca tendrá lugar.

Cuando aparcamos, descubro que bajar del asiento trasero de un Toyota Yaris con este vestido es un desafío que debería formar parte de algún concurso televisivo.

—Treinta y un años de edad —dice mi padre, sacudiendo la cabeza, mientras forcejeo como un escarabajo boca arriba, como si pedaleara con una bicicleta invisible. Me ofrece una mano y me levanta. Intercambiamos una sonrisa y, de repente, me siento mucho mejor. Mi madre sigue hundida en la miseria, pero mi padre ya está superando el trauma y, algún día, mi madre también lo conseguirá. Quién sabe, tal vez encontraré a un hombre que les caiga bien y me casaré con él. Admito que parece poco probable.

Echo a andar cuidadosamente por el camino de gravilla que cruza el camposanto, aferrándome a mi padre para no perder el equilibrio. La iglesia parece sacada de una postal, con sus ladrillos de color miel, chapitel de pizarra y fornidos acomodadores esperando fuera; los acomodadores esperan en grupos, seguramente para compartir su desgracia de tener que llevar trajes de chaqué con sombreros de copa gris, corbatas color champán y pantalones a rayas incluidos.

—Madre mía —murmulla mi padre—. Fred Astaire se encontraría como en casa.

—Están guapísimos —proclama mi madre.

—Parecen unos tarados.

Mi madre empieza a soltar grititos de alegría cada vez que ve a alguien que conoce y se acerca a saludar a todos armando un gran alboroto. Me mantengo al margen de las conversaciones, pero aun así oigo mi nombre de vez en cuando, seguido de mi madre chistando a los presentes y apresurándose en explicar que no, yo no seré «la siguiente».

—Llegará un día en el que esto deje de ocurrir, ¿verdad, papá? —digo.

—Sí, por supuesto —contesta mi padre, y calla un momento—. Tarde o temprano te convertirás en una solterona oficial. Igual que tu primo Alan es un «solterón» confirmado.

***

—Por favor, levántense para dar la bienvenida a la novia.

Respiro hondo y no presto atención al zumbido de pensamientos lastimeros que están cruzando las mentes de mis padres, a mis espaldas. Me siento momentáneamente triste porque mi propia boda ya no se llevará a cabo y el anhelo por vivirla, pero cuando veo a Samantha pasar a mi lado, con un vestido de encaje de chantilly, sé que, de estar en su lugar, estaría medio fingiendo. Y «medio» es demasiado.

Mientras murmuro las letras de los himnos, me pregunto si estoy flotando a la deriva hacia una situación en la que tendré que «hablar con alguien». Un hombre elegante a unas cuantas filas de distancia mira hacia un lado y, al ver su perfil, pienso: «¿Ben?». Por el amor de Dios, mujer, esto de la boda te está haciendo perder el juicio.

Nos sentamos mientras pronuncian los votos. Echando vistazos entre peinados cardados y una selva de gorros de color pastel contemplo al hombre un poco más. Sí, tal vez sea una triste monomaníaca, pero por detrás se parece a Ben de manera casi increíble. Especialmente porque el clon de Ben está con una rubia que tiene el mismo corte de pelo que Olivia...

Espera. Que me zurzan con hilo verde si mi vida no es una comedia negra.... ¿Estoy viendo a Simon? El perfil romano y el aire a patán son inconfundibles. Es tan surrealista que casi espero que el vicario se arranque la sotana y quede vestido con un tanga y cubre pezones de lentejuelas, antes de que suene el despertador y me despierte en la cama de Rupa.

Arrugo nerviosamente el programa con las manos temblorosas e intento aclarar cómo demonios puede ser esto posible. Mientras el padrino, un hombre con gafas y bienhablado, lee un pasaje de la Biblia que dice que el amor no presume ni alardea, me devano los sesos desesperadamente en busca de una pista. Samantha no es abogada... ¿Quizá conozcan a Tom? No, no puede ser, están sentados en el lado de la novia, igual que nosotros. Los acomodadores han guiado a la gente con precisión militar, sin duda en un intento de recuperar algo de su dignidad masculina.

Contemplamos a los recién estrenados marido y mujer mientras recorren el pasillo, y me vuelvo ciento ochenta grados con la esperanza de que el grupito no me vea. Sus bancos se vacían antes que el nuestro, así que finjo estar buscando algo perdido en las profundidades de mi diminuto bolso de fiesta cuando pasan por mi lado. Un cuchicheo de voces curiosas me indica que se han dado cuenta de mi presencia.

Tras una espera agonizante para salir de la iglesia en fila india, mis padres se alejan para felicitar a varios familiares y yo me pregunto qué postura adoptar para parecer una persona independiente, segura de sí misma, con responsabilidades y que vive una vida útil según sus propios principios.

Oh, a la mierda. Llevo a cabo un estudio de viabilidad rápido: ¿Irse después del servicio religioso pero antes del banquete es un insulto grave? Podría decir que me ha abrumado la melancolía. Podría quitarme los clavos que llevo en los pies y desaparecer calle abajo, en busca de un taxi. Lo único que me detiene es pensar en lo mal que lo pasarían mis padres.

Un golpecito en el hombro y me encuentro con un sonriente, aunque con aspecto ligeramente nervioso, Ben. Lleva un elegante traje de lana color carbón, con una camisa blanca y una corbata negra. Parece recién sacado de una de esas portadas del *Vanity Fair* en las que aparecen las nuevas promesas del mundo del cine posando sobre escaleras de mano.

—Diez años sin verte y de repente estás en todas partes.

—Dios mío —digo riendo. Finjo estar sorprendida por segunda vez en la memoria reciente—. ¿Qué diablos...?

—¿Conoces a Sam? ¿O a Tom?

—Samantha. Éramos vecinas de pequeñas. ¿Y tú?

—Liv fue a Exeter con ella.

—No sabía que Samantha hubiera estudiado derecho.

—Solo hizo el primer año. Luego se cambió a matemáticas puras o alguna otra carrera de estas que no tienen ninguna gracia. —Calla un momento—. Simon también estudió con ella. Está aquí.

—¡Fantástico! —digo, con suficiente sarcasmo como para que Ben me dedique una sonrisa comprensiva.

Una hilera de invitados está avanzando hacia la carpa. Sospecho que Ben será declarado persona non grata si se queda esperando conmigo.

—Parece que es el momento de pasar al siguiente acto, ¿eh? —dice Ben—. Nos vemos dentro.

—Sin duda —digo, deseando que ocurra lo contrario.

Mientras se aleja, resisto el impulso de dedicarle un corte de mangas al lugar de culto del que acabamos de salir: «Muchas gracias, Dios, muchas putas gracias». ¿No solo tengo que asistir a esta maldita boda, sino que encima tengo que hacerlo con Ben, su mujer y mi archienemigo?

—Santo cielo, esto sí que es intolerable —sisea mi madre, mientras se me acerca con mi padre, que lleva su cara de «retirada inmediata».

—¿Qué?

—Solo que Bárbara lleva el mismo tocado con plumas de faisán que había comprado yo para tu boda. Se dará todos los aires que quiera, pero sé lo que le costó y no es para tanto.

La sombrerería copiona cristaliza momentáneamente lo difícil que es este día para todos nosotros.

—¿Sabes qué? A nadie le importa quién lleva puesto qué —digo, enlazando el brazo con el de mi madre—. Vamos a por el grog.

Capítulo 62

La carpa para el banquete es colosal y ocupa buena parte del prado. La lona blanca tiene paneles transparentes en forma de ventanas arqueadas de vidrio emplomado, quizá con la esperanza de que, si entornas los ojos, creas que estás viendo una gigantesca mansión colonial estilo Gatsby en Long Island en vez de una tienda de lona.

Entramos al habitual interludio en el que la feliz pareja se toma un sinfín de fotos para la posteridad pero alguna norma de etiqueta nos impide proceder al banquete sin ellos —veo que Bárbara casi se desmaya cuando un invitado roza la puerta de entrada—, así que vagamos sobre la hierba con copas de champán. Un estudiante de medicina me dijo una vez que el champán se sube tan rápido a la cabeza debido a la velocidad a la que es absorbido por el intestino delgado. Sin embargo no está haciendo su efecto mágico lo suficientemente rápido para mi gusto: si por mí fuera me lo administrarían por vía intravenosa, amarillo mezclándose con rojo y tiñéndome la sangre de color naranja tabasco. Reina un interesante y anacrónico olor a tabaco; los fumadores se han dado cuenta de que estamos en el exterior y pueden hacer lo que quieran.

Circulan bandejas de canapés, servidas por avergonzados estudiantes de *catering* adolescentes, como dicta la tradición. Puesto que son canapés modernos, requieren una presentación formal.

—He aquí una *quenelle* de paté de caballa sobre lechuga romana... esto es un blini con huevas de bacalao...

—¿Qué son estos pequeños con aspecto de boñiga?

405

En los acontecimientos formales, a mi padre siempre le sale la vena de campesino de Yorkshire.

—Dátiles *medjool* rellenos de queso stilton, señor.

—¡Y pensar que yo tuve un erizo de piña y cheddar en mi boda! —le dice mi padre a la camarera de diecisiete años, que se pone de color rojo fluorescente, como si aquello fuera un eufemismo.

Cuando la camarera se aleja mis padres protestan en voz baja sobre la falta de sitios en los que sentarse. El tipo de apoyo que yo echo más de menos no es para mi trasero, sino para la moral. Mis amigos siempre saben de manera instintiva cuándo deben ponerse en formación Servicio Secreto y anunciar la presencia de amenazas: «Teta azul se mueve, repito, teta azul se mueve».

Ben, Simon y Olivia forman parte de una lustrosa camarilla de amigos «mira qué bien nos ha ido a todos», un círculo social de Saturno considerablemente más cercano al planeta de los novios. Olivia lleva lo que un hombre llamaría «un vestido verde» y que Mindy identificaría como un vestido lencero de raso esmeralda cortado al bies con breteles, que sin duda proviene de una tienda de lujo y que, pese a que muestra algo de piel, es completamente imposible de llevar sin la figura de sílfide de Olivia. Zarcillos de oro intercalados con perlas se curvan alrededor de su cabeza, como una tiara súper moderna y abstracta.

Les saludo con un gesto. Ben levanta la mano para saludarme, Olivia me dedica un gesto de cabeza que indica «ah, sí, tú», curva el labio de manera imperceptible, lo que podría interpretarse como una sonrisa si te esforzaras mucho, y retorna a su conversación. Simon lleva un traje de rayas de corredor de bolsa y lanza una mirada de «que te den, ya te he olvidado» en mi dirección. Veo que Ben ve a Simon mirándome. Le sonrío poniendo cara de «qué se le va a hacer» y él me devuelve la sonrisa, como queriéndose disculpar.

Me quito el bolero para disfrutar del sol y mi madre ahoga un grito.

—¿Desde cuándo los modelitos de boda son tan descocados?

—Tampoco es que vaya enseñando nada —replico, malhumorada.

—No, pero nos hacemos la idea de lo que no enseñas. ¿Llevas puesto un sujetador sin tirantes o alguna especie de corsé?

Mi madre se pone a toquetearme de aquella manera con la que todas las madres creen tener derecho a toquetearte.

—¡Mamá!

Mi padre descubre de repente que las vistas de unas vacas en el campo de al lado son completamente fascinantes.

Por si aquello no fuera suficiente, y para mi disgusto, veo que Ben se dirige hacia nosotras. Ya está demasiado cerca como para hacer sonar la alarma sin que lo oiga, así que me veo obligada a sisear «¡Mamá, ya vale!» y a intentar zafarme de sus indagaciones sin atraer la atención de los demás invitados. Cuando Ben llega a nuestro lado, mi madre está en plena faena de dar palmaditas a la parte inferior de mi pecho, como quien sopesa melones.

Nuestras miradas se encuentran y, en un terrible momento de telepatía impecable, le transmito el siguiente pensamiento a Ben: «Me has visto las tetas». En un triunfo de la empatía que atesoraría si hubiera ocurrido en cualquier otro contexto, él, algo sorprendido, da su respuesta sin palabras pero con claridad: «Sí, las he visto». Nos quedamos mirándonos el uno al otro como dos animales delante de los faros de un autobús a punto de ser atropellados; aunque, en este caso, los faros del autobús son un recuerdo compartido.

—Mamá, papá, esto... —balbuceo. Aparto los ojos de Ben en un intento de romper nuestra conexión psíquica—. Este es Ben, que... —«Me ha tocado, acariciado, apretado...»— ...está casado con Olivia, que fue a Exeter con Sam. Las dos estudiaron derecho... —«Y bien derecho que se puso Ben»— ...bueno, Sam, solo hizo el primer año. Además, lo conozco porque estudió... —«Mis pechos, y dijo que eran bellísimos»—... conmigo en Manchester. Los dos hicimos filología. —«Y otras cosas. Muchas otras. Fue asombroso».

Llego al fin de mi explicación y rezo por haber separado con claridad lo que he pronunciado con la voz entrecortada de lo que he pensado febrilmente. Que mi padre no esté sufriendo un infarto terminal me indica que lo he conseguido.

Ben se recobra de manera admirable, saluda a mis progenitores y les estrecha la mano, aunque, cuando le toca el turno a mi madre, le da un caballeroso beso en la mejilla que hace que se ilumine.

—Una boda preciosa, ¿verdad? ¿A que han tenido suerte con el tiempo? Quería avisarles de que el champán empieza a escasear, así que háganse con copas mientras puedan.

Ben *vintage*, el Ben que había saltado por encima de las mesas para ayudar a los demás el día que le conocí. Puesto que los padres de la novia han invertido cantidades exorbitantes de orgullo y dinero en esta celebración, dudo que el Laurent Perrier se les esté acabando. Ben solo quiere darnos una excusa para circular.

—O, de hecho, podríamos traerles unas copas —dice, y se vuelve hacia mí—. ¿Me echas una mano, Rachel?

—Qué amable —dice mi madre. Espero con todas mis fuerzas que luego no me dé una charla del tipo «¿por qué no le pides que te presente a sus amigos?».

Sigo a Ben a través del prado. Se vuelve para hablarme por encima del hombro, en tono de conspiración.

—Quería prometerte que Simon no va a molestarte —dice, cuando nos acercamos a las bandejas—. Hemos alcanzado un acuerdo: poner tierra de por medio. Si viene a tocarte las narices, avísame, ¿de acuerdo?

Tengo el corazón palpitando con fuerza y alcohol en el intestino delgado.

—Creo que eres la persona más buena que he conocido jamás.

—¿De verdad? —dice Ben, sonriendo con picardía mientras sujeta dos copas—. Santo cielo. Aunque también es verdad que te pasas el día entre asesinos y violadores.

Capítulo 63

Las mesas están bautizadas como los sitios más famosos de Nueva York, que es donde Tom le pidió matrimonio a Samantha. La mesa principal es Grand Central, seguida de Empire State, Queens y Rockefeller. No se me escapa el hecho de que Ben, Olivia y Simon están en la mesa Chrysler; brillantes, esbeltos, glamorosos... y afilados. No sin cierto aire satírico, los invitados con los que comparto mesa se sientan en la de Staten Island, algo más «campestre»...

—Ya podían haberlo llamado Rikers Island —le digo a Albrikt, un compañero de trabajo de Tom que viene de Estocolmo y habla muy poco inglés, mientras señalo el cartelito y su bonita letra cursiva—. Ya sabes, como la cárcel de Nueva York.

—Desde luego —dice, asintiendo con educación. Ha dicho eso en respuesta a mis tres últimas preguntas. Lamento la confusión que debe de haber sentido durante el larguísimo discurso del padrino, que venía con una presentación de Power Point incluida. No estoy segura de tantas fotos de niños de los ochenta con coladores en la cabeza signifiquen demasiado si uno no ha entendido la anécdota sobre Metal Mickey, el robot del programa de televisión infantil.

A mi derecha está una taciturna prima llamada Ángela que sufre múltiples alergias y a la que mentalmente bautizo Alérgena. Frunce el ceño ante los panecillos como si fueran granadas que despidieran gases de trigo mortales y se queja de cada detalle de la organización, hasta que decido que practicar el sueco que aprendí del cocinero de los Teleñecos es una alternativa preferible.

Tras los discursos y durante el baile, me acerco a Central Park a charlar con mis padres («Ya se sabe que a los jubilados siempre les aparcan en los parques a tomar el sol», bromea mi padre), y me quedo en la mesa cuando los presentes la abandonan para unirse a la cola de los postres. Sentada sola en el caos posprandial de manchas rosas en los manteles, cubos de hielo llenos de agua y servilletas arrugadas. Me encuentro lo suficientemente lejos de la pista de baile como para que nadie crea que pretendo que alguien me saque a bailar; pero no tan lejos que parezca una maleducada. Me concentro en el teléfono móvil y pienso que estos aparatos son un regalo del cielo para los solterones acomplejados. Me llega un mensaje de texto de Mindy:

Estoy con Caro, me ha obligado a ver un bodrio de Kevin Spacy [sic]. No una de sus pelis buenas en las que es un sicótico [sic], algo aburrido [sic] con barcos. Soltando amarras. *¿Qué tal la boda? ¿Están todos impresionados con tu vestido?*

Mientras escribo mi respuesta («*No todos... ¿adivina qué?*»), me veo interrumpida por Ben, que se apoya con ambas manos en el respaldo de una silla dorada de alquiler. Se ha quitado la americana y aflojado la corbata.

—¿Me concedes este baile?

—Oh, no, aquí estoy bien ...

—Venga, levántate. No permitiré que me rechace alguien que está aquí sentada, mandando mensajitos de texto como una adolescente enfurruñada.

Me encrespo.

—Siento no ser lo suficientemente sociable para tus gustos. No significa que necesite que me tengas lástima.

Ben hace una mueca, agraviado. Me percato demasiado tarde de que no estaba intentando reírse de mí y de que no tiene ni idea de lo mal que me siento.

—¿Qué significa eso? ¿Por qué iba a ser lástima?

No puedo responderle sin quedar aún más como una tonta.

—Venga —dice, para convencerme.

Sonrío a regañadientes, Ben lo hace de oreja a oreja al ver que me levanto. El cantante del grupo de música ronda los cuarenta y parece un Robert Palmer venido a menos, con un tupé rubio grisáceo engominado. Va cantando a todo pulmón, con seguridad y melodiosamente, repasando la lista completa de canciones de los Beatles; mientras tanto, una serie de focos multicolores proyectan formas cambiantes de color lila, verde y azul sobre el suelo a cuadros. Sobre nuestras cabezas, una serie de lucecitas diminutas relucen imitando el cielo estrellado. No, Rhys no se habría dejado convencer para hacer nada de esto.

—¿Es imprescindible que hagamos lo mismo? —pregunto, haciendo un gesto hacia la pista de baile, llena de parejas que se mueven lentamente agarradas a cinturas y hombros, bailando dulcemente al son de *Something*.

—O nos unimos o nos hacemos sitio en el centro y anunciamos que nos disponemos a hacer *break dance*, como quieras. Tú puedes hacer de Run DMC y yo seré Jason Nevins.

—¿Acaso tu mujer no está contractualmente obligada a bailar las canciones lentas contigo?

—Simon me la ha robado —explica Ben. Pone los ojos en blanco y señala con la cabeza hacia Simon y Olivia, que, gracias a Dios, están al otro lado de la pista.

—Espera, tengo las manos sudorosas —digo, secándomelas con el vestido, cuando él me ofrece la mano.

—El ángel del norte.

Lo que estoy haciendo no es más que recurrir a las payasadas para reducir la tensión del contacto físico que se cierne sobre nosotros. En la pista de baile, nos tomamos de la mano y Ben coloca la mano izquierda cuidadosamente en la parte baja de mi espalda. Sitúo la mano izquierda en su hombro. Mantengo el resto del cuerpo alejado del suyo con el control muscular propio de una primera bailarina.

—¿Por qué te has enfadado tanto, hace un momento? —me dice a mi oreja derecha.

En la penumbra, podemos charlar sin que nadie se percate de que estamos hablando, como si fuéramos espías manteniendo una conversación detrás de nuestros respectivos periódicos en un banco del parque.

—Este no es el día más fácil de mi vida, precisamente. Para mis padres esto iba a ser algo de dos partes, hoy era el preludio antes de mi boda.

—Ah, entiendo. Lo siento. Temía que fuera por Simon.

—Su presencia no ayuda, pero no era eso.

Damos unas cuantas vueltas.

—Cuando estás triste me entristezco yo también, y el momento en el que algo me afecta es el mismo en el que empieza a importar de manera oficial —añade Ben—. La Rachel que conocí en la universidad siempre estaba riendo.

—Eso era porque aquella Rachel tenía entre diez y trece años menos que yo.

—Oh, no empieces con toda esa mierda de la edad. Cuando no estás mandando mensajes por teléfono sigues siendo el alma de la fiesta, como por aquel entonces.

Murmuro un comentario de agradecimiento.

—Lo siento, yo también estoy algo sudado —dice Ben. Me suelta la mano un instante para separarse la camisa húmeda, y casi transparente, de la piel.

La verdad es que resulta difícil de tolerar, pero no en el sentido que él cree. Es un asalto a los sentidos demasiado abrumador: el olor corporal masculino, que no es desagradable, el contacto físico, los susurros al oído, la amabilidad, la gratitud y el uso de la palabra «amante» en el escenario. Puesto que necesito distraerme y Ben está siendo sincero, yo también me propongo relajarme.

—Oye, siento el numerito de las pechos de antes, con mi madre.

—Ah, ya —dice riéndose—. No es culpa tuya que atraigan atención. Al fin y al cabo, no es que puedas olvidártelos en casa.

Me echo a reír.

Ben se aparta para que pueda verle la cara de póker.

—Hablo de tus padres.

—Por supuesto.

Me río un poco más.

—Las muchachas pasables como yo tenemos que buscarnos la vida para que nos presten atención —digo entonces, porque estoy algo contentilla y soy una necesitada emocional.

Una vez más, Ben se aparta, ahora para observar mi expresión y asegurarse de que no lo he dicho por casualidad. Me miro los pies.

—¿Sabes cuál es la definición actualizada de «pasable» de la Real Academia Española?

—No.

—Significa evitar dar detalles sobre una mujer atractiva cuando es tu esposa la que te pregunta por ella. Viene del latín y significa «no me mojo».

—Ah.

Sonrío y me muerdo el labio.

—Para que lo sepas.

—Es práctico esto de aprender la jerga del matrimonio.

La canción termina.

—Muchas gracias, amigos. La siguiente es una cancioncilla que puede que conozcáis, se llama *Toutal eclips of de jard*.

—Oh, me encanta *Toutal eclips of de jard* —dice Ben. Cuando volvemos a juntarnos para seguir bailando, noto que se estremece de la risa. Al otro lado de la pista de baile, Olivia y Simon están hablando muy serios. ¿Cómo puedes no reírte con esta canción?

—¿Sabes qué? Nunca ganaremos una competición de baile con mi mujer y Simon si no le echamos algo más de ganas —añade Ben. Sujetándome la mano, la levanta por encima de mi cabeza y me hace un gesto para que gire sobre mí misma justo cuando suena el «*turn around*» del estribillo.

Le consiento y hago una pirueta hacia la izquierda y luego hacia la derecha; entonces, cuando la canción estalla, Ben me inclina hacia el suelo y vuelve a levantarme.

—Un poco más y me caigo del vestido —digo. Seguimos con la postura de baile, aunque ahora se parece más a un abrazo, puesto que he tenido que pasarle el brazo por los hombros para recuperar el equilibrio.

—Entonces sí que ganaríamos —medio susurra Ben.

Le miro, sorprendida, y me dedica una sonrisa de culpabilidad que consigue seguir siendo lasciva. Con mi borrachera, me sonrojo. Apoyo la cabeza en su hombro para que no tengamos que mirarnos a la cara. Esto es demasiado. Tengo que acabar con el ambiente romántico, igual que lo hice cuando estábamos dando de comer a los patos. En pocos minutos, Ben volverá con su mujer y yo regresaré a mi silla en Central Park, y tengo que vivir con ello. «No puedo estar tan cerca de ti sabiendo que es algo de una sola noche.»

Echo un vistazo en dirección a Simon y Olivia y veo que él nos está mirando directamente, por encima del hombro bronceado de la mujer de Ben. Tiene un aspecto malévolo y, de manera desconcertante, parece satisfecho.

***

Ben es reclamado con entusiasmo por una dama de honor con el moño despeinado y tallos de fresia, algo marchitos, asomando en ángulos extraños, como si alguien la hubiera arrastrado por los pies por la floristería. Me excuso y cruzo el prado en busca de los baños. La piel que llevo al aire se me pone de gallina con el aire del anochecer, los oídos me pitan por el volumen de la música y los tacones se me hunden en el barro como si fueran soportes para pelotas de golf. Las letrinas portátiles son el equivalente a los Porsche de los baños de plástico: compartimientos dobles, música ambiental, papel de baño rosa de triple grosor y ramos de flores entre los lavamanos. Mientras desciendo los escalones de la salida, veo que Olivia está de pie en la hierba, con los brazos cruzados. La tiara hace que parezca una pequeña estatua de la Libertad de platino.

—¡Hola! —digo—. No te preocupes, todavía hay papel.

—¿Puedo hablar contigo? —me pregunta, algo del todo redundante teniendo en cuenta que es exactamente lo que ya estamos haciendo.

—Claro —contesto, acercándome. Me invade un miedo nervioso.

—¿Te has acostado con mi marido?

—¿Perdón? —pregunto. Me siento tan histérica y mareada como si Ben me hubiera inclinado hacia el suelo diez veces seguidas después de beberme una botella de Laurent Perrier de un tirón.

—En la universidad. ¿Te acostaste con Ben?

—Éramos amigos.

—Claro. Ben me ha dicho que os acostasteis. ¿Me está mintiendo?

Dios mío, Dios mío. ¿Por qué la ha cabreado así y la ha soltado para que me dé caza? ¿Por qué diablos han tenido esta conversación en la pista de baile de una boda, mientras suenan las armonías de Hall and Oates? Mi cerebro funciona a toda velocidad. La cara de Simon... ¿Sabía que Ben se lo había contado a Olivia? ¿Por qué Ben estaba tan relajado? ¿Por qué no me lo ha advertido?

—¿Me estás diciendo que mi marido miente? —repite—. En cualquier caso, hay algo raro, ¿verdad? ¿Por qué me iba a mentir?

—¡No! Te ha contado la verdad. Solo ocurrió una vez, no tuvo importancia.

Silencio mortal. El murmullo de la música y las conversaciones de la carpa parecen estar a muchísima distancia. En algún punto de la oscuridad que nos envuelve una lechuza ulula, muy oportunamente.

—Si no tuvo importancia, me pregunto por qué no me lo contó —dice Olivia. Su voz suena tan afilada y amenazante como una esquirla de cristal.

—Lo más probable es que Ben no quisiera disgustarte con algo tan trivial, que ocurrió hace tanto tiempo.

Los ojos de Olivia destellan como los de una bruja de Disney al lanzar una maldición.

—¿Trivial? ¿Te parece este un asunto trivial?

—No —digo, sacudiendo la cabeza—. Por supuesto que no es trivial, para ti.

—¿O es que me estás diciendo que no valía nada en la cama?

—¿Qué?

—Que si no valía nada en la cama.

Puede que no sea abogada, pero soy periodista y sé que esto es un intento de extraer una cita que, fuera de contexto, suene presuntuosa o socarrona.

—Esto... fue...

Me vuelve a la cabeza la idea de Mindy sobre TripAdvisor, lo cual no me ayuda en esta situación. «Instalaciones estupendas, servicio dedicado, diez de diez. Volvería a visitarlo.»

—Estaba borracha. No me acuerdo muy bien.

—No quiero que vuelvas a acercarte a mí, a mi marido o a mi casa nunca más. ¿Entiendes?

—Sí.

Hay una pausa en la que deseo poder alejarme de ella con dignidad, echar a correr hacia la carpa circense a por mis cosas y huir.

—Simon dijo que no confiara en ti. Dijo que te pasaste la cena con él hablando de Ben.

Siento la primera oleada de rabia. «Ese cabronazo.» Que le den a él y al cerdo en el que llegó montado.

—Simon miente —respondo.

—Qué curioso, él dice que la mentirosa eres tú.

—Bueno, pues eso es mentira —digo. Esta conversación va derechita a lo absurdo—. Simon también piensa que salí a cenar con él para investigar una historia de líos de falda que, en aquel momento, desconocía por completo.

—¿Ahora vas a hablarme mal de mi amigo?

—No sé qué otra manera tengo de defenderme si se está inventando mi vida.

Estoy cubierta de sudor frío y tengo los puños cerrados, las uñas se me clavan en las palmas de las manos. El vestido también se me clava y me duelen los pies. De repente estoy muy sobria; en mi versión particular de *Cenicienta*, las doce pasaron hace un buen rato. Sé que Olivia ya no va a cambiar su opinión sobre mí, pero decido intentarlo una última vez.

—Siento que no lo supieras. No sabía si Ben te lo había contado, pensaba que no era asunto mío si lo había hecho. En lo que a Simon concierne, ya me ha dicho que soy la mierda más asquerosa, gracias a la historia con Natalie Shale. Sea lo que fuere que te haya dicho sobre mí, lo ha hecho con la única intención de que me odies más. Era él el que no dejó de hablar de Ben cuando salimos a cenar.

—Pues adivina qué, Rachel. Simon me dijo que no estabas siendo sincera sobre tu amistad con mi marido. Me ha aconsejado que hable contigo a solas y que te diga que Ben ha confesado. ¿Qué te parece? Así que, por favor, sigue diciéndome que Simon no tiene ni idea de nada.

No te preocupes, Simon, acabarán por hacerte socio. Hijo de puta.

—Si vas a creerle a él en vez de a mí, no sirve de nada que siga hablando. No hay nada inapropiado entre Ben y yo.

—Y una mierda. Qué sorprendente ha sido verte bailando con él instantes después de que yo me fuera con Simon.

—Me ha pedido que bailara con él.

—Ya, claro, él es el que te corteja a ti.

—No estaba diciendo...

—¿Sabes qué más ha dicho Simon? Que eres exactamente el tipo de mujer que persigue maridos ajenos cuando se da cuenta de que nadie se va a casar con ella. Los hombres solo te quieren para la cama, pero no para el altar.

La maldad de ese comentario me indigna. ¿Para la cama pero no para el altar? «Es la década de los cincuenta al teléfono, quieren que les devuelvas las opiniones que te prestaron». Cuando Simon y Olivia me descartan a la pila de hembras rechazadas, se les olvida, muy a su conveniencia, la parte en la que fui yo quien decidió no casarse.

—Ya, de acuerdo. Qué tipo tan encantador, haciendo esos comentarios. Si Simon el subnormal no pretende casarse conmigo, más vale que termine con la relación. Empezaré a preparar los papeles y buscaré el revólver de perla nacarada de mi padre.

—Ah, es verdad, eres la mar de graciosa, ¿no es así? —dice Olivia, con un desprecio que hace que el estómago me dé un vuelco—. Sigues estando a kilómetros por debajo de Simon o de mi marido.

Cuando me aparto para alejarme, Olivia siente la necesidad de añadir otro comentario:

—No sé qué es lo que Ben vio en ti —dice con amargura.

Me detengo, pienso en ello y me doy la vuelta.

—¿A sí mismo?

Me preparo, segura que va a quitarse los zapatos de L.K. Bennett para lanzármelos a la cabeza.

En ese instante, una señora de mediana edad claramente traumatizada aparece a contraluz en la puerta del baño portátil; una visión de color lavanda enviada desde el cielo para reestablecer la paz.

—¿Habíais visto alguna vez unos jaboncitos tan adorables? ¡En un baño portátil! ¡Jabón!

Capítulo 64

No me hace falta llamar a la puerta de casa de Mindy en Whalley Range, puesto que mi amiga ha oído el motor del taxi y está esperándome con los brazos cruzados, como si me hubiera saltado el toque de queda. Además, está claramente alarmada por mis mensajes, en los que he insistido en que estaba de camino y que no se fuera a dormir, por mucho que *Atando cabos* sea aburrida. Al llegar a su lado, veo la cabeza de Caroline asomando por encima del hombro de Mindy. Las dos tienen el ceño fruncido por la preocupación.

—¿Qué ha pasado? —pregunta Mindy.

Ambas se apartan para permitirme el paso hacia la cocina, dejo el bolso sobre la mesa de mi amiga. Debo tener un aspecto penoso: peinado en ruinas, la sombra de ojos corrida como si fuera una *stripper* de dos duros, problemas con la respiración normal.

—Olivia me la ha jugado para que admitiera que Ben y yo nos acostamos cuando íbamos la universidad y se ha puesto hecha una fiera y ha dicho que no puedo acercarme a ninguno de ellos nunca más.

Mindy y Caroline me contemplan con asombro y confusión, como si acabara de llegar de otro planeta y estuviera usando un idioma alienígena; aunque, este sábado por la noche, la situación se parece bastante a la descrita.

—Espera, espera —dice Mindy, levantando una mano—. ¿Te acostaste con Ben?

—Una vez. Justo antes de que nos fuéramos. ¿Os acordáis de que Rhys y yo nos separamos por un tiempo después de la graduación?

—¡Mírala! —exclama Mindy—. ¿Por qué no nos dijiste nada? ¿Cuándo? ¿Dónde?

—¡Mindy! —interrumpe Caroline, malhumorada—. ¿Qué coño importa dónde se acostaron?

—¡Solo pretendo aclarar los hechos!

—En nuestra casa de estudiantes. ¿Te acuerdas de que Caro y tú os habíais ido la noche antes del gran baile? Entonces.

—¿Por qué no nos dijiste nada? —Caroline repite la frase de Mindy, pero con distinta entonación.

Me dejo caer sobre una silla, reprimiendo una mueca por cómo mi cuerpo, hinchado por el calor, la comida y el alcohol, hace presión contra las costuras del vestido.

—Fue del todo imprevisto. Estaba enamorada de él y, de algún modo, conseguí fastidiarlo todo y hacerle creer que no me gustaba tanto, así que nuestra relación terminó antes de empezar. Rhys volvió la noche del baile, Ben puso pies en polvorosa y nunca volvió a responder mis llamadas, se fue de viaje y así quedó la cosa. Nunca he sido capaz de hablar de ello. Supongo que pensaba que, si fingía que no había ocurrido nada, no podría doler tanto.

—Oh, santo cielo —dice Mindy por lo bajo.

—¿Y qué ha pasado con Olivia? —pregunta Caroline.

Caro no parece demasiado severa, pero se la ve precavida al preguntar. La situación se parece demasiado a la que ella predijo. Hago un resumen de las objeciones específicas de Olivia y de las de Simon, más generales.

—¡La madre que le parió! —grita Mindy—. ¿Quién es él para decir estas cosas? ¡Y menuda imbécil está hecha Olivia!

Caroline no dice nada. Apoyo la cabeza en las manos.

—Venga, vamos a sofá —dice Mindy, guiándome—. Esas sillas no son para sentarse. Las compré porque hacen juego con la mesa.

Una vez me depositan en un asiento más blando, siento que estoy bajo escrutinio intenso.

—¿Solo una noche? ¿A Ben también le gustabas? —pregunta Mindy.

—En aquel instante dijo que me quería. Estaba a punto de irse a trotar mundo y yo ya estaba matriculada en el posgrado de periodismo. No era el momento más oportuno. —Caroline sigue sin abrir la boca—. No hace falta que lo digas, tenías razón —le digo—. Intentar recuperar mi amistad con él ha sido una pésima idea.

—No entiendo de qué te acusan. ¿Pretende que te disculpes por algo que ocurrió años antes de que conociera a su marido? —pregunta Mindy. Me muerdo el labio—. Dejemos las cosas claras, ¿has intentado apartar a Ben de su esposa?

—No, pero...

—Entonces no os culpo por no haber querido hablar más de ello. Si hubierais estado saliendo juntos y ahora quisierais mantenerlo en secreto, de acuerdo, comprendo que se sintiera engañada. Pero ¿por una noche? No contárselo es ahorrarle un disgusto. Nadie firma un contrato de divulgación completa el día de su boda. Uno no pregunta y el otro no contesta.

Me río débilmente, pese a mi mal humor.

—¿Cómo los homosexuales en el ejército de Estados Unidos? ¿No preguntes y no cuentes?

—¡Exacto!

Me vuelvo hacia Caroline. Miro otra vez a Mindy. ¿Seré capaz de decirlo? Apenas lo he admitido para mí misma. Se lo voy a decir. Tendré que decírselo.

—Ha sido mala idea retomar la amistad porque...

Dos pares de ojos se abren de par en par, expectantes.

—Verle de nuevo ha hecho que me enfrente a la ridícula verdad. Sigo enamorada de él.

Caroline y Mindy cruzan una mirada y vuelven a concentrarse en mí.

—¿De verdad? —suspira Mindy.

—Es demencial y trágico, ya lo sé —respondo.

—Es tan romántico.

—Está casado, Mindy —dice Caroline, monótonamente.

—Sí, está casado, así que no es más que triste e injusto —digo. Soy muy consciente de que Caroline debe de sentirse como si le hubiera pedido que se compadezca del tipo de mujer que se llevó a Graeme a la cama—. Me he quedado ahí plantada mientras Olivia me insultaba, pensando «me lo merezco».

—¡No te lo mereces! —exclama Mindy, pero mira a Caroline de reojo, dudando.

Pausa.

—A ver —dice Caroline, hablándonos a las dos—. Me habéis apoyado con todas vuestras fuerzas cuando Graeme se ha comportado como un auténtico cretino, pero me da la impresión de que estáis esperando que me ponga firme con el asunto de las infidelidades y que estáis tratándome como si fuera una niña pequeña. Soy la misma persona. Mis opiniones siguen siendo las que son y, Rachel, sí, te advertí que te anduvieras con cuidado con la chispa que hay entre Ben y tú. Te lo dije incluso antes de convertirme en una mujer desdeñada. En lo que respecta al día de hoy, creo que la pelea con Olivia ha sido culpa de Ben.

Incluso con el alivio de saber que Caroline no me culpa, algo en mi interior quiere defender a Ben.

—Olivia se merecía saber la historia completa y contársela era responsabilidad de Ben, no tuya.

—Eso. ¿Qué quería que le dijeras tú? —añade Mindy—. «Hola, encantada de conocerte, por cierto, he catado a tu marido.»

—Además, no hace tanto que tú acabaste con tu compromiso, es normal que te sientas vulnerable. Es él el que está casado, tendría que haber sabido que no podía dejar que las cosas llegaran tan lejos —concluye Caroline.

Hay una larga pausa. Pese a que he abierto la caja de los truenos, contárselo todo a mis amigas hace que me sienta mejor.

—¿Crees que se me comerá viva si pregunto otra cosa? —dice Mindy, señalando hacia Caroline.

—Oh, haz lo que quieras, Mindy —responde Caroline. Se encoge de hombros, pero veo que no le molesta. Ha pedido que la tratemos igual que siempre y eso es lo que haremos.

—Una noche, hace diez años, y todavía le quieres. Sería una noche de lo más espectacular.

—Esto... sí.

—Quiero decir, ¿Ben estuvo increíble? ¿Fue un polvo increíble?

—Ya te había entendido, Mindy. Sí. Sí que lo fue.

Se acomoda en el sofá, sentándose sobre las piernas, e intenta que no se note lo bien que se lo está pasando. A Mindy le encantan los dramas, y más cuando estos incluyen una noche de pasión inigualable.

—¿Cuándo cambiaste de idea? O sea, cuando estabas en la universidad, saliendo con Rhys, ¿cuándo te diste cuenta de que lo que sentías por Ben había cambiado?

—No lo sé con exactitud. Ocurrió poco a poco, sin que me diera cuenta. Y, cuando me la di, fue algo abrumador. No había estado haciendo caso de esos sentimientos y, de repente, ¡PUM! Ben dice «te quiero».

—¿Pum? ¿Es algún grupo de música de los ochenta?

—No, «pum», como un efecto de sonido en un cómic. Dijo que me quería.

—¡Perdón, perdón! Claro. Continúa.

—Y ahí estaba, Ben lo había dicho y yo sabía que sentía lo mismo. Pensaba que no tendría ninguna posibilidad con él, así que no me había atrevido jamás a pensar en quererle, y mucho menos a decirlo.

—Si luego desapareció, ¿no puede ser que se lo pensara dos veces? —pregunta Caroline. Sé que no pretende ser cruel, solo quiere que no me arrepienta tanto.

—No estoy segura. Lo mencionó el otro día, cuando fuimos a tomar algo. Quedó claro que Ben pensaba que volvería con Rhys después del baile y que no correspondía sus sentimientos.

—¿Qué le dijiste? —lloriquea Mindy, como si estuviera contándole los finales de suspense de cada capítulo de *Lost*.

—Le seguí el rollo, ¿qué iba a hacer? No iba a soltarle «no, todo fue un malentendido colosal, te echo de menos cada segundo de mi vida».

—Puede que hicieras lo correcto después del baile —puntualiza Caroline—. Quién sabe si Ben y tú habríais fracasado a los tres meses de relación, tras una pelea a bordo de un *rickshaw*.

—También es verdad.

—De acuerdo, voy a preparar un té y a echarle *whisky* —anuncia Mindy.

Caroline y yo nos quedamos sentadas en silencio durante un rato, escuchando los ruidos que hace Mindy en la cocina.

—¿No vas a decir que me lo advertiste? —le pregunto a Caroline—. Me lo merezco varias veces.

—Tú no me lo dijiste cuando ocurrió lo de Graeme.

—¡No era culpa tuya ni de lejos!

—Graeme y tú nunca habéis sido grandes amigos, ya sé que no te cae demasiado bien... —Abro la boca, pero ella sacude la cabeza para indicarme educadamente que no proteste—, pero nunca has hablado mal de él y no le pusiste verde tras su última... transgresión. No has discutido mi decisión de seguir adelante con la relación y lo aprecio. Nadie es perfecto. Te advertí lo de Ben porque pensaba que podrías herir a alguien sin querer. No me di cuenta de que tenías tantas ganas de hacerte daño a ti misma.

—Sabía que no tenía ninguna posibilidad, Caro, es solo que tenía tantas ganas de volver a verle —digo, alicaída.

—Ya lo sé, ya lo sé. En cualquier caso, todo empezó porque abrí la bocaza y te conté que le había visto en la biblioteca —dice Caroline, inclinándose y dándome palmaditas en el hombro—. Es una historia sin terminar. Es normal que te alterara, ha reaparecido en tu vida en un momento crucial. Pero no estés tan segura de que estás enamorada.

La buena de Caro, siempre te dice lo que piensa.

Mindy vuelve con tres tazas de té. Caroline huele la suya y arruga la nariz.

—Madre mía, ¿qué le has echado? ¿Alcohol de farmacia?

—Mi padre me regaló una botella de Glenfiddich por Navidad, hace tiempo que busco una excusa para abrirla.

—¿Has usado un escocés de malta *single* para alegrar el té? ¡Esto es un acto de terrorismo!

Le doy un sorbo a mi bebida. Caliente, dulce y alcohólica, ideal para recuperarse del trauma. Ahora lo único que me falta es una manta aislante como las que les dan a los corredores de maratones.

—Intenta recordar esto —dice Caroline, volviendo al asunto importante—. Una relación de verdad con Ben habría incluido peleas por los resultados horribles de su afición al bricolaje, la etapa en la que cree que puede colarse en el baño a plantar un pino mientras estás en la ducha y visitas a Dunelm Mill.

—¿Qué es Dunelm Mill? —pregunto.

—Una tienda *outlet*. El caso es que la vida que crees que te has perdido junto a Ben es perfecta porque es una fantasía, y es una fantasía porque es perfecta.

Mindy me acaricia el brazo para consolarme.

—Míralo así, lo que Ben y tú compartisteis, aquella noche, fue un momento idílico. Como en *Casablanca*, cuando dicen que siempre les quedará París.

—¿Siempre nos quedará el revolcón en Willbraham Road?

—Exacto. Ahora no hace falta que lo estropeéis. No tenéis que presenciar como os estropeáis poco a poco, uno no tendrá que ver al otro con demencia senil, ni sufrir su muerte.

Me aparto el flequillo sudado de los ojos.

—El problema es que, tras todos estos años, Ben es la única persona con la que querría estropearme que se me ocurre.

Capítulo 65

Al menos, el tópico que dice que los periodistas somos gente malhumorada y tenemos memorias a corto plazo tiene algo de cierto; nadie se ha olvidado del todo de lo ocurrido con Natalie, pero con cada día que pasa veo que, aunque todavía no sean noticias que ya han dejado de ser actuales, cada día están más anticuadas. Sobreviviré.

Zoe firma artículos en el *Mail* con frecuencia. Resulta que una de las mejores estrategias para llegar a lo más alto es tener una personalidad sorprendentemente despreciable. No me cabe duda de que conseguirá su propia columna antes de cumplir los treinta. La usará para reprender a políticos venales y a famosos hipócritas por habernos mentido, con una foto al margen en la que parezca que está mirando mal a alguien que está usando su jardín de retrete.

Hablando de excrementos y gacetilleros cuestionables, Gretton ha adquirido la costumbre de traerme un café repugnante cada mañana a la sala de prensa. Es un gesto amable por su parte, pero me incomoda un poco. ¿Tan bajo he caído que incluso Gretton se compadece de mí?

—Tienes el aspecto de felicidad de alguien al que van a fusilar en un futuro próximo. —Uno de sus típicos comentarios para animarme.

También ha empezado a compartir chivatazos sobre las historias de los juzgados, con los resultados horripilantes que cabría esperar.

—El caso de mendicidad y exhibicionismo en la sala 4 debería ser una fiesta. Una indigente ha estado enseñándoles la almeja a los transeúntes —dice en este día en particular—. El policía que la ha arrestado dice que parecía que estuviera dando a luz a Einstein.

—¿Sabes qué, Pete? Dejaré que apliques tus singulares talentos a ese caso.

Tengo que volver al piso a la hora en punto, ya que Caroline y yo hemos tramado un plan que depende de que todos nos coordinemos con exactitud. Llego a casa a las seis, Caroline llega a las seis y cuarto, Mindy aparece a las siete menos cuarto para ver una película, cenar con nosotras y llevarse una sorpresa. A las siete, vuelve a sonar el timbre.

—¡Buenas tardes! —saluda Ivor, entrando en el piso—. ¿De verdad te has comprado una Xbox? —pregunta, y entonces—: Oh, ¿qué demonios? —exclama cuando ve a Mindy.

—¿Qué está haciendo este aquí? —vocifera ella, levantándose.

Me posiciono entre Ivor y la puerta, arreándole hacia el interior del apartamento.

—Veamos. Recientemente he destrozado mi vida por completo y Caroline, sin haber hecho nada para merecerlo, también está pasando por momentos muy duros —proclamo—. A ambas nos haríais la vida más fácil si os reconciliarais y restaurarais la armonía del Universo, lo cual no va a ocurrir si no habláis. Así que hablad. Decid lo que queráis, pero al menos empezad un diálogo.

—Me voy. ¿He dicho lo suficiente? —dice Ivor, volviéndose en redondo.

—Y si no se fuera él, me iría yo —declara Mindy, con las manos en las caderas.

—Oh, por el amor de Dios, ¡venga! —exclama Caroline.

—No tengo nada que decirle —dice Mindy.

—Lo mismo digo. ¿Puedo irme ya? —me pregunta Ivor.

—¿Qué pretendéis? ¿Tirar años de amistad por la borda por culpa de una discusión sobre Katya? —digo, pasando la mirada de Mindy a Ivor—. ¿Vale la pena?

—Pregúntale a Ivor si Katya se lo vale —replica Mindy—. ¿Cuatrocientas veinte libras al mes? ¿Televisión por cable y *bunga bunga* incluidos?

—¿Ves? —dice Ivor—. Es inútil.

—¡Basta ya! —estallo. De repente, estoy algo histérica—. Sé que ahora mismo os parece que podéis insultaros todo lo que queráis, que no pasará nada y que no va en serio. A Ivor podría arrollarle un autobús de camino a casa. No sabéis si está será vuestra última oportunidad de hacer las paces. ¡Dialogad!

—¡Prácticamente me llamó acosador sexual! —brama Ivor—. Me alegro de que queráis echar una mano para solucionar las cosas, pero a no ser que puedas sacarle una retractación completa a Mindy y consigas que me suplique perdón, ya te puedes olvidar de una reconciliación. Por mucho que me atropelle un trolebús.

—¿Qué suplique tu perdón? Vete a tomar por el culo —dice Mindy.

—De acuerdo, de acuerdo —dice Caroline, poniéndose de pie. Se tira de la camiseta para cubrir el estómago cóncavo—. ¡Ya es suficiente! Mindy, siéntate —ordena. Coloca una mano firme en el hombro de Mindy y la empuja hasta que se sienta. Entonces, señala con el dedo hacia un sillón—. Ivor, siéntate ahí. Ahora mismo.

Ivor obedece, enfurruñado, con el abrigo todavía puesto.

Caroline se sitúa en un punto equidistante entre los dos, de pie. Verla en plena explosión de señorita Rottenmayer es una experiencia que intimida. Merodeo cerca de mis amigos, como si fuera un agente de seguridad.

—Mindy —dice Caroline—, Ivor no hizo concesiones en las condiciones del alquiler de Katya a cambio de favores sexuales. Ya lo sabes. Deja de acusarle. Pasó lo que pasó, Ivor tiene derecho a acostarse con quién le venga en gana. Es un hombre adulto y soltero. Si nos dedicáramos a juzgar las parejas sexuales que hemos tenido a lo largo de los años, creo que todos sabemos que se armaría un buen jaleo.

Caroline desplaza la mirada.

—Ivor, siempre estás metiéndote con Mindy y sus novios. No es que seas la mar de amable con ellos, precisamente. Tal vez la próxima vez que veas a Jake, puedas corregir tu actitud.

—Jake y yo ya no estamos juntos —comenta Mindy.

—Pues quién sea que venga a continuación —dice Caroline.

—¡No soy una puerta giratoria! —protesta Mindy, y a Ivor se le ve considerablemente más feliz.

—Lo siento —le digo a Mindy—. Lo de Jake, no lo de la puerta giratoria.

—Da igual, Jake o no Jake, puede que Mindy haya reaccionado de forma desproporcionada a una indiscreción, pero no le han faltado años y años de provocaciones por tu parte —le dice Caroline a Ivor.

—No me parece que unos cuantos comentarios socarrones sean lo mismo que acusarme de violador, ¿y a ti?

—A mí me parece que los dos tenéis que pedir perdón, y los dos merecéis oír las disculpas. Podéis decirlo a la vez, si ninguno quiere ser el primero. Contaré hasta tres.

—No estamos en una guardería —dice Ivor—. ¿Qué pasa si no nos disculpamos? ¿Nos dejas sin el pan con chocolate de la merienda?

—No voy a cambiar de opinión porque le obligues a decir esto o lo otro —declara Mindy—. Esto es una pérdida de tiempo.

—¡Al menos estáis de acuerdo en algo! —exclamo, optimista.

Miro hacia Caroline con desesperación.

—Está bien, no me dejáis otra alternativa. Es el momento de sacar la artillería —dice Caroline. Se sienta y se cruza de piernas.

Mindy y yo intercambiamos dos ceñudas miradas de confusión.

—Tengo una teoría, por si os interesa. He aquí lo que creo que está pasando: Ivor lleva años enamorado de Mindy pero nunca ha hecho nada al respecto por culpa de la ridícula obsesión de ella por los tipos que están como un tren. Por eso siempre se ríe de sus novios.

Me vuelvo hacia Ivor, que tiene la expresión de alguien que ha llegado corriendo a la puerta de embarque en el último minuto y acaba de descubrir que se ha olvidado el pasaporte en casa.

—Y creo que Mindy está empezando a darse cuenta de sus sentimientos por Ivor. Por eso le da tanta rabia lo que ocurrió con Katya —añade Caroline, mirando a Mindy—. No es desaprobación, son celos.

—¿¡Qué!? —exclama Mindy. Nunca he visto a una persona de piel oscura tan pálida—. ¡Por supuesto que no!

—Lo que digo tiene sentido, ¿a que sí? Si lo pensáis con calma, os daréis cuenta de que tengo razón —dice Caroline. Contempla la habitación y nuestras tres caras con los ojos abiertos como platos—. Estáis enfadados porque os queréis. ¿Verdad, Rachel?

—Uh. No sé qué decirte. ¿Bien argumentado?

—Sois una panda de... —Ivor se ha levantado y no encuentra las palabras—. ¡Ya os podéis ir a la mierda! ¡Las tres!

Sale del apartamento hecho una furia.

—Ha gritado mucho pero no lo ha negado —comenta Caroline, mirando a Mindy, que se vuelve contra ella.

—¿De qué coño va todo esto?

—Como ninguno de los dos iba a dar el primer paso, se me ha ocurrido echaros una mano. A nuestra edad no estamos para perder el tiempo.

—Tus comentarios están tan fuera de lugar que se encuentran en otro continente.

—¿Tú crees?

—¡Sí! —grita Mindy, agarrando su abrigo.

—¿Nunca te has sentido atraída por Ivor?

—¡No!

—¿Y no crees que a Ivor le gustas?

—¡No!

—Oh.

—¡Bien hecho! ¡Has partido de una situación horrible y las has empeorado un millón de veces! ¿Cuándo coño te parece que haremos las paces, ahora?

—No te vayas —digo patéticamente mientras Mindy cierra la puerta de un golpe. Oigo sus pasos airados atacando sin piedad las escaleras—. Creo que ha salido todo bastante bien —le digo a Caroline, que está sentada en el sofá con aire atormentado. Me uno a ella—. ¿Estás segura de que lo que has dicho es verdad?

Caroline se muerde el labio.

—Lo estaba. Puede que me haya equivocado. He ido demasiado lejos, ¿verdad?

—Si no has acertado, arreglarlo será desde luego bastante embarazoso.

—Y si he acertado... ¿será peor? —dice Caroline.

—Oh, no, hay una tercera y diabólica opción. ¿Y si has acertado con uno pero no con el otro? ¿Qué pasa entonces?

Caroline se cubre la boca con la mano. Suelto un gemido, entierro la cabeza entre los cojines y doy puñetazos rítmicos al sofá. Emerjo.

—Voy a ir tras Mindy. No es solo culpa tuya que se haya enfadado, la idea de tenderles una emboscada ha sido mía.

—Yo de ti dejaría que se calmara un poco antes de hablar con ella, pero si crees que eso puede servir de algo...

Galopo escaleras abajo hasta la calle. Gracias al amor de Mindy por los colores vivos la veo fácilmente, destaca como una bandera verde esmeralda contra los muros de ladrillo rojo, a unos metros de distancia. Se ha detenido y me preocupa que pueda estar llorando. «Mierda.» Soy yo la que tiene que suplicar su perdón.

Mientras me acerco a ella, me sorprende ver a Ivor a su lado. Es buena señal, ¿no? A no ser que estén eviscerándose con espantosos comentarios inapelables. Algo en la posición de sus cuerpos me indica que no es el caso; parece más un intenso *tête-à-tête* que la distancia entre dos personas enfrentadas. Les observo durante un minuto, incapaz de determinar en qué dirección va la conversación. Mindy pone los brazos alrededor de Ivor para darle un abrazo de reconciliación y yo casi aplaudo.

No se sueltan.

Me quedo mirándoles, incrédula pero encantada, hasta que me doy cuenta de que me he convertido en una descarada *voyeur* y que, si me descubren, estropearé el momento. Echo a correr de nuevo hacia el apartamento y casi choco con Caroline, que está poniéndose la cazadora.

—¿A dónde vas? —pregunto, sin aliento.

—Tienes razón, será mejor que me disculpe. Lo que he hecho ha sido de un sadismo innecesario. Diré que estoy desequilibrada, mencionaré a Graeme y se sentirán lo suficientemente mal como para perdonarme.

—De acuerdo —digo, disfrutando del momento—. Están abajo. Si consigues separarlos, puedes decirles que te has equivocado.

—¿Han llegado a las manos? —pregunta Caroline, horrorizada.

Capítulo 66

Pensaba que desaparecer sin despedirse no sería propio de Ben, pero también sabía que quizá no dependería de él. Entonces me llega una llamada suya el viernes, mientras estoy en el trabajo. La mayor parte de la ciudad cobra hoy y ha salido el sol. Para cuando den las cinco y media, las áreas valladas que hay delante de los *pubs* y que pretenden ser agradables terracitas estarán a reventar.

—Tenía la esperanza de que pudiéramos vernos para charlar un poco —dice. Se siente tan incómodo que suena incluso brusco—. No quiero echar a perder tu viernes por la noche. ¿Nos vemos delante del ayuntamiento al salir del trabajo?

Lo entiendo, es territorio neutral; nuestro encuentro no parecerá un encuentro social. Cuando llego, me topo con un mercadillo de productos franceses en la plaza Albert; el lugar está repleto de toldos a rayas amarillas y blancas, gigantescos quesos *brie*, *saucissons* cubiertas de harina y barriles de madera llenos de ajos y cebollas. Hay un camión de helados muy poco galo pero muy oportunista rodeado de clientes.

Ben está esperando, con una mano en el bolsillo y un maletín en la otra. Lleva un traje oscuro y zapatos color marrón claro, tiene aspecto aprensivo y, para mi desgracia, puesto que no volveré a verle, magnífico. ¿Cómo lo hace para ganar atractivo con el paso del tiempo? Quisiera robarle un Calippo a un niño para enfriarme las muñecas y bajarme la tensión sanguínea.

—Hola —saludo—. ¡*Sacre bleu*!

—Hola. *Merde*. No he planeado este encuentro demasiado bien.

Nos quedamos mirándonos de pie, de manera amigable pero inútil. Hace falta una conversación.

—Bonitos zapatos —digo, señalando. «Muy hábil, Rachel»—. Mi padre dice que solo los estafadores se ponen zapatos marrones para hacer negocios —añado. «Y te has recuperado de manera increíblemente rápida.»

Por suerte, Ben se ríe.

—Qué casualidad que lo digas. ¿Alguna vez has oído hablar de las pirámides económicas? Escúchame antes de decidir —dice, y finge abrir los cierres del maletín.

Los dos reímos. Más silencio.

—Uf. Obviamente sabes de lo que quiero hablar —añade Ben.

—A grandes rasgos —contesto, y asiento con nerviosismo.

Al otro lado de la plaza empieza a sonar un acordeón, acompañado de una Edith Piaf de mercadillo. «*Non, je ne regrette rien...*». Pues yo *regretto* mucho y un poco más, la verdad.

—¿Conoces los jardines de Saint John? Son la segunda parte del *tour* de Ben de parques y otros espacios públicos.

—Creo que sí, pero ve tú delante.

Mientras paseamos por Deansgate, Ben aprende más de lo que jamás habría querido saber sobre las sutilezas de significado de «intención de traficar» y yo me formo algunas opiniones sobre los recortes al asesoramiento legal.

—Qué bonito —digo cuando llegamos a los jardines de Saint John, un oasis verde escondido detrás del Museo Castlefield.

—¿A que sí? Creo que aquí había antes una iglesia.

Se me ocurre que el motivo por el que Ben ha estado paseando tanto durante sus pausas para comer es que tiene mucho sobre lo que pensar. Los jardines están desiertos, por suerte, seguramente porque es la hora feliz en los bares. Nos sentamos en uno de los círculos de bancos que rodean la cruz de piedra. Ben deja el maletín en el suelo.

—No me di cuenta de cuándo te fuiste de la boda.

—No. Esto... me pareció mejor largarme discretamente.

—Lo siento mucho. Quiero disculparme por los dos. Liv no tenía ningún derecho a acorralarte de esa manera; tendría que haberle contado lo nuestro antes. Has terminado en medio de algo que no te concierne, no es justo. Eso lo entiendo, aunque Liv todavía lo esté procesando.

—Siento habérselo confesado cuando me preguntó. Me dijo que ya se lo habías contado.

Ben parece sorprendido.

—Nunca me preguntó directamente, así que nunca entré en detalles. Eso es todo. Si se me hubiera pasado por la cabeza que recurriría a tal estratagema, la habría puesto al día y os habríais ahorrado una disputa a voces.

—Comprendo por qué no le contaste lo que ocurrió en la universidad. Tampoco es que hubiéramos estado saliendo juntos.

Ben se revuelve en su asiento, inquieto.

—Así me lo había justificado yo, pero fue una mentira por omisión. Si Liv invitara a un viejo amigo a cenar, no me gustaría que se olvidara de mencionar que se conocen carnalmente y otros detalles similares. Como su marido, no querría que me sacara la excusa de abogado, «nunca hiciste la pregunta específica».

No sé qué respuesta dar para que no parezca que estoy criticando a Olivia.

—Fue Simon el que le sugirió la estrategia.

—Ya. Tuvimos una situación similar hace un tiempo. Oh. —Se frota la cara, cansado—. No quería entrar en detalles, pero a la mierda. Hace años, cuando Olivia y yo nos comprometimos, Simon declaró su amor eterno. Por ella, claro.

Esta noticia queda archivada en la carpeta «sorprendente, pero no pasmoso». En el fondo, reconocí los síntomas en la desesperación con la que Simon buscaba un enamoramiento conmigo. Si hubiera prestado atención, me habría dado cuenta de que todo apuntaba hacia Olivia.

—¿De verdad?

—Olivia me lo contó inmediatamente. Lo resolvimos y seguimos siendo amigos.

—¿Se refería a vosotros su historia sobre una mujer casada que volvió con su marido?

—Nunca llegaron a estar juntos. Lo que te dijo me preocupa, no sé qué cree que pasó. Supongo que cambió algunos detalles para que no ataras cabos, pero aun así... Cuando me comentaste que había sacado el tema durante la cena tendría que haberme percatado de que nos causaría problemas. Pensé que solo pretendía quedarse con la conciencia limpia, inocente de mí.

—Ya.

—Después de ese incidente, Liv y yo establecimos que siempre seríamos sinceros el uno con el otro. Rompí la promesa cuando me callé sobre nuestro pasado. No es que quiera sugerir que las dos historias son equiparables... —se apresura en añadir—. Pero Simon se dedicó a insinuar que había dejado de salir contigo porque sospechaba que había algo entre tú y yo. Te echó la culpa por lo de Natalie y creo que me culpa a mí también porque os puse en contacto y luego te respaldé cuando se enfrentó a ti. Complicar mi matrimonio le debió parecer buena manera de ajustar cuentas.

—¡Pero que...!

—Ya lo sé —dice Ben—. No quiero darte un disgusto, pero tengo mis dudas sobre esa cena a la que te invitó. Aunque seguro que se sentía atraído por ti.

—Por favor, no te molestes —contesto, levantando una mano—. Puedo decir con total sinceridad que me da igual si Simon no estaba interesado en mi encantadora personalidad. Me llamó la atención que quisiera sacarme información sobre ti.

—Ya. Sospecho que quería averiguar si podía usarte para separarnos a Olivia y a mí.

—¡Y tuvo la desfachatez de acusarme de tener segundas intenciones!

—Pues sí, el muy cabrón. Soy consciente de que sus planes se hubieran ido al traste si yo no hubiera sido tan remolón. Además, en lo que a Liv respecta, no me cabe duda de que no tiene ninguna posibilidad con ella, independientemente de que esté casada conmigo.

La expresión de Ben indica que no pretendía añadir aquel último comentario, por lo que sigue adelante.

—En cualquier caso, ya le he contado todo lo que ocurrió...

—Pensaba que ya se lo había contado yo.

—No, la historia entera —dice Ben, en voz baja pero muy serio. Se vuelve para mirarme a la cara—. Mi versión. Sé que para ti no fue lo mismo y se lo quise dejar claro. Aunque creo que ese descubrimiento no le facilitó las cosas.

«Para ti no fue lo mismo.» Aquí está. El error que nunca podré corregir, las palabras que nunca podré retirar. O las palabras que nunca podré añadir.

Invoco toda la honradez que poseo; tardo unos cinco segundos.

—Espero que todo vaya bien entre vosotros dos. No hace falta que digas lo que has venido a decir. Sé que tienes que distanciarte de mí y olvidarme, y lo comprendo.

—Te lo agradezco... —dice Ben, y calla un momento—. Liv se ha ido.

—¿Qué? ¿Cuándo?

Lo que realmente quiero preguntar es: «¿Te ha dejado?».

—Hace unos días. Habíamos estado peleándonos por una cosa tras otra y llevaba tiempo amenazando con volver a Londres.

Hago un esfuerzo por asimilar las nuevas circunstancias. «Olivia está fuera de escena. ¿Significa eso que todo ha cambiado?»

—A Liv no le gusta Manchester, dice que no quiere criar aquí a sus hijos. Ya sabes que no nos poníamos de acuerdo con aquello de la casa. En el trabajo, pidió que la trasladaran de nuevo a la oficina de Londres; no me dijo nada hasta que se lo confirmaron, ya tenía las maletas hechas.

—Lo lamento.

No siento nada. Me encuentro en medio de una caída libre y no sé dónde aterrizaré.

—No sé cuánto tardaré en encontrar trabajo allá abajo. No puedo trasladarme de una oficina a otra sin más, no llevo tanto tiempo en la empresa como Liv.

«¿No ha dejado a Ben?». Solo se ha ido del norte.

—¿Tú también te vas?

—Sí.

—¿Te parece bien? ¿Habéis hablado de ello?

Ben sonríe débilmente.

—A veces tienes que olvidarte de lo correcto y hacer lo necesario. Nada de lo que diga convencerá a Liv para que vuelva, lo que significa que no puedo quedarme.

Me percato de que no menciona la casa de Didsbury. Supongo que, en el mundo de los obscenamente ricos, vender una casa no es un prerrequisito para comprar otra.

—Bueno —digo, con el estómago lleno de plomo—. Manchester te echará de menos.

—Echaré Manchester de menos. Ha sido fantástico volver —contesta Ben, con un suspiro. Dudo.

—¿Vas a aceptar la casa que os ofrecían tus suegros?

Mira hacia el suelo.

—No lo sé. No es un precio que quiera pagar por mantener nuestra relación en pie, pero parece que es el que han impuesto, me guste o no. Por favor, no me preguntes nada más. Tendré que darte respuestas muy deprimentes.

—Perdón —digo—. No pregunto más.

Ben levanta la cabeza otra vez.

—Dime, Rachel, ¿alguna vez se te ocurrió que ser un adulto de verdad sería tan difícil?

—Creo que suponía que, una vez superados los exámenes finales, mi vida sería coser y cantar. Cuesta abajo.

—Exacto —dice Ben, riendo—. Pero «cuesta abajo» en el sentido de que todo va a peor. Si hubiera sabido lo que me deparaba el futuro, no me habría quejado tanto sobre el inglés antiguo.

Sonreímos. Me duelen las costillas.

—Ha sido fantástico volver a verte —continua—. Es una lástima que no puedas decir lo mismo sobre mí y los míos. Primero Simon te declara la guerra y, luego, Liv. Seguro que desearías no haber ido a estudiar italiano a la biblioteca.

La mentira que lo empezó todo. Me toca hablar, insistir en que no, que ha sido estupendo verle, y luego despedirme como si me resultara fácil decirle adiós. Aun así, Olivia se ha ido. Tal vez no seguirán con la relación, aunque Ben vuelva a Londres. Quizá, si Ben supiera lo que siento en realidad, no querría mudarse. Podría ser el momento. Podría ser una segunda oportunidad y va a desvanecerse para siempre a no ser que la aproveche y le eche las agallas que no le eché la última vez. «Olvidarte de lo correcto y hacer lo necesario», ¿acaso no había dicho eso Ben?

—Tengo que contarte algo.

Me gustaría verle un brillo de reconocimiento en los ojos que me haga las cosas más fáciles, pero Ben se mantiene impasible.

—De acuerdo.

—Cuando nos encontramos en la biblioteca, no fue por casualidad. Caroline me dijo que te había visto allí y acudí con la esperanza de verte.

Ben frunce el ceño.

—Me he pasado los últimos diez años pensando en ti. Nunca he sentido por nadie más lo que sentí por ti. En la universidad, no entiendo cómo me las arreglé para que no lo entendieras. Si ahora no estás seguro de querer irte, deberías saber que todavía te quiero. Estoy enamorada de ti, Ben.

Mis palabras quedan flotando en el espacio, entre los dos, y no puedo creer que las haya pronunciado.

Ben entorna los ojos.

—Me estás tomando el pelo, ¿verdad? Es una broma de muy mal gusto.

—Es la pura verdad. Sabrás que no bromearía sobre algo así, ¿no?

Ben me mira fijamente. Antes de contestarme respira hondo, como si se estuviera preparando para levantar algo pesado.

—Liv dijo que harías esto. Mi mujer dijo que había traído alguien a nuestra vida que intentaría separarnos. La acusé de paranoica y celosa. Te defendí, a ti y a tus buenas intenciones, hasta el final; he estado aquí sentado disculpándome por su comportamiento. ¿Me estás diciendo que tenía razón desde el principio?

—No estaba intentando separaros...

—¿Entonces para qué me cuentas que estás enamorada de mí? ¿Qué quieres qué haga? —exclama Ben—. ¿Para qué viniste a la biblioteca?

—No... no pude evitarlo.

Ben se interrumpe y nos sumimos en un silencio cargado; me da la impresión de que hay tantas cosas que quiere gritarme que tiene que hacer una pausa y ordenarlas por orden de prioridad.

—No me lo puedo creer. No me sorprende que mi mujer se haya largado a otra ciudad. ¿De verdad pensabas que soy el tipo de hombre que aparca un hecho tan insignificante como estar casado? ¿Que pensaría «bueno, mi esposa está en el sur, yo estoy en el norte, ¿por qué no aprovechar la ocasión para ponerle los cuernos?»

—¡No! No estaba hablando de engañarla.

—¿Pues de qué hablas? —dice Ben, sin apartar la mirada de mi cara—. Estoy casado. Pretendo seguir casado.

Trago saliva y me encorvo, como si me hubieran disparado.

—De acuerdo.

—Siento lo que ocurrió contigo y Rhys. Sé que últimamente no estás siendo tú misma. Lo entiendo. Pero de haber sabido que creías que nuestro reencuentro era... —Ben busca la palabra—... romántico, habría salido corriendo. Por Dios, ¿qué impresión te he dado?

Con toda sinceridad, podría inclinarme y vomitar en los arbustos de pura humillación.

—No es culpa tuya. Es que... has dicho que Liv se había ido...

No termino la frase.

Comprendo lo que está pensando solo con verle la cara, tan claro como si lo hubiera escrito en la pared con las letras doradas de Rupa: «¿Qué te hace pensar que estaría interesado en ti si no estuviera casado?».

Tendría que haberlo sabido. Se había convertido en un recuerdo muy valioso, no había querido contemplar la posibilidad de que la atracción que Ben sentía por mí no fuera más que un problema técnico en el continuo espacio-tiempo, una anomalía, un error del sistema; el tipo de locura juvenil que luego recuerdas con una sonrisa, como preparar cócteles con vino de garrafón o vestir pantalones de MC Hammer. Me había permitido fantasear que su matrimonio con Olivia era lo único que le impedía estar a mi lado. Ya no me queda ni eso.

Ben carraspea.

—En cualquier caso, no quieres estar conmigo. Estás disgustada por la ruptura con Rhys. De hecho, creo que ya hemos vivido algo así, ¿a que sí? Maldito *déjà vu*.

—¡No! —grito—. Rhys apareció en el baile y tú desapareciste.

—No quería quedarme delante de él y hacer una escenita. Asumí que habías tomado una decisión. ¿Pretendías que nos batiéramos en un duelo?

Me cuesta un esfuerzo sobrehumano seguir respirando para pronunciar las palabras que quiero.

—No me diste la oportunidad de elegirte. Te fuiste. No podía soportar la idea de dejar a Rhys allí abandonado, se merecía una explicación.

—¿Una explicación que duró toda la noche?

—¿Qué?

—Al día siguiente fui a tu casa por la mañana. Vi que había aparcado fuera.

—Sí, se quedó a pasar la noche y durmió en el suelo. No iba a echarle a la calle. Hablamos, dormimos, Rhys se fue y lo primero que hice por la mañana fue ir a verte y descubrir que ya te habías ido a Londres. No aceptabas mis llamadas y no respondiste a mi carta. Eso fue todo. Fin.

Ben no dice nada.

—Entonces, un día, llamé. Me contestó Abi.

Ben hace una mueca.

—Seguro que no tenía mala intención.

—No fue desagradable conmigo. De hecho, sus comentarios probablemente fueron la manera más amable de hacerme entender lo que ocurría. Me dijo que habías vuelto de tus viajes con una «amiga» y no entendía por qué seguía llamándote cuando era obvio que no querías hablar conmigo. ¿Qué querías que hiciera? ¿Que acampara en tu jardín? Podría haberlo hecho, estaba lo bastante desesperada, pero por aquel entonces pensaba que habrías cambiado de opinión sobre mí.

Ben sacude la cabeza. Sé que no le gusta darle tantas vueltas a algo que creía olvidado, pero no le he dejado otra opción. Toquetea el mango del maletín, como para asegurarse de que todavía puede salir por patas en caso de necesidad.

—No sabía lo que pensabas. Durante los tres años de universidad me tuviste perdido, la verdad. Rhys te dominaba y tú te dejabas dominar. A veces pensaba que sentías lo mismo que yo, pero otras... sabía que no tenías previsto terminar en la cama conmigo. Después de que nos acostáramos, no tenía ni idea de lo que te pasaba por la cabeza, aunque dijiste cosas bonitas. Tenía que dejarte algo de espacio para que tomaras una decisión. Y lo hiciste.

—No es verdad —digo, sacudiendo la cabeza—. O, por lo menos, no tomé la decisión que piensas.

—Espera un momento, seguiste con Rhys diez años más. Ibais a casaros. ¿De verdad me vas a decir que no fue decisión tuya?

—No estoy orgullosa de esto, pero volví con Rhys por inercia. Quise evitarle el disgusto de averiguar lo que había ocurrido la noche del baile. Al final fue mucho más duro para todos.

Ben me mira. Abre la boca y la cierra.

—De acuerdo, pero, aun así, durante tres años te mandé todas las señales posibles, menos saltarte encima de manera literal —dice al fin—. Ves el pasado a través de un cristal de color rosa y crees que tuviste mala suerte, pero lo cierto es que, cuando estaba disponible, no fuiste capaz de tomar una decisión. Todo lo que está fuera de tu alcance parece más atractivo.

—Nunca decidí que no quería estar contigo. Nunca lo haría.

—Fue una decisión por defecto. Ese parece ser tu método favorito, no tomar decisiones. Dejas que las cosas ocurran sin más.

La verdad de lo que ha dicho me impacta como un calcetín con un ladrillo dentro. Quiero contradecirle con cada fibra de mi ser, pero, a veces, no hay suficientes pruebas nuevas como para justificar una apelación.

—Siento haber desaparecido —dice Ben—. Fue una canallada. Mierda. Creo que me parezco más a mi padre de lo que me gustaría.

Volvemos a quedarnos en silencio. Cuando confiesas la verdad se supone que tienes que sentirte aliviado y experimentar una sensación de conclusión, como dicen en las películas estadounidenses. Pero nunca me he sentido más inútil. Y, en cualquier caso, ¿de qué nos sirve discutir sobre quién ha tenido la culpa? Estamos donde estamos. Cualquiera diría que llegar a una conclusión distinta sobre el pasado iba a cambiar las consecuencias en el presente.

—¿Y la cita con Simon? ¿Cómo encaja en la historia? —pregunta Ben, al cabo de un rato.

—Sentía interés por mí, era halagador. Me habías calificado como pasable —contesto. Puede que mi respuesta revele demasiado sobre mi manera de pensar—. Pensé que funcionaría… durante cinco minutos. Supongo que era una manera más de mantenerte en mi vida.

—¿Le estabas usando?

—Sin querer.

—Eso es lo que escribirán en tu tumba. «Aquí yace Rachel Woodford, sin querer» —dice Ben, sonriendo—. Aunque, oye, ya era hora que Simon probara su propia medicina.

Suena más sereno, pero no puede dejar de mirarme de reojo; me siento como una pieza de museo, fascinante pero espantosa: un cuerpo momificado con pergamino quemado por piel y cuencas de los ojos parecidas a los agujeros que dejan los huesos del albaricoque cuando los retiras.

—Si no me hubieras dicho que Olivia se ha ido, no te habría contado nada de esto. Te habría dejado marchar.

Ben se pasa la mano por el pelo, cansado.

—Ya. Nunca es buena idea conformarse con una amistad cuando quieres algo más. Créeme, sé de lo que hablo.

Nos quedamos en silencio.

—Ojalá tuviera una máquina del tiempo —digo, con un tono de voz que pretendía ser irónico pero que me sale desalentado.

—Yo también —dice Ben. Entonces espera el tiempo adecuado para añadir—: Habría ido a la universidad de Leeds.

Se me ha roto el mecanismo de la risa. Además, no le falta razón.

—Mejor que me vaya —anuncia, levantándose. Asiento, desgraciada, y me levanto, resistiendo el impulso de agarrarle por el cuello de la camisa e implorar.

—Adiós. —Intento sonar valiente y fracaso.

—Venga, va —dice Ben, volviéndose hacia mí de nuevo—. Lo superarás.

—Te echaré de menos. —Oigo la súplica en mi voz, la desesperación, «¿por qué no te importa tanto como a mí?»; aunque ya me ha dicho cómo se siente, no puedo aceptarlo.

—Oh, Dan...

Ben finalmente parece triste.

La resurrección inesperada de mi apodo hace que se me llenen los ojos de lágrimas. Caroline había predicho que acabaría llorando; si no había usado esas palabras exactamente, era lo que había querido decir.

—¿Qué ibas a decirme? —pregunto, secándome las lágrimas con la mano—. La noche de la graduación, en la pista de baile.

—No me acuerdo.

—Oh —replico. Trago saliva.

—Bueno, me acuerdo. Pero ya no importa.

—A mí me importa. Por favor, Ben.

Le veo dudar, algo poco sorprendente teniendo en cuenta que parezco al borde del ataque de nervios. Mira a nuestro alrededor para asegurarse de que seguimos a solas, acompañados únicamente por el tipo con la corbata atada a la cabeza que hace *tai chi* descalzo al lado de la cruz.

—Iba a decirte... —empieza, en voz baja— ...que había regalado mis billetes, quería que pudiéramos organizar el viaje cuando tú también pudieras venir. Me fui el día previsto, pero tuve que comprar los billetes de nuevo e irme solo.

Le observo a través de las lágrimas. Esta situación es, básicamente, insoportable. Ben parece muy afectado y da un paso hacia mí, como si fuera a tocarme el brazo, pero deja caer la mano a un lado.

—Quiero algo a cambio —añade, sin subir la voz.

—Sí. Lo que quieras.

—Por favor, no vuelvas a ponerte en contacto conmigo.

Y, en pocas zancadas, desaparece. Estoy segura de que ha tenido que reprimir las ganas de correr. Menudo final.

Doy varias vueltas al parque, intentando que no parezca que he estado llorando antes de volver a salir en público. No puedo hacer nada por remediar el destrozo de mi corazón. Compruebo que sigo teniendo buena vista leyendo la inscripción de la cruz. En este tranquilo entorno, la placa indica con calma: Alrededor de este monumento se encuentran los restos de más de veintidós mil personas.

Qué apropiado. El jardín idílico es, de hecho, un cementerio.

Capítulo 67

—Va a mudarse de nuevo al sur y vivirá en una enorme jaula de oro pagada por sus suegros y será un desgraciado —digo, alcanzando el minuto cuarenta y ocho de mi inútil repaso de los hechos, con Caroline como mi único y paciente público. Ya ha oído la historia completa de camino a Tatton Park, su recompensa por conducir.

Me echo al hombro la cesta de picnic y mi amiga carga con el hule a cuadros y una neverita portátil llena de botellas que chocan entre sí. La semana pasada fue el cumpleaños de Caroline y decidió que lo celebraríamos en el concierto de música clásica y el espectáculo de fuegos artificiales que se organiza en el parque; me da la sensación de que compramos las entradas hace años. Esta fiesta confirma la grandeza de la mente de Caroline: el día ha llegado, Mindy e Ivor están desaparecidos en combate y no sabemos nada de ellos, y yo estoy hecha un desastre. Lo único que nos une son los cargos a la tarjeta de crédito por las entradas y el sentido del deber.

Mindy y Caroline ya han oído mi historia, claro, las llamé primero a una y luego a la otra. Tengo que admitir que mi cuento no tenía demasiado suspense. Mis amigas me escucharon con esa aprensión creciente tan propia de las películas de terror, como cuando los adolescentes anuncian que «no son más que supersticiones» y bajan al viejo embarcadero por la noche con antorchas.

—Mmm —dice Caroline. Coloca el mantel en el suelo y tantea el terreno con la punta del pie, buscando posibles bultos incómodos—. No sabes si será desgraciado.

Apoyo la cesta en el suelo y me dejo caer sobre el mantel, adoptando una postura muy poco digna.

—No —contesto—. No. Aunque, una casa... nadie debería obligar a su pareja a hacer algo que les pone en tal compromiso, ¿no crees?

—Rachel. Importa tanto como si Olivia le estuviera preparando Martinis de cicuta. Te ha dicho que está enamorado de ella y no de ti. Tienes que dejarlo atrás. Y lo digo como alguien que sí que te quiere.

Caroline saca una botella de *Prosecco* de la neverita y me entrega un par de copas de plástico, del tipo con bases que se enroscan. Ojalá el alcohol me resultara de ayuda. Me sabe a parafina y me hierve en el estómago, como si estuviera cauterizando una herida abierta. En general, me siento como si mi existencia hubiera pasado por una trituradora de papeles.

—Sabías desde el principio que no habría un final feliz —continua Caroline con suavidad. Destapa la botella con la mano y sirve la bebida—. Tienes que empezar algo nuevo. Acepta la ayuda de Mindy con todo aquello de las citas por Internet.

—Por cierto, ¿crees que vendrán?

Caroline y yo pensamos que les debíamos algo de distancia y respeto. No les dijimos que les habíamos visto ni les preguntamos más sobre las acusaciones de Caroline. Caro les había mandado mensajes a ambos preguntándoles si acudirían al concierto, y ellos habían confirmado su asistencia. Ambas pensábamos que eso era señal de que algo positivo había ocurrido, pero era difícil estar seguras.

En ese momento, Mindy, vestida con medias de flores y un impermeable fucsia, aparece. Caroline la saluda con la mano. Cuando nos alcanza nos saluda, pero tiene aspecto severo, algo muy perturbador cuando se trata de la mujer menos severa del mundo.

—¿Espero a que llegue Ivor para disculparme? —pregunta Caroline mientras yo le entrego una copa.

—Supongo —dice Mindy con desinterés, tomando un sorbo de *Prosecco* para evitar que se derrame la espuma—. ¿Ha dicho si vendría?

—Bueno, sí —contesta Caroline, ligeramente preocupada.

Intercambiamos una mirada. Quién sabe lo que vi en la calle el día de la discusión. Hay cinco minutos de charla insustancial sobre la última idea de negocios de Mindy antes de que Ivor aparezca andando como un pato entre la multitud. Le identificamos fácilmente gracias a la chaquetilla deportiva que lleva, tan propia de él, con un estampado gris y naranja.

—Buenas —digo, protegiéndome los ojos del sol con la mano.

—Buenas tardes.

Montamos una copa de plástico para él.

—Vamos a lo importante —dice Caroline, una vez él se sienta con las piernas cruzadas y la copa en la mano—. Estoy completa, terrible y absolutamente arrepentida de lo que dije. Me equivoqué y lo que hice no estuvo bien. Por favor, por favor, aceptad mis disculpas —declara, mirando de Mindy a Ivor—. Y no es que quiera haceros chantaje emocional, pero os recuerdo que es mi cumpleaños y que mañana tengo que asistir a la primera sesión de terapia de pareja con mi marido infiel. Así que, no sé, sed misericordiosos.

Ivor pone cara de póker. Mindy está arrancando puñados de hierba y dejando las briznas de nuevo por el suelo mientras mira hacia el escenario.

—Lo hemos hablado y creemos que lo que hiciste fue bastante horrible, pensamos que eres tú la que debería avergonzarse, no nosotros —dice Ivor—. Lo que vosotras no sabíais, pero Mindy sí, es que... Llevo tiempo peleándome con esto. Es hora de decirlo. Soy gay.

—¿En serio? —suelto abruptamente—. ¿Eres gay?

—Sí. Por eso Mindy se enfadó por lo de Katya. Dijo que tengo que aceptar de una vez lo que soy. Que Caroline me acusara de estar enamorado de otra mujer... no me ha ayudado a salir del armario, precisamente.

—Oh, santo cielo, Ivor, lo siento muchísimo. O sea, no siento que seas gay, sino mi emboscada. ¿Desde cuándo lo sabes? —exclama Caroline, que se ha llevado la mano al pecho.

Ivor sacude la cabeza.

—Desde hace suficiente como para darme cuenta de que ya va siendo hora de dejar de ocultarlo.

—Y yo siento que fuera idea mía lo de acorralaros —digo—. Ivor, ojalá nos lo hubieras dicho antes. Nosotras te queremos igual.

Mi amigo asiente.

—¿Tienes... tienes novio?

Sueno como una mujer de sesenta años en una *tapersex* que intenta comprender que esta nueva moda del *perreo* no incluye perros, o que el término «oso» no siempre se refiere a las criaturas del bosque. Esta novedad de Ivor me ha dejado incapaz de coordinar el sentido común y la boca.

—Qué va, todavía no he llegado a ese punto. De momento, solo... bueno, ya sabes, un montón de penes sin carga sentimental que rastreo en el bar gay de mi barrio.

No tengo a mano un manual de etiqueta con un punto en el capítulo que habla de conversaciones con homosexuales sobre penes, así que me vuelvo hacia Mindy y repito mis disculpas. Mi amiga está bebiéndose el *Prosecco* como si fuera agua, se seca los labios y asiente cuando le pido perdón.

—Bueno, estoy hablando de penes, pero quiero decir penes y anos. Todavía no he decidido en qué lado del intercambio prefiero estar —continua Ivor.

Caroline y yo asentimos y bebemos a sorbitos de nuestras copas, por disminuir la tensión. Hay un abismo insalvable entre nuestro dulce entorno y la naturaleza franca de nuestra conversación. No me cuadra pensar en si mi amigo prefiere ser activo o pasivo mientras contemplo a tres generaciones de una misma familia compartiendo Earl Grey de un termo.

—Perdón —dice Ivor—. He estado yendo a reuniones de un club de apoyo y, una vez derribas las barreras de la comunicación, las derribas bien. Ya me entendéis.

—¿No has querido contárnoslo hasta ahora? —pregunta Caroline—. No es que me queje. Ojalá hubiéramos podido ayudarte con tus problemas.

—Una vez casi os lo dije. Estábamos viendo una película con Matt Damon en la que el tipo estaba escalando un edificio...

—La de Bourne —dice Mindy.

—Gracias, Mindy, sí, una de las películas de Bourne. El caso es que casi se me escapó «¡Pero que pedazo de trasero! ¡Le saltaría encima sin pensarlo dos veces!». No lo dije por un pelo. En el último momento me corté.

—Y la película trata de un hombre que olvida su identidad —añade Mindy.

—Nunca había pensado en lo irónico de la situación —comenta Ivor—. Quizá fue la influencia subconsciente. Bueno, ¿qué hay en la cesta de picnic? ¿Has hecho huevos a la escocesa?

Caroline parece agradecida por la distracción y empieza a rebuscar por su cesta, sacando varias fiambreras.

—Oh, demasiadas ensaladas. No soy tan gay —dice Ivor.

Mindy le aprieta el brazo con cariño.

Sabía que algo no encajaba y, cuando veo el gesto de mi amiga, caigo en la cuenta.

—Espera —digo—. Espera un momento. ¿Has dicho que Mindy ya lo sabía? ¿Mindy? ¿Cómo diablos has conseguido que guarde un secreto?

Silencio incómodo. Ivor se queda inmóvil con un colín camino a la boca.

—¡Ajá! ¡Os lo habéis creído! ¡Sorpresa! ¡Estamos saliendo juntos! —exclama.

Caroline y yo nos miramos y nos volvemos hacia Ivor, que nos dedica una sonrisa propia de un villano.

—¡Ivor! —grito—. ¿Finges salir del armario y luego vuelves a meterte? ¡Qué mal gusto!

Ivor estalla en carcajadas con tanta energía que se cae.

—¡Tendríais que haberos visto! —dice, entre risas—. ¡Pedazo de trasero! —dice carcajeándose.

Caroline se lleva dos dedos a las sienes.

—Ivor, ¿no eres gay? ¿Y Mindy y tú estáis saliendo juntos?

—No, no lo soy... y sí, así es —dice Ivor, mirando a Mindy de reojo.

Caroline y yo nos volvemos hacia ella, que sonríe tímidamente. Mindy no ha sonreído tímidamente en su vida. Increíble.

—¡Sabía que tenía razón! —exclama Caroline.

—¿Y el arrepentimiento por habernos humillado qué ha durado? ¿Cuatro minutos? —pregunta Ivor—. Os merecíais las represalias.

Caroline me da su copa, se inclina sobre el mantel y les da un beso en la mejilla a cada uno.

—Me alegro tanto, tantísimo, por vosotros dos.

—No puedo creer que vayas a volver al armario —le digo a Ivor.

—No hay un armario, Woodford, ¿de acuerdo? Soy cien por cien amante de las señoritas. Me gradué en heterosexualidad en la Academia de cortejo de Peterborough y todo.

—Pero todavía no nos hemos acostado juntos —dice Mindy—. Será un poco raro cuando nos pongamos a ello.

Él se golpea la frente con la palma de la mano.

—¡Mindy! Estábamos ganando el duelo de vergüenza hasta que has dicho eso.

—Lo siento. Aunque eso es lo que estaría pensando yo, en su lugar.

Los dos se ríen, con cierta inseguridad. Suenan diferentes.

—Es una noticia fantástica, pero os prohíbo decir que si rompéis no volveréis a veros más. ¿De acuerdo? —pregunto.

—Hemos hablado de ello. Pensamos que ese es uno de los motivos por lo que hemos tardado tanto —responde Mindy, con otra mirada tímida. Se me ocurre que puede que esté experimentando por primera vez la sensación de salir con alguien a quien quiere. Eso es lo que le faltaba.

—Tendríamos que establecer un calendario de visitas para poder vernos sin que coincidierais el uno con el otro —comenta Caroline—. Pero puede que nunca os separéis. Rachel y yo seremos las tías de preciosos niños con la piel de color chocolate y ropa extravagante —añade, y hace una mueca.

—¿Te apetece una taza de «cállate la boca»? —dice Ivor.

Propongo un brindis.

—Por Ivor y Mindy. Con vuestros nombres y vuestro gusto por los colores chillones, estabais destinados a estar juntos.

Juntamos las copas de plástico.

—Y por el cincuenta y tres cumpleaños de Caroline —añade Ivor, mirando al mar de pelo gris que nos rodea.

Capítulo 68

Guardo el libro y me despido murmurando de mis compañeros antes de volver al inclemente tiempo que hace fuera. Me he apuntado a un curso nocturno de italiano en la universidad. Media docena de estudiantes de intercambio y yo farfullamos frases de italiano macarrónico con una profesora muy rubia, pálida y extremadamente inglesa; no se parece nada a la ondulante Gina Lollobrigida que me había imaginado.

Las nubes que por la tarde eran borrones de lápiz se han convertido en una lluvia que me salpica. A pesar de la llovizna persistente y un compromiso que requiere que tenga buen aspecto, decido andar por la calle. Paso por la Biblioteca Central, una cúpula iluminada al estilo *Encuentros en la tercera fase*, como si estuviera a punto de ponerse a zumbar, repicar y echar a volar por el cielo nocturno. Me detengo y la contemplo un momento, temblando y manteniendo una mano en el cuello del abrigo para que no se me abra. Me apresuro calle abajo cuando la lluvia empieza a caer con fuerza; tengo que parpadear para apartarme las gotas de agua de los ojos. Entro al santuario titilante que es el bar y encuentro una mesa libre en la esquina del fondo, junto a la ventana y bajo el póster de *El mago de Oz*.

—Tenemos vino caliente con especias, si te apetece —dice la camarera que estudia Bellas Artes. Se saca un lápiz del moño para apuntar lo que quiero—. Hace un tiempo tan atroz que nos ha parecido apropiado.

—Oohh, pues no te diré que no —digo como si se tratara de contrabando, como la pícara abuelita borrachuza en la que sin duda me convertiré algún día.

457

Me lo sirven en una taza de cristal con una servilleta de papel doblada debajo por si se derrama. He llegado justo a tiempo; el viento se ha unido a la fiesta y la lluvia cae en horizontal, precipitándose en violentas oleadas, como si Manchester estuviera pasando por un lavado automático.

Las últimas tres semanas han sido bastante horribles. Esta noche no me siento tan mal. Estoy vacía, pero tengo energía. Esa especie de mareo que supongo que experimentas cuando haces ayunos en un *ashram* y te dices a ti misma que sientes cómo las toxinas abandonan tu cuerpo, cuando en realidad lo que pasa es que tu estómago ha empezado a digerirse a sí mismo.

He vuelto a la configuración de fábrica. Borrón y cuenta nueva, empezar de cero, cuando has tocado fondo solo puedes ir hacia arriba, como dicen los grandes filósofos de la *Cosmopolitan*.

Rhys me llamó anoche para comunicarme que ha conocido a alguien, una muchacha llamada Claire. Ha empezado a trabajar en la misma compañía. Puede que se vaya a vivir con él, ¿me importa que ocurra tan pronto? Me sorprendí, no solo al decir que no lo lamentaba, sino al darme cuenta que estaba siendo sincera. Rhys hablaba con entusiasmo, y ese no es el Rhys que yo conozco; Claire ya ha tenido un efecto en él que yo nunca tuve. Estaba contento y quería compartirlo conmigo. Ya sé que dijo que habíamos desperdiciado trece años juntos, pero que me llame para compartir buenas noticias demuestra que no ha sido tiempo perdido.

Caroline ha pasado a trabajar cuatro días a la semana y dedica el quinto a hacer de voluntaria en proyectos para mejorar los barrios más desfavorecidos. Le encanta. Sabe Dios a qué se dedicarán todos los asistentes sociales cuando Caroline solucione el problema de la pobreza definitivamente. Nuestras noches de fiesta de los viernes se han desplazado a los sábados. Los viernes Caroline dedica la velada a estar con Graeme, ya que su terapeuta les ha recomendado que tengan un «momento de la semana reservado para valorar los lazos que les unen y volver a conectar». Mindy y yo nos hemos comprometido a hacer un esfuerzo por llevarnos mejor con Graeme, para que nuestra amiga no se vuelva loca. Es más fácil ahora que está escarmentado y no se mete tanto con la gente.

Mientras tanto, Katya está en Colombia, Ivor no pierde fines de semana en bares sospechosos y Mindy no tiene que fingir interés por la música tecno. Nunca han revelado qué ocurrió exactamente el día que Caroline decidió ser sincera, lo cual, en el caso de Mindy, demuestra una voluntad de hierro. Conseguí que me confesara algo: dice que aquel día alcanzó a Ivor por la calle, sus miradas se cruzaron y «lo supimos nada más vernos. Lo supimos sin más, sin tener que pronunciar palabra». Esos dos, sin pronunciar palabra. Solo eso ya es increíble.

Mindy sigue negándose a descartar su teoría de la atracción, aunque ha cambiado el principio: ahora se fundamenta en si has visto a la otra persona en ropa interior. Afirma que, si hubiera sabido que Ivor tenía los músculos bien definidos, habría confesado las ganas de saltarle encima mucho antes. Nadie se lo cree. Son ridícula y nauseabundamente felices, aunque lo suficiente considerados como para no restregárnoslo por la cara si pueden evitarlo. De otro modo, echaría de menos sus discusiones.

Consentí que Mindy me creara un perfil en una web de citas. Insistió tras decir que mis intentos de encontrar novio por Internet eran «tan eficaces como cagar de pie». («¿Habéis comprobado la ortografía? —me había preguntado Ivor—. En uno de sus perfiles, Mindy escribió "mocos" en vez de "motos" en el apartado de aficiones. Aunque oye, tuvo mucho éxito entre ciertos usuarios... especializados»).

—¿Rachel?

Un hombre alto con el pelo oscuro y la cara empapada está delante de mí.

—¡En efecto! Hola, ¿Gregor?

Se sienta y deja un periódico mojado sobre la mesa; asumo que lo ha estado usando de paraguas.

—¿Qué vas a tomar? —pregunto.

—¿Tienen menú?

Levanta un papel con texto impreso situado en un bloque de madera y lo estudia. Intento con todas mis fuerzas concentrarme en su pelo, pero fracaso. ¿Qué diablos...? Es un pico de viuda de lo más pronunciado, color negro azabache. Lo que más llama la atención, sin embargo, es que no parece estar hecho de pelo. Es como... Velcro, o algún tipo de hierba de plástico para cabezas. Parece que se lo haya cosido al cuero cabelludo.

Mientras charlamos para conocernos un poco, Gregor pide una cerveza. Me irrita y me siento culpable por estar irritada; quién sabe si se le cayó el pelo por algún trauma y un especialista en regeneración capilar le engañó y su mujer le dejó por eso. Pero en serio, ¿por qué no aceptarlo y ser sincero? Todas sus fotos estaban iluminadas artísticamente para disimular lo del pelo. Sin duda, sería más práctico ir a por las fans de la Familia Monster y evitarnos un disgusto a las demás, ¿no? Seamos realistas. En mi perfil había un montón de mierda bienintencionada que Mindy escribió sobre la belleza de verdad, pero mis fotografías bien iluminadas servían de ayuda visual.

«Deja de ser tan superficial», me digo a mí misma. Lo que importa es el interior. Has venido para disfrutar de su personalidad.

—¿A qué concierto me has dicho que ibas? —pregunto.

—Michael Ball. Una recopilación de canciones de musicales. *West Side Story* y todo eso. ¿Vas mucho al West End?

—Esto, no. Siempre tengo intención de ir, pero...

—Oh, deberías, deberías. Es una manera fantástica de pasar una velada, ¿sabes? Un entretenimiento fantástico.

La camarera le trae su cerveza y me fijo en que no le da las gracias, ni siquiera la mira. ¿Cuánto tiempo es necesario dejar pasar antes de declarar educadamente: «esto no va a funcionar»?

—¿Qué hace una mujer tan simpática como tú soltera?

—¿Acaso las mujeres simpáticas no podemos estar solteras?

—Era un cumplido, si me lo vas a echar en cara...

—Ya, de acuerdo, gracias. Es una larga historia...

Su mirada oscila hacia mis pechos mientras habla y, de repente, me siento como si tuviera dieciséis años y estuviera sentada con un muchacho que cree que puede mirarte las tetas sin que te des cuenta. Quizás es un tic nervioso y no se da cuenta de lo que está haciendo. Al fin y al cabo, llevo un vestido de lana oscuro, no es que vaya enseñando nada.

—...¿Y por qué estás tú soltero? —pregunto.

Gregor suspira, hinchando las mejillas.

—Trabajo muchas horas, viajo a otros países.

—Claro. Para el banco.

—En un año bueno, puedo embolsarme veinte o treinta mil libras en extras; a cambio, quieren el sudor de mi frente.

Al decir «sudor» se le vuelven a desviar los ojos hacia el sur. ¡Lo hace a propósito! ¡Está mirándome las tetas! Increíble.

Media hora más tarde, agradezco con todo mi corazón a la ética profesional de Andrew Lloyd Webber: el concierto de Gregor empieza temprano.

—Me lo he pasado bien. Llámame cuando quieras —dice, colocando la silla bajo la mesa—. Si estoy al otro lado del charco puede que no te responda enseguida, pero lo haré tarde o temprano.

Emito un sonido vagamente afirmativo que acompaño con una sonrisa enfática y un asentimiento vigoroso que significa: «oh, sí, cuando los cerdos participen en concursos de piruetas de vuelo».

Podría admitir mi derrota y volver a casa, pero eso parece sentar precedente y confirmar que salir sola no es divertido, y que estar sola es malo. Pido otra bebida y me digo a mí misma que la próxima vez traeré un libro.

He aquí lo que he decidido: siempre echaré de menos a Ben. Siempre me preguntaré qué habría pasado si hubiera dicho «gracias por venir, Rhys, un esfuerzo encomiable, buen toque el de la brillantina, pero, por favor, discúlpame mientras echo a correr tras el hombre que amo de verdad». Pero, a pesar de lo horrible que fue el día en los jardines de Saint John, no me arrepiento de lo que le dije entonces. Al menos lo intenté. La máxima de Rachel: fracasa una vez, y a la siguiente fracasa de manera distinta.

Algunos terminan junto a su alma gemela, como Mindy e Ivor. Otros acaban con parejas con las que pueden ser felices, si se esfuerzan, como Caroline y Graeme. Los hay que disfrutan de una segunda posibilidad, como Rhys y Claire; y los hay que encuentran a la persona que se merecen, como Lucy y Matt. Algunas personas, grupo que tal vez me incluya, terminan solas. Y no hay nada de malo en ello. Estaré bien. Tomo una decisión: reservaré un viaje a Roma para la fecha de mi no boda, el acontecimiento que nunca ocurrirá. Y hablaré italiano. Un poco.

Capítulo 69

Estoy hundiendo con la cucharilla la rodaja de naranja y el palito de canela que flotan en mi vino cuando la silla que tengo delante se mueve.

—¿Está ocupado este sitio? —Levanto la mirada. Se me cae la cucharilla al plato—. Estamos teniendo un tiempo de película post-apocalíptica, ¿eh? *Blade Runner* total. Se me había olvidado la capacidad que tiene el noroeste de empaparte en segundos.

Continuo mirando sin decir nada mientras Ben deja el abrigo en el respaldo de la silla. No parece empapado. Parece que venga de salvar al mundo justo a tiempo para la cita con su sastre.

—Te he visto delante de la biblioteca y te he seguido —dice—. Has venido por el camino más largo posible, ¿lo sabes? Entonces me he sentado en una esquina del bar y te he observado de manera siniestra —añade. Le echa un vistazo a mi vaso—. ¿Lleva alcohol?

—Sí.

—Perfecto.

—¿Has venido a entregarme algún tipo de documento especial de cese y desistimiento, como buen abogado?

—No, he venido para pedir otra bebida. Ah, fantástico. Lo mismo que ella, por favor. Gracias.

Confirma su pedido a través del método estándar de gesticular en dirección hacia la camarera.

—¿Quién era tu acompañante? —pregunta.

Puesto que lo que entiendo de lo que está ocurriendo es exactamente nada, respondo la pregunta que me plantea.

—Gregor.

—¿Nuevo novio?

—Uf, no. Le gustan los musicales y me miraba las tetas cada doce minutos.

Ben arruga la nariz.

—Bah, aficionado. Todo el mundo sabe que la mejor manera es esforzarse por recopilar lo que puedas por el rabillo del ojo y luego construir un modelo imaginario en tres dimensiones.

Sacudo la cabeza mientras las ganas de reír batallan con mi absoluta sorpresa.

—¿Has vuelto al mundo de las citas, pues?

—Con poco arte, pero sí.

—Me alegro de oírlo.

Ben le da las gracias a la camarera que le sirve el vino, levanta la copa y toma un sorbo. Entonces detecto un pequeño detalle sobre su mano izquierda. Él se da cuenta de que me he dado cuenta. Deja la copa en la mesa.

—Liv y yo vamos a divorciarnos. Volví a Londres; estuvimos hablando sobre todo lo que había ido mal y decidimos que lo nuestro no tenía arreglo. No tuvo nada que ver con la camorra en la boda, por cierto. Aquel episodio fue el último estertor de nuestro matrimonio. Resultaba obvio desde antes de venir a Manchester. Mudarnos al norte no fue más que una manera de posponer lo inevitable.

—Lo siento, Ben.

Descubro que sí que lo siento. Lo siento mucho y lo lamento por él. Me gustaría poder decir que habría sentido lo mismo antes de perder todo mi egoísmo, pero no sé si sería cierto. Lo que sé, confirmado por las últimas noticias de Rhys, es que si quieres a alguien deseas su felicidad, aunque esa felicidad no te incluya. Incluso si esa felicidad depende de que no estés incluida.

—Yo también.

—Debes de estar hecho polvo.

—En cierto modo, resultaba peor cuando el divorcio era solo una posibilidad o algo que tenía que ocurrir pero de lo que todavía no habíamos hablado. Estoy triste, pero resignado. Es mejor estar separados que dedicarnos a tirarnos de los pelos hasta el agotamiento. ¿Sabes a lo que me refiero?

—Sí, sí que lo sé —contesto, pensando en Rhys.

—Vino especiado —comenta Ben, y toma otro sorbo—. Agradable, aunque extremadamente fuera de temporada.

—¿Vas a quedarte en Manchester?

—Sí.

—Ben —digo con cautela—. Si has venido a decir que podemos volver a ser amigos ahora que te has separado... no sé si soy capaz. Hemos intentado serlo dos veces, y las dos acabaron como el rosario de la aurora. Quiero decir, los amigos pueden hacerse favores, como escribir comentarios en el perfil de una web de citas, igual que Mindy hizo conmigo. Si tuviera que hacer lo mismo con tu perfil, pondría que eres el tipo más machista que he conocido jamás. Que apestas. Que de haberlo sabido me habría puesto un traje anti-radiación para copular contigo.

Ben finge olerse la axila.

—¿Ahora me lo dices? —comenta con cara de póker.

—Ya sabes a qué me refiero. No puedo ayudarte a conocer chicas ni charlar alegremente con tus nuevas novias. No va a funcionar.

—Uf —dice Ben. Pesca un palito de canela con los dedos y lo deposita en el plato—. Estas cosas no deberían salir de los saquitos aromáticos bajo ninguna circunstancia.

No sé cómo recibe mis palabras. No han sido fáciles de pronunciar.

—Estoy de acuerdo, lo de ser amigos no funcionaría. La última vez que te vi estaba enfadado, pero, cuando lo pensé, me di cuenta que era conmigo mismo. Quiero que sepas que la noche del baile salí huyendo porque estaba seguro que elegirías a Rhys en vez de a mí y me aterrorizaba la idea, así que no me arriesgué a quedarme y ser testigo de ello. No respondí a tus llamadas por el mismo motivo. Pensaba que solo servirían para confirmarme las malas noticias. Me dije a mí mismo que, de haber estado en tu lugar, yo habría ido a buscarte inmediatamente. Pero ya me habías dicho lo que sentías, me equivoqué al jugar contigo y exigirte que lo demostraras. Nunca lo miré desde tu perspectiva. No es que tú no pudieras decidirte, es que yo era demasiado inseguro. Entonces, cuando me enteré de que habías vuelto con Rhys, pensé «aquí lo tienes, las pruebas, tenías razón al dudar de ella». Hasta que nos sentamos en los jardines, nunca me había enfrentado a la idea de que quizá fui yo el que forzó la situación. Me di cuenta de que he sido un completo imbécil.

Toma otro sorbo de vino especiado. No estoy segura de poder soportar esto una vez más. Es como rebobinar constantemente el video de un accidente de tráfico.

—Cuando conseguí ser honesto conmigo mismo sobre el pasado, pude serlo sobre la presente —continua Ben—. Lo planteé todo mal desde el principio, mi estúpido orgullo herido quería demostrarte algo.

—¿Qué sentías la necesidad de demostrar?

—Que no me importaba lo que había ocurrido. Que nunca pensaba en ti ni deseaba que las cosas hubieran sido diferentes. El plan empezó a salir mal enseguida, y me encontré sentado a tu lado reprimiendo las ganas de gritar: «¿Acaso no sabes que me partiste el corazón, zorra?».

Ben sonríe para demostrar que se trata de un «zorra» irónico.

—Y quería salvarte de las zarpas grasientas de Simon... tal vez con demasiado entusiasmo. La cuestión es que, desde que nos reencontramos, hemos basado nuestra relación en un malentendido. Estaba seguro de que podríamos ser amigos. Pensé que no podría volver a enamorarme de ti. Y tenía razón.

Ben respira hondo.

—Por favor —interrumpo a la desesperada—. Si pretendes decirme que te has dado cuenta de que me quieres como a una hermana, es muy bonito pero no me apetece oírlo. Escríbelo en una postal y me lo mandas con un ramo de juncos: «Mi más sentido pésame por la pérdida de tu atractivo sexual».

—Tenía razón en que no podía volver a enamorarme de ti porque nunca dejé de estar enamorado.

—¿Qué?

—Es la verdad —dice Ben, animado—. Parece que la primera vez me infectaste. Desde entonces, has estado en estado latente en mi corazón, como un virus. O una enfermedad crónica e incurable que se manifiesta de vez en cuando.

Un pausa. La vida pasa de ser en blanco y negro a todo color.

—¿Soy un eczema?

—Eczema del corazón —aclara Ben, sonriente—. Eso es. Psoriasis del alma.

El mundo entero es una mesa al lado de una ventana en un bar de Manchester y la persona que está sentada delante de mí. Si la felicidad fuera visible desde el telescopio Hubble, esta noche los científicos tomarían nota de una iridiscencia peculiar en una isla al norte del Ecuador.

—Teniendo esto en cuenta, quiero pedirte una cita. ¿Estás libre esta noche?

—Oh. —Mi mente está tan sobrecargada que solo puedo emitir ruidos de tonto—. Sí.

—¡Perfecto! Dios mío, ya vas por la segunda cita de la noche, mientras que yo he perdido la práctica. ¿Tengo que fingir que me gustan los gatos, las películas antiguas y pasear bajo la lluvia? Espera, no. Trivial de Rachel: no le gusta que la gente hable de «películas antiguas»; hay películas buenas y malas. Si alguien dijera que le gustan las películas nuevas, sonaría estúpido.

—¿Eso dije?

—En el primer curso de la universidad.

—Es increíble que te acuerdes.

—Cuando se trata de ti, lo recuerdo todo. Así que no me hace falta hacer esto —dice Ben. A continuación, se pasa la mano por la nuca y finge mirarme los pechos disimuladamente. Me echo a reír. Ben se da un golpecito con el dedo en la sien—. Lo tengo todo aquí. No te preocupes.

Me cubre la mano con la suya. Está ocurriendo de verdad.

—Hay tantas cosas que debería decirte, pero no se me ocurre ninguna —suelto.

Veo que la camarera del lápiz en el moño nos mira con la sonrisa de «qué bonita pareja» otra vez. «Si tú supieras.»

—Puedes responder a la pregunta implícita sobre qué haremos ahora —dice Ben.

—¿Hay una pregunta implícita?

—Oh, sí. ¿Quieres ir a cenar?

***

—¿Es correcto que vayamos por ahí? —pregunto cuando salimos del bar.

—¿Qué quieres decir? ¿Llevas una pulsera que indica tu posición a la policía?

—Como... —empiezo. Iba a decir «como pareja», pero me parece que decirlo después de ciento setenta y cinco mililitros de rioja recalentado es un poco presuntuoso—. Como... ya sabes. Los dos solos.

—¿Como pareja? —pregunta Ben, deteniéndose—. Hemos esperado mucho para acudir a nuestra primera cita. No creo que pueda decirse que nos estamos precipitando. Tras lo que hemos dicho, espero poder considerarte... mi novia. Lo eres, ¿no?

—¡Sí! —exclamo. Novia. Novio. ¡Una pareja!—. Si es que, sinceramente, quieres a una mujer a la que Internet ha descrito como «muy lolaila».

—Es patético, supe que te quería nada más verte. No fue amor a primera vista, exactamente, sino una especie de familiaridad. Un «oh, hola, eres tú». Tú eres la definitiva. *Game over*.

Me siento como si fuera a estallar de felicidad.

—No puedo creer que al fin pueda estar contigo.

Ben se inclina y me besa. Apoya la mano en mi nuca y enlaza los dedos con mi pelo. Las bocas cálidas y con sabor a vino tinto y grosella negra. El aire a nuestro alrededor es frío y limpio. Como en los viejos tiempos, el beso tiene un efecto instantáneo en todo mi cuerpo, pero el reencuentro no es como un recuerdo, da la sensación de ser algo nuevo. Le rodeo con los brazos, por debajo del abrigo abierto, y le sostengo, comprobando lo sólido que es.

Paseamos de la mano. Los transeúntes no saben lo milagroso de todo esto. Quiero hacer que se detengan y contárselo.

—Si alguien pregunta cómo acabamos juntos, será la historia más larga del mundo —parloteo—. La mayoría de gente puede decir: «nos conocimos en una fiesta de Navidad. A los dos nos gustaban la espeleología y el *hip hop*. Tenemos dos hijos».

—Bueno, pues diremos que nos conocimos en la universidad.

—No le hace justicia a la historia. Tendremos que explicarlo con una línea cronológica. Quizá lo deje por escrito, por si tenemos nietos.

—La historia empezaría en la semana de bienvenida para los de primer curso, pero ¿cuándo terminaría? ¿En esta noche?

—Claro —contesto—. Al final, esta ha sido la noche más importante de todas.

—¿Con qué frase terminarías?

—Santo cielo, no lo sé. Alguna cursilada diciendo que vale la pena esperar y «entonces fui a comer *dim sum* a Chinatown con él y, para rematar, resultó que es bastante competente con los palillos chinos».

—No, a no ser que sea un eufemismo, es muy anticlímax. Somos filólogos, por el amor de Dios, podemos escribir algo mejor. Piensa en el legado, en el peso de la historia. Tiene que inspirar. ¿Qué te parece «entonces lo hicieron y a ella le encantó»?

Le miro de reojo para verle la expresión de la cara. Yo pongo cara de póker.

—Sí, eso estaría bien.

Y colorín colorado, la historia de Rachel y Ben se ha acabado.

Si PENSARA en ti, te DESPRECIARÍA

¿Qué pasa cuando la última persona a la que querrías ver es la que necesitas? Aureliana regresa a la escuela después de quince años para una reunión de antiguos alumnos. Sin embargo, ese lugar no le trae buenos recuerdos: la llamaban «el galeón italiano» porque estaba gordita. Ahora, a sus treinta años, lo que le apetece es dejar el pasado atrás de una vez por todas y hacer frente a aquellos matones que convirtieron su vida en un infierno. Pero Aureliana ha cambiado mucho: es una mujer diez con una melena espléndida, así que nadie la reconoce cuando llega. Entonces, decide echarse atrás, abandonar su plan de venganza y escabullirse, con la esperanza de olvidar para siempre todo aquello. Sin embargo, el destino se interpondrá en su camino y, tras la reunión, se topará con James —un pedazo de hombre que fue su amor platónico en el colegio—. Muy atractivo, sí, pero bastante feo en su interior. Sus destinos se entrecruzarán, creciendo entre ellos una relación amor odio hasta que, al final, algo cambiará y ambos empezarán a descubrir cómo es cada uno por dentro.

Si Pensara en ti, te Despreciaría

Mhairi McFarlane

Hasta que llegaste

Posey Osterhagen tiene mucho que agradecerle a la vida. Es la propietaria de una exitosa empresa de rehabilitación de edificios, su familia la arropa y tiene un novio, o una especie de novio. Aun así, le parece que le falta algo. Algo como Liam Murphy, un tipo alto y peligrosamente atractivo.

Cuando Posey tenía dieciséis años, ese chico malo de Bellsford le rompió el corazón. Ahora que ha vuelto, su corazón traidor está de nuevo en peligro. Lo que tendría que hacer ella es darle calabazas pero, en cambio, el destino parece tenerle reservado algo distinto.

KRISTAN HIGGINS

Hasta que llegaste

También en Libros de Seda

Libros de seda

Para mí, el único

La abogada divorcista Harper James no tiene ni un respiro. Bastante malo es que se encuentre con su ex, Nick, en la boda de su hermana para que ahora, además, por un cruel giro del destino, se vea forzada a hacer un viaje por todo el país con él. Y mientras, su casi novio se queda en casa, no muy contento.

Harper no puede evitar que Nick se abra paso de nuevo en su vida con ese glorioso y atractivo aire de arquitecto que le rodea. Sin embargo, a los ojos de Nick, Harper siempre ha sido la mujer de su vida. Si consiguen hacer las cosas bien esta vez, la felicidad puede estar esperándoles a la vuelta de la esquina.

KRISTAN HIGGINS

Para mí, el único

Pronto en Libros de Seda

NEW YORK

ANO · VEL

Libros de
seda

Síguenos:

librosdeseda.com

facebook.com/librosdeseda

twitter.com/librosdeseda